AVEC CES YEUX-LÀ

MICHÈLE MORGAN
avec la collaboration de Marcelle Routier

AVEC CES YEUX-LÀ

ÉDITIONS ROBERT LAFFONT

COÉDITION ROBERT LAFFONT — OPERA MUNDI

ISBN : 2 - 266 - 00681 - 9

1

LA PRÉDICTION

Sans doute, au regard de certains, mon enfance fut-elle banale, mais pour moi elle est restée exceptionnelle.

D'abord j'avais la famille la plus drôle du monde. Là encore, d'aucuns s'étonneront; c'est qu'ils ne savent pas le bien infini que peuvent faire des fous rires, pour tout et pour rien. Dommage que ceux-ci ne se partagent que sur l'instant et ne se racontent pas.

Je crois que cette grâce : rire de rien, n'est accordée qu'aux cœurs purs et ma famille entière possédait un grand cœur d'un blanc-bleu unique. Une véritable fortune! On nous dira naïfs, innocents, pourquoi pas? Alors que simplement nous ignorions le mal, on ne le voyait pas, parce que son existence nous était étrangère.

C'est cette candeur qui fut responsable de mon destin.

Un soir comme les autres; notre petit appartement au troisième étage, sans ascenseur, de la rue de l'Église à Neuilly, est tout rempli de vapeurs blanches, maman me donne mon bain. C'est une vieille baignoire de zinc avec une rampe à gaz dessous. Mes trois ans barbotent gaiement. Maman me rince à grand bruit.

La voix de papa, impatiente, éclate dans le couloir :

– Georgette, où es-tu?

– Dans la cuisine, répond maman, je donne son bain à la petite.

Papa s'encadre dans la porte.

– Tu ne sais pas... Marcel vient de me lire l'horoscope de Simone!

Marcel est un de ses collègues de bureau.

– Ah oui! fait maman distraitement, tout occupée à me sécher vigoureusement.

– Tu m'écoutes... Simone aura un destin ex-cep-tion-nel!

Il me prend, m'embrasse fougueusement. Sa grosse moustache blonde à la limite du roux me pique, il m'appelle « Mon amour, mon premier bébé! » Je redoute un peu ses baisers fougueux qui m'étouffent. Il me soulève haut, très haut! Je gigote au bout de ses bras.

– Repose la femme célèbre par terre, tu vas lui donner mal au cœur!

Le prosaïsme de maman ne le désarme pas. Lyrique, il poursuit :

– Elle sera célèbre, si la guerre lui en laisse la possibilité!

Nous ne sommes qu'en 1923, mais ce soir on n'en est plus à une prédiction près! Papa, qui a fait la guerre de 14-18 devant cette Allemagne convulsée par le traité de Versailles prévoit que la paix ne sera qu'un entre-deux-guerres.

Non seulement toute la soirée il épiloguera sur mon avenir : étant née sous le signe des Poissons, je dois faire carrière dans le domaine des arts, une réussite brillante, exceptionnelle, mais dès le lendemain il informera toute la famille de mon destin. Et tous de l'accepter comme parole d'Evangile!

Je continue à m'en étonner. N'est-il pas étrange que mes parents, catholiques pratiquants, aient eu foi en cette prédiction? A cette époque on ne prenait pas quotidiennement connaissance de son caractère et de son avenir dans l'horoscope de son journal habituel, seuls quelques initiés, dont mes parents ne faisaient pas partie, croyaient en l'astrologie.

Dans notre modeste milieu petit-bourgeois, il eût été plus logique que maman s'emploie à mettre un peu de raison dans la cervelle de cette petite fille qui rêvassait à longueur de journée, et que papa m'explique que je ferais mieux d'apprendre mes leçons et de faire mes devoirs, ce qui, comme chacun le sait, est le plus sûr chemin de la réussite. Non, pas un seul membre de la famille n'a cherché à contrarier la « prédiction ». Elle est devenue notre étoile du Berger, notre ligne bleue des Vosges à nous. Ce n'était même pas un billet de loterie sur l'avenir, c'était une certitude à échéance inconnue mais inéluctable.

Comment ne pas s'émerveiller d'avoir eu une famille aussi farfelue, alors que par ailleurs elle avait tout de même les pieds sur la terre?

Sept années s'écoulent. Pour moi des années tout en images, en sons et en odeurs. Les rues provinciales d'un Neuilly oublié, sillonnées d'un tram ferraillant dont la cloche, ding, ding, ding, me réveille le matin. Tous les jours, maman, entichée de principes naturistes, révolutionnaires en ce temps, m'emmène prendre l'air au bois de Boulogne; dans le carré de pins au coin de l'avenue de Madrid et de la rue de la Ferme, l'air doit y être meilleur! Le jeudi, j'y traîne ma trottinette, les autres jours, en sortant de l'école, je me contente de courir autour des nurses, généralement anglaises, en cape grise et coiffe blanche, et des bonnes d'enfants assises auprès des voitures profondes et basses, la mode du landau 1900 dansant sur ses ressorts ne reviendra que plus tard. J'adore grimper aux arbres, j'ai beau être un garçon manqué (au désespoir de maman), vraiment les pins ce n'est pas possible.

A l'automne, le bois a une odeur douce un peu amère; mais quelle que soit la saison, ces sorties conservent le goût et le parfum de la banane que je mange : « Le chocolat c'était échauffant et mauvais pour le foie! » Cette alimentation était diététique avant que n'en vînt la mode, riche en fromage blanc, en lait caillé – le yoghourt était exotique et ne se trouvait pas dans ces laiteries Maggi auxquelles des voitures tirées par des percherons fessus livraient encore le lait en bidons de fer. « Cela donne bon teint! » assurait maman. Sans doute est-ce le secret du mien.

Le mercredi, la maison embaume le haddock depuis le rez-de-chaussée, je monte les marches quatre à quatre, il y aura Mme Degon, couturière à la journée, un métier oublié, c'est son jour. Maman et elle cousent de concert, tout se fait à la maison. J'adore le haddock et Mme Degon. Aujourd'hui je monte lentement, très lentement mon dernier étage. Ce matin en partant pour l'école communale de la rue des Poissonniers, j'ai pris vingt sous dans le porte-monnaie de maman, pour acheter chez Mme Erard, l'épicière du coin, du chewing-gum et un martinet de réglisse, et je redoute la main leste de maman, si elle s'en est aperçue. Je sonne, elle a son visage froid des mauvais jours. Je ne vais pas y couper, elle l'a vu, elle voit tout!

– Simone, va te laver les mains et viens à table.

– Oui, maman.

Elle repart toute raide, Mme Degon est assise, papa aussi, ils ont des têtes de jurés qui viennent de voter coupable. Sur le buffet trône un gâteau au chocolat de chez le pâtissier, mon préféré. C'est plutôt rare chez nous, par mesure de santé et d'économies, on mange surtout des gâteaux de semoule et de riz. Quel silence quand maman partage le gàteau! « Simone, tu es privée de dessert, tu sais pourquoi? »

C'est vexant. Et en plus il faudra que je dise tout à monsieur le curé.

Il devait être unique le poulet du dimanche que je mangeais chez grand-mère et grand-père Payot, rue de Sablonville, doré, craquant merveilleusement sous la dent, pour que j'en aie conservé le goût. En tout cas à cette époque, on n'avait pas encore inventé les injections d'hormones et les poules ne pondaient pas en « batterie ». A la lisière de Neuilly il existait des fermes et des maraîchers qui vendaient sur le marché de l'avenue de grosses laitues joufflues, des petites pommes rouges, qui semblent aujourd'hui disparues, comme si ces pommiers-là n'existaient plus, et des œufs coque dans des paniers, semblables à des nids, débordants de paille.

Je n'ai pas de regret de ce temps, j'aime celui d'aujourd'hui que je vis pleinement, mais j'en ai gardé une nostalgie douce, sans doute celle d'une enfance heureuse, remplie de simples merveilles. Lorsque je les raconte à Samantha, ma petite-fille, j'ai l'impression de lui parler d'une époque aussi périmée que celle des enfants de la Bibliothèque rose l'était pour nous.

Comment pourrait-elle concevoir qu'à son âge, sept ans, je connaissais l'existence des ascenseurs, mais n'en avais jamais utilisé, qu'un événement mémorable fut la première fois où nous avons pris un taxi? J'ai trouvé cela sensationnel, bien plus commode que le métro où il fallait monter et descendre tant et tant de marches. Elle a pour grand-mère une dame qu'elle regarde sur l'écran de la télévision et moi j'avais...

Grand-père et grand-mère Payot. C'était l'image même du petit peuple de Paris, ceux du faubourg Saint-Antoine, des ruelles de Saint-Germain, ce petit peuple d'artisans, de compagnons, qui disparaît. Lui, beau, distingué, m'impressionnait fort et j'attribuais sa sévérité à des origines confuses dont j'avais saisi des bribes au hasard de conversations. Sa mère, dont on chuchotait que la naissance restait mystérieuse, avait été élevée par sa belle-mère, une marâtre. Une enfance malheureuse et romantique. Son père, communard, se battait aux portes de Paris, et grand-père, âgé de dix ans, était resté caché au fond d'une cave; une voisine charitable et héroïque attendait la nuit pour lui passer, par le soupirail, un quignon de pain qu'il dévorait avec avidité. Etait-ce de là que nous venait la phrase traditionnelle : « Finis ton pain avant de quitter la table! »

De la guerre de 70, je ne connaissais que le ballon de bronze solidement ancré porte des Ternes, où Gambetta, le geste large, saluait Paris avant de s'envoler hors de ses murs assiégés par les Prussiens.

Quant à l'histoire de ma grand-mère, elle était des

plus romanesques, Zola ne fit pas mieux. Fille d'un petit entrepreneur de peinture, elle connaît un début de vie facile, mais le malheur la frappe, son père meurt, laissant sa mère et elle sans ressources : « Nous étions sans le sou... ma petite fille... imagines-tu cela? » Choyée, dorlotée, ne manquant de rien, j'étais bien incapable d'imaginer une chose aussi noire, mais mon cœur se serrait. Et, comme tous les enfants auxquels on raconte une histoire, je disais : « Alors? »

– Pour vivre, maman et moi nous nous sommes mises à coudre en chambre pour les belles dames. De petits plis à petits points si fins, précisait-elle, qu'on ne les voyait pas. Ces plissés-là, c'était la grande mode...

De petites vies pleines de malheurs, sa sœur était morte phtisique, son frère, artiste peintre sur porcelaine, avait, comme l'on disait en ce temps, sombré dans la boisson.

D'une aiguille toujours alerte, grand-mère cousait de ravissantes robes pour mes poupées que grand-père mettait dans leurs meubles.

Maintenant retraités, tous deux avaient tenu un commerce de mercerie, « Au gagne-petit », près de Paris à Deuil-la-Barre.

Mémé Roussel, elle, était minuscule, trois petites pommes, un charmant nez de chat, toute blonde, une peau rose de bébé qu'elle effleurait d'une houppette de poudre de riz. Elle parlait de gens bien différents de ceux de grand-mère Payot. Les siens sont bourgeois, notaires, ou capitaines. Une partie de la famille est wallonne, une autre s'est exilée en Angleterre. Ils ont des destinées plus nobles, mais qui me touchent moins.

C'est le mercredi soir que petite mémé apparaît, un jour faste ce mercredi! Il a aussi pour lui d'être la veille du jeudi et je peux me coucher plus tard. A peine entrée, elle ouvre son sac, c'est rituel, et en sort comme une surprise son habituel paquet de petits-beurre Lu.

Je ne peux les voir sans me retrouver dans notre appartement, sans entendre nos voix, nos rires coupés par nos grignotements de souris.

C'est grand-mère Roussel, lorsque je suis malade, et je n'en louperai aucune, rougeole, scarlatine, coqueluche, je les aurai toutes, qui s'assied à côté de mon lit et joue avec moi.

Ça c'est le fond, la trame, mais il y a dans ma vie de grands moments. Le frère cadet de papa, oncle Edouard que l'on n'appelait pas encore Teddy, est amoureux de la sœur cadette de maman, Yvonne. Qu'elle est belle, un sourire radieux, les yeux tirés vers les tempes, un nez classique, peut-être un peu long. C'est sans doute à cause de lui qu'à la banque où elle travaille on la nomme « la juive ». Maman dit souvent qu'elle est gaie comme un rayon de soleil, et c'est vrai.

Oncle Edouard qui a quinze ans de plus qu'elle, et qui devrait être pour moi un super-vieux, est le plus bel homme que je connaisse. Séduisant, il est paré de tous les prestiges, y compris celui de l'uniforme. Lui et papa ont fait Verdun, mais lui, je ne sais pourquoi, est resté un certain temps dans l'armée. Lorsque j'entends dire : « C'est un héros, il a plusieurs citations!... » tout en ignorant l'exacte signification du terme, je me sens baignée de gloire et je l'aime... je l'aime...

D'ailleurs, je l'épouserai, il a promis de m'attendre. Aussi est-ce deux fiancées qui, certains soirs, vont le chercher à l'Ecole militaire. Je trouve que le bleu horizon de l'uniforme sied à ses yeux, et j'espère toujours que martialement il sortira à cheval...

Hélas! il se marie avec ma tante et ce jour-là, tragédie, réfugiée dans la chambre de maman je pleure d'amour. Ce n'est pas drôle d'avoir cinq ans et d'être trahie!

Je pleure et, m'apercevant dans l'armoire à glace, je ne me trouve pas mal du tout avec le boa et le chapeau cloche de petite mémé Roussel.

Comme beaucoup de familles françaises, nous ne manquions pas de héros. Mon oncle René, le frère de maman, était un ancien poilu, un nom, ou un titre, qui les a marqués pour leur existence. Mes oreilles de petite fille entendaient souvent : « René est encore mal fichu. Ce n'est pas étonnant, gazé comme il l'a été, il en a pour la vie... »

Lui et sa femme vivaient à Sainte-Assise, dans la Marne. J'allais généralement passer mes vacances de Mardi-gras chez eux, à la campagne. C'était l'époque des jonquilles. Avec ma tante et Geneviève ma cousine, nous allions en chercher dans les bois, d'où montait une odeur d'humus et de printemps naissant. De loin, sous les arbres dénudés on apercevait leurs collerettes épanouies sous le soleil blanc, encore timide de l'hiver finissant. Nous rentrions dans leur maison, nette et bien rangée, les joues rouges et le nez humide, les bras remplis de bouquets d'un jaune choquant, superbe.

Est-ce encore ainsi? Depuis je n'ai plus vu de jonquilles qu'en bouquets semblables à des œufs de Pâques offerts au bord des routes par des professionnels de ces ventes sauvages. Et j'ai souvent pensé qu'ils ne devaient pas en laisser beaucoup aux enfants d'aujourd'hui.

D'autres événements importants, entourés de mystère, ont bouleversé mon univers : la naissance de mes frères et de ma sœur. De la naissance de Paul, je n'ai gardé aucun souvenir, j'étais vraiment trop petite, trois ans. Mais pour Pierre ce fut différent.

Un matin maman, qui avait tout de même beaucoup grossi, est partie en confiant la maison à mémé Roussel, ce qui était plutôt amusant, et nous à Mme Louise, la femme de ménage, que nous faisions, mon frère, Paul et moi, suivant l'expression consacrée par quelques générations, tourner en bourrique. Et, un matin, petite grand-mère nous a annoncé : « Maman va revenir avec un petit frère. »

Le petit frère, c'est dans les bras de maman quelque chose de rose-mauve, tout fripé.

– Dis, maman, c'est vrai qu'il est né dans un chou?

– Mais bien sûr, ma petite fille, comme toi tu es née dans une rose!

J'imaginais maman en jardinière dans un joli potager parcourant les allées bordées de choux et de roses d'où émergeaient des têtes de bébés, filles et garçons, choisissant mon petit frère. Mais au fait pourquoi celui-ci plus qu'un autre?

– Dis, maman, pourquoi tu as pris celui-ci?

– Parce que c'était le mien.

Quelle belle réponse! Elle me plonge dans l'embarras, portait-il une étiquette? L'avait-on fait sur commande? Moi aussi plus tard, quand je serai grande j'irai en choisir un.

Une manière d'utiliser les fleurs bien éloignée de celle que l'on emploie maintenant dans les cours d'éducation sexuelle. Je ne doute pas que l'on ait raison; car pour nous c'était les grandes qui nous instruisaient et les résultats n'en étaient pas toujours très heureux.

A douze ans et demi, s'il vous plaît, si j'ignorais tout de la manière dont on fabriquait les bébés, je savais cependant que la maman les portait en elle. Sur ce point précis, je n'étais pas une enfant précoce et ce mystère-là me laissait en paix. Cependant, un matin, je résolus d'en apprendre davantage, il faut dire que grand-mère Roussel m'y poussa sans s'en douter. « Tu n'es pas assez curieuse! » me répétait-elle fréquemment. Cette fois-ci j'allais l'être! Et pendant que maman prenait son bain, je mis mon œil au trou de la serrure. Horrible spectacle, à la place du ventre, maman avait un énorme ballon! Dieu que c'était vilain! Ce ne fut pas ma seule punition. Petite mémé me surprit dans cette posture et m'envoya une gifle retentissante. La seule que j'aie jamais reçue d'elle. Surprise et bouleversée par cette violence que je jugeais injuste, ô scandale, je la lui rendis, car je n'étais pas du tout l'enfant passive que l'on pourrait, à tort, croire!

Ai-je raconté à l'école ce que j'avais vu par le trou de la serrure, spectacle qui m'avait quand même fait réfléchir? Toujours est-il qu'une grande m'instruisit de la manière dont les parents faisaient les enfants.

Quelle horreur, quelle monstruosité! Jamais ma mère

n'aurait fait ça, la sienne peut-être, mais pas la mienne, pas mes parents. Quelle sale fille!

Aujourd'hui la petite fille colle son oreille au ventre de maman pour « écouter » son petit frère ou sa petite sœur, et ce n'est pas plus mal, bien au contraire...

Le temps passe. J'ai quitté la communale et suis rentrée dans les classes secondaires. Je suis surtout préoccupée de gymnastique et de danse rythmique; c'était la pleine vogue, en petite tunique grecque, la taille ceinte d'une cordelière, je lance harmonieusement mes bras vers le ciel et baisse mon front vers mon genou levé. Je n'ai pas pour le reste de ma scolarité le même zèle, alors que plus jeune j'étais bonne élève. La maîtresse se plaint que j'aie la tête ailleurs : « Etourdie pendant la classe, rêve pendant l'étude. » C'est on ne peut plus vrai. La récréation sert de scène à mes imitations d'Anny Ondra, de Gaby Morlay et de bien d'autres! Mes copines se tordent de rire et moi je m'amuse bien. Mes cahiers les mieux tenus, les plus à jour, sont ceux où je colle les photos des actrices de l'époque. Qu'elles sont belles, les dames du cinéma. Cela n'a rien à voir avec une vocation irrésistible — quelles sont les petites filles qui n'ont pas joué de la sorte? — mais indique une fâcheuse propension à me passionner pour tout autre chose que mes études.

En principe, le cinéma du dimanche après-midi, où m'emmènent mes parents, est censé récompenser mon assiduité scolaire; heureusement qu'il n'en est rien, sinon ma culture cinématographique aurait été des plus incomplètes! A l'heure du thé, de retour à la maison, mon cousin José vient embrasser la famille. Son prestige de tennisman a éclipsé depuis longtemps celui d'oncle Teddy. En tenue blanche, raquette sous le bras, désinvolte, son chic ne fait pas que m'éblouir, il me fait rêver. Très brun, ses cheveux laqués par la gomina Argentine lui font un casque brillant. « Bonjour, cousine! » ses lèvres se posent sur mes joues et je meurs d'amour pour lui... Son prénom José a déjà les langueurs d'un tango, et son nom... Ce n'est pas lui qui deviendra célèbre, mais René son frère cadet qui fait des vers et écrira de très belles pièces de théâtre. Tous deux se nomment de Obaldia.

Ainsi allaient les choses et je ne voyais pas ce qui aurait pu en modifier le cours. Pourtant papa de plus en plus fréquemment parlait d'un avenir incertain. Il était très conscient politiquement. Mais il faut dire que ses discours planaient au-dessus de nos têtes. La politique, passion de mon père, n'intéressait pas maman. Pour mes frères et moi, c'étaient des histoires de grandes personnes radoteuses. Ce pauvre père discourait, S.D.N.[1] franc Poincaré, pacte Briand-Kellog, Hoover et krach de Wall Street devant un auditoire d'enfants que cela rasait, et sa femme que cela embêtait.

Peu à peu l'ambiance de la maison changeait; papa de plus en plus fréquemment parlait de la crise, un mot affreux, un mot à tentacules. Chaque jour un commerce, une affaire disparaissaient. Même maman s'en inquiétait : « Pourvu qu'il ne perde pas sa place, nous serions dans de beaux draps! »

Papa était depuis vingt ans employé dans l'industrie de la parfumerie. Sa maison, les parfums Godet, moins importante que Coty ou Houbigant, venait tout de suite après eux. Parlant plusieurs langues, il y était – aujourd'hui on dirait cadre – chef du service des correspondances étrangères. Son poste important, la maison exportant beaucoup, dans la conjoncture actuelle, lui apparaissait soudain précaire : « Avec la crise, les Américains ne nous commandent plus de parfums. Les Allemands, n'en parlons pas, ils sont en pleine déconfiture. Bientôt, je me demande à quoi je pourrai être utile. »

Il ne se le demanda pas longtemps, quelques mois plus tard, un soir de 1930, papa est rentré en disant : « Ça y est, la maison ferme ses portes... Je suis au chômage. »

Un mot qui résonne lugubrement. Un mot de couleur noire, évocateur de longues files d'hommes et de

1. Société des Nations.

femmes qui attendent, je ne sais quoi, sous un ciel de suie et, bien entendu, sous la pluie... D'où me vient cette vision réaliste? Je l'ignore, peut-être d'une photo aperçue dans un journal, ou une scène des actualités.

Première conséquence, cette année pas question de partir en vacances.

Ces départs, quelles équipées! Ils débutent par une satisfaction mitigée. Alors que nous rêvons de rejoindre ma tante et mon oncle à Riva Bella, nous allons à la montagne, papa l'adore. Nous, le Dauphiné, Grenoble, ça ne nous emballait pas. Puis comme nous n'avions pas beaucoup d'argent, mes parents louaient de petites maisons qui manquaient de tout et l'on traînait avec nous de véritables bagages de romanichels : draps, linge, toutes sortes d'ustensiles, cuvettes, casseroles. Pleine de prudence, dans un vieux porte-parapluies de toile, maman emporte : cannes, alpenstocks, piolets, et les pépins en prévision des pluies.

Très fenouillardesque la famille s'ébranle. Papa, maman, Paul, moi et petite grand-mère, tous chargés comme des baudets, comptant et recomptant nos paquets à chaque halte. La traversée de la gare est une aventure : « Arrêtez-vous, ordonne maman, on a perdu petite mémé! » On pose les bagages, et têtes levées, on scrute la foule. Elle était si minuscule mémé Roussel!

— Ça y est, crie papa, j'aperçois nos cannes!... Là-bas, derrière le gros monsieur! Elle nous a vus, elle vient vers nous!

Il était providentiel ce porte-parapluies, les crosses des cannes faisaient office de périscope dans la houle des voyageurs.

Seconde épreuve, caser nos bagages dans les filets du compartiment de troisième que nous allons occuper jusqu'à Grenoble. Nous ne sommes pas assis depuis dix minutes que déjà nous commençons à réclamer le pique-nique de saucisson, jambon, œufs durs, gruyère, banane, orange et pain beurré. Maman redoute pour Paul et moi les escarbilles, les trains n'étaient pas électrifiés, et nous ne rêvons que de nous mettre à la fenêtre. Quel soulagement lorsque nous nous endormons, mon frère et moi, dans la lumière bleue un peu inquiétante de la veilleuse.

J'étais une enfant très turbulente, perpétuellement en mouvement. Je garde des pentes herbues de la montagne des souvenirs de cabrioles et de peignées mémorables avec mon frère lorsqu'il faisait beau, mais il me semble qu'il pleuvait beaucoup. Prévoyante pour ces jours-là, maman emportait « l'ouvrage » une grande nappe d'au moins douze couverts, que grand-mère et elle brodaient avec ténacité. Il leur en a fallu! Dix années de vacances ont été nécessaires pour en venir à bout. Récemment, j'ai encore aperçu ce chef-d'œuvre dans l'armoire de maman, je crois qu'il n'a jamais été déplié.

Papa, lui, était aux anges! Il faisait excursion sur excursion; ce versant des Alpes n'avait plus de secrets pour lui, surtout sur cartes, car il n'arpentait que de la montagne à vaches.

A ce moment-là j'ai appris que la lecture des petites annonces, qui m'apparaissaient un peu comme une loterie du travail, pouvait engendrer la morosité.

– Rien ce matin, disait mon père en reposant « Le Petit Parisien ».

– Rien! soupirait-il revenant d'un rendez-vous.

– Rien, non plus au courrier, lui confirmait maman.

Ces « rien » pesaient si lourd que j'en étais presque sage.

Je ne sais si cette journée avait été particulièrement affligeante, mais le coup de sonnette nous fit tous sursauter.

C'est oncle Teddy. Comme son bonjour est tonifiant! Il a depuis quelques années déjà quitté l'armée pour devenir représentant d'une maison de sucre – Béghin peut-être – et sillonne la région de l'Ouest à longueur de semaines.

Debout devant la table de notre salle à manger

Henri II de sa voix puissante il résume la situation :

– Ecoute, Louis, nous devons nous rendre à l'évidence, tu ne trouves pas de travail. Alors, il faut faire quelque chose!

Gravement, mon père, ma mère, mon oncle s'installent autour de la table.

– Faire quelque chose, répète mon père, mais quoi?

– Louis, tu dois chercher dans une autre branche que la tienne. Nous sommes en pleine crise, d'accord, mais les gens mangent toujours. Pour ça, ils font même des sacrifices. Je rapporte mon carnet de commandes rempli. Il n'y a que l'alimentation qui marche.

– Alors?

– J'ai peut-être une affaire, un coup de chance extraordinaire. Comme ça, en parlant, un client m'a dit qu'il y avait à Dieppe, rue de la Barre, un fonds d'alimentation à vendre, très bien situé. Il ne faut pas le manquer. As-tu des économies?

– Oui, quarante mille francs.

Vingt ans d'épargne parcimonieuse. Oncle Teddy se frotte le menton, perplexe.

– J'ai peur que ce ne soit pas suffisant. Mais voilà ce que je te propose, j'en ai assez de courir les routes, alors on achète l'épicerie à nous deux et on l'exploite ensemble.

Papa épicier, l'idée me paraît étonnante, et à dire vrai peu excitante. Mais ce n'est pas encore fait. Les vendeurs sont gourmands. Dame, il faut en profiter, on n'a pas tous les jours l'occasion de vendre son fonds à quelqu'un qui n'y connaît rien. Bien appâtés, mon père et mon oncle tremblent de voir la mirifique affaire leur passer sous le nez. Comment faire? Où trouver le complément de la somme?

– Et avec mes bijoux, l'argenterie? propose timidement maman, on aurait peut-être assez?

Grand-mère donne sa gourmette en or massif, ses bagues et sa broche Napoléon III, Papa, son épingle de cravate et Teddy ses boutons de manchette. Maman a poli l'argenterie. Il y en a un bon poids! C'est nanti du trésor des Roussel que l'oncle Teddy prend le chemin du Mont-de-Piété, rue des Blancs-Manteaux.

L'attente commence. Combien va-t-il rapporter? La somme sera-t-elle suffisante? Quel suspense! La sonnerie de la porte. Teddy apparaît, blême, au bord de la crise cardiaque. Maman, tante Yvonne se précipitent, papa lui fait boire un cordial. Tragique, il murmure :

– On m'a tout volé!

Et il raconte :

– Obligé de passer au bureau, j'ai laissé l'auto devant la porte. Quand je suis redescendu, quelques minutes plus tard, mon coffre de voiture était grand ouvert... Ah! J'ai compris tout de suite...

Papa navré mais bien décidé à ne pas laisser échapper cette mirobolante affaire, emprunte l'argent nécessaire. L'épicerie de la rue de la Barre à Dieppe, non sans peine, est enfin à nous!

2

« TU FERAS DU CINÉMA! »

Dieppe, pour l'adolescente que j'étais, n'était pas si désagréable. La ville, surtout le boulevard du Maréchal-Foch bordant la mer, avait un charme anglo-normand, moins « jolie » que Deauville, plus anglaise, avec d'un côté ses greens, sa balustrade de pierre et ses lampadaires bien alignés, de l'autre ses hôtels victoriens, ses pensions de famille et ses villas.

Cette Angleterre, cousine germaine un peu guindée, nous envoyait à Pâques de pleins ferry-boats de boys et de girls vêtus du même blazer marine écussonné, portant la même cravate club : la peau rose, l'œil bleu, faïence-naïve, et les cheveux blonds. Ce n'est pas qu'ils m'intéressaient particulièrement ces garçons, mais comme les hirondelles, ils annonçaient les beaux jours, la réouverture du Casino, des hôtels, des villas qui bordaient la jetée, la vie, quoi!

Les mois d'hiver y étaient un peu mornes. Comme grandes ressources, le cinéma, le cours de danse et de gymnastique. J'y apprenais des trucs épatants, faire le poirier, le pont, le grand écart, des entrechats et des pirouettes. Toutes choses qui ne pouvaient que m'être fort utiles dans la vie. Je le pensais, ayant lu dans un de mes magazines favoris, « Ciné-Magazine », que les artistes américaines savaient tout faire; des sportives accomplies. Je m'y entraînais avec ardeur. Mon objectif principal n'avait pas changé. C'est à dix ans je crois que j'ai répondu à la question : « Qu'est-ce que tu feras plus tard? »

– Je ferai du cinéma.

Tout le monde avait beaucoup ri, car s'il était bien entendu que je deviendrais célèbre, personne ne savait ni de quelle façon ni dans quelle branche. Les arts c'est vaste.

Danser, me désarticuler m'était un grand plaisir, et comme me le répétait mon professeur, j'avais ça dans le sang. Maman, à une époque où l'on cultivait peu son corps – pendant la guerre de 14-18 –, toute jeune mariée faisait de la gymnastique suédoise tous les matins devant la fenêtre ouverte, hiver comme été, ce qui pouvait presque passer pour être osé. Les longues randonnées à bicyclette lui étaient familières, et dans son entourage on disait d'elle : « C'est une sportive! »

Mon zèle était également soutenu par mes deux amies, et admiratrices, Tanine et Suzanne. Nous formions un trio inséparable. Tanine, petite-fille de colonel, avait toutes les qualités que j'admirais : classe, élégance naturelle, audace. Je les enviais d'autant plus que je n'étais pas sûre de les posséder, quoique certains matins devant ma glace... mais cela n'est point mon propos.

Elle me semblait également plus en avance que moi, plus « up to date », c'était le terme de l'époque. Il faut dire qu'elle vivait une passion secrète dont le romantisme me faisait rêver.

Pour en terminer avec ce cours de danse, notre professeur chaque année nous produisait dans le cadre d'une petite fête, et je n'ai pas oublié l'une d'elles qui avait eu lieu au Casino, s'il vous plaît! Je m'y étais produite portant de petites ailes dans le dos, voltigeant agréablement, lançant des ballons multicolores, légers comme des bulles; tandis que Tanine et Suzanne évoluaient avec grâce autour de moi. Ce ravissant chef-d'œuvre s'intitulait « Le ballet des libellules » et il me valut d'avoir mon nom dans le journal local. Mon premier article!

Inséparable, notre trio ne l'était pas que sur la scène. Suzanne, brune aux yeux clairs, était la fille d'un gros boulanger de la ville. Je ne sais si c'était pour la préparer à cet honorable commerce, mais le jeudi matin elle allait livrer le pain, cela se faisait encore, je l'accompagnais. Epiques randonnées au cours desquelles nous bavardions comme des pies, riions comme des folles, et jouions les bêcheuses, quand il nous arrivait de croiser des garçons.

Ceux-ci commençaient à être un des pôles d'intérêt de nos conversations et de nos vies. Je ne saurais cependant parler d'éveil des sens. Les sphères de l'amour restaient éthérées et sentimentales, main dans la main, yeux dans les yeux, baisers dont on parle plus qu'on ne les pratique et que leur innocence rendait bien anodins... On se confiait les choses « honteuses » qui se passaient chez les grandes – je n'avais encore que treize ans –, l'une ou l'autre ayant « fauté » nous disions d'elle qu'elle s'était « donnée », le terme était plus beau, et notre envie alors se mitigeait de peur. La pilule n'existait pas.

Il y a plus de trente ans maintenant que dans les rues de Dieppe devant les belles villas nous jouions aux petites porteuses de pain, et nous sommes toujours inséparables. Tanine dont le goût très sûr m'avait enchantée est devenue une styliste de cinéma, c'est elle qui a créé la plupart des costumes de mes films. Suzanne, fonctionnaire au ministère des Sports, assure mon secrétariat par affection pour moi. Cette fidélité commune à notre amitié me procure un sentiment réconfortant. Grâce à cette pérennité, je baigne dans le climat de confiance qui m'est indispensable.

Deux cinémas en toutes saisons faisaient les beaux jeudis et les beaux dimanches de Dieppe. Ils alimentaient mon intoxication, c'étaient les hauts lieux de ma passion. Je serais incapable de dire leur décor, ce n'étaient pas les murs du temple qui m'intéressaient, mais le tabernacle, l'écran! Si je vais voir tous les films, tous ne me fascinent pas. Seuls ceux de Greta Garbo ont ce pouvoir. D'elle je sais tout, tout ce que je peux lire dans mes journaux, j'apprécie la discrétion de sa vie privée, modèle de bon ton, et j'envie le romantique mystère dont elle s'entoure. En ce temps, les journalistes respectaient encore la vie privée des vedettes. Mais ils révélaient, tout de même, bon nombre d'idylles, et si les mots pour le dire restent discrets : on ne couche pas, on aime, on n'a pas de liaison mais un fiancé, lequel se transforme généralement en mari, les potins vont leur train.

Elle, la Divine, n'a rien et pourtant elle respire l'amour, la passion, quelque chose de glacé et de brûlant à la fois.

Sa beauté m'en impose tellement que je n'ose même pas tenter de la copier. Pour les autres, devant la glace de mon armoire je me transforme en Anny Ondra, Katharine Hepburn, Joan Crawford – j'ai une grande culture hollywoodienne –, je prends leurs poses, mes yeux deviennent profonds comme les leurs, je maquille ma bouche comme elles, débordant largement, la mode étant aux lèvres sensuelles. Je joue une scène d'amour avec Clark Gable, je donne mon âme dans un long baiser sur la bouche, baiser dont je connais mal les secrets, ceux échangés avec mes premiers flirts ne m'en ayant donné qu'une idée fort vague.

La seule fois où j'ai osé la copier, Elle, ce fut à propos d'une robe. Je fis le siège de maman pour qu'elle me confectionne un ensemble en imitation breitschwanz noir. Jupe droite, à mi-mollet, veste sept huitièmes, blouse à la russe en satin naturel; je le portais couronné de la chéchia de fourrure (imitation) que j'avais vue à Garbo dans Anna Karénine. Je me trouvais « divine »; ce ne fut pas l'avis de tante Yvonne qui s'écria : « Qu'est-ce que c'est que cette chienlit? A treize ans, on ne s'habille pas comme ça! C'est bon pour un bal costumé! »

Cependant mon admiration n'était pas aussi superficielle. Comment pouvait-on être tour à tour Mata-Hari et la reine Christine, en passant par « La mystérieuse Lady »? Elle me semblait faire tellement corps avec ces femmes, épouser si étroitement leurs pensées, que leurs actes, leur amour devenaient les siens. C'était cela, être artiste de cinéma, vedette bien sûr, et c'était cela que j'enviais, bien plus que les fourrures, les bijoux, les voitures ou les villas. Elles n'étaient que la menue monnaie de la gloire. Cette transformation comment l'opérait-on? Apprendre? certainement, mais ne fallait-il pas posséder un don? Travailler, et le talent comment pouvait-on savoir si on l'avait? Cela pouvait-il se voir sur une fille de mon âge?

C'étaient mes profondeurs métaphysiques à moi, je m'y plongeais et m'y perdais au grand détriment de ma scolarité. Pauvres études, elles battaient de l'aile comme un oiseau prêt à trépasser. En dehors de la littérature française, du dessin, de l'anglais, langue indispensable à qui doit aller à Hollywood – je ne doutais pas de mon destin –, et bien entendu de la gymnastique, mon carnet était d'une lecture désolante pour un père qui accordait à l'instruction de grands privilèges.

Il fallait comprendre, je ne pouvais pas, a la fois, savoir que Bette Davis adorait le cocktail de grape-fruit et les hommes blonds, rechercher dans ma mémoire quel délicieux trouble m'avait causé la joue de Jacques frôlant la mienne pendant qu'une héroïne se pâmait sur l'écran, et m'intéresser aux règles vicieuses des verbes transitifs et aux secrets des X qui s'annulaient. Il fallait être raisonnable! Ce n'était pas possible.

Je m'éveillais également à d'autres préoccupations qui achevaient de me troubler la cervelle. Nous formions un petit groupe de camarades, de filles et de garçons, aujourd'hui on dirait une bande, dans lequel bien entendu il y avait Suzanne et Tanine. On se promenait, se baignait, allait au cinéma. On avait nos petites histoires à nous, nos flirts, nos béguins, mais le béguin c'était un cran au-dessus et nous lui accordions davantage de sérieux. Avec beaucoup de pudeur nous n'osions pas conjuguer le verbe aimer. On avouait être amoureuse de Gary Cooper, mais pas de Jacques Dupont qui nous prenait la main dans la moite complicité des salles obscures. Après avoir vu « Passionnément » avec Fernand Gravey, j'osai lui écrire que je l'aimais... « passionnément »! Un geste merveilleux, d'une audace... sans danger.

C'était surtout l'été que j'éprouvais la sensation enivrante de pénétrer dans la vraie vie, celle des adultes, où l'on se donne des rendez-vous, prend des engagements, échange des serments, se trompe, se fâche et se réconcilie.

Les vacances nous amenaient des garçons auprès desquels nos flirts de l'hiver pâlissaient : fils de lainiers du Nord, au snobisme britannique, en knickerbockers, Parisiens crâneurs, cravate en batik bois de rose, pantalon à pattes d'éléphant, ils me plaignaient de mon exil, Paris étant à leurs yeux la seule ville dont les lumières brillaient suffisamment. Ce dont je me moquais, je savais n'être pas ici pour toujours. Et le regret m'était un sentiment inconnu.

De la plage qui s'étirait joliment, semblable à celles des tableaux de Boudin, aux thés dansants du Casino, mes quinze ans se déchaînaient : vraiment la vie valait la peine d'être vécue!

Quatre ans déjà que nous sommes à Dieppe. Le féroce égocentrisme de la jeunesse ne me bouche ni les oreilles ni les yeux, et si moi je trouve l'existence merveilleuse, d'une grande richesse, on ne pourrait en dire autant dans notre épicerie.

Je traînaille dans ma chambre aux murs couverts des photos de mes chères vedettes, la plupart découpées dans « Ciné-Miroir » le bien nommé : je m'y mire dans les visages des autres, je suis ces femmes de mes rêves. C'est donc l'esprit ailleurs que j'entends maman, remontant de la boutique (nous habitons au-dessus), se plaindre : « Même pas une boîte de haricots mangeables pour le déjeuner! »

– Ce n'est pas possible, se révolte-t-elle, ils ne nous ont laissé que des conserves pourries! Les légumes secs sont charançonnés, le café éventé!

J'ai ouvert ma porte. Maman avait l'air pitoyable avec son paquet de coquillettes Rivoire et Carré à la main :

– C'est tout ce que j'ai trouvé...

Je savais bien que ça n'allait pas, mais tout de même à ce point-là! Maman prise d'un coup de lassitude déverse ses inquiétudes sur la dernière marche de l'escalier.

– Eh oui, une bonne partie du stock est invendable!... Que veux-tu ma petite fille, nous avons été roulés. Mais comment imaginer que le monde soit aussi malhonnête?

Ni papa ni mon oncle n'étaient des professionnels de l'épicerie, le vendeur en avait largement profité et, après lui, les commis qui trichaient sur tout, sur les poids, les livraisons, les factures. Quant aux représentants et aux fournisseurs, ils ne se gênaient pas pour nous coller leurs laissés-pour-compte. Au bout de quelque temps il avait fallu admettre cette évidence, l'affaire ne pouvait pas nourrir six personnes, et mon oncle ayant trouvé une petite représentation était reparti sur les routes de Normandie.

En écoutant maman je réalisais que nous mangions notre fonds dans les deux sens du terme. Comme point final à son exposé de la situation, agitant ses coquillettes, elle constata :

– Et en plus les discours de ton père font fuir les clients...

Moi, ils me faisaient rire ces fameux discours, maman pas. Il est vrai que papa avait transformé la boutique en forum politique. J'avais, passant par le magasin, assisté à des scènes merveilleuses.

– Monsieur Roussel, disait cette dame digne, de noir chapeautée, et encore souriante, j'ai envoyé ma bonne chercher un litre d'huile et vous lui avez donné du vinaigre.

Le stock d'huile est épuisé et papa n'a pas d'argent pour le remplacer.

– Madame, nous l'attendons. Mais ce vinaigre est excellent, pur vin, un produit comme on n'en fera plus. Je ne saurais trop vous conseiller d'en faire des réserves, avec les événements qui se préparent vous me remercierez.

– Quels événements? disait la dame interloquée.

– La guerre, madame, la guerre!

Et tel un prophète il agitait ses bras, prenant les choucroutes garnies et les cassoulets toulousains à témoin.

La dame perdait son sourire et papa une cliente.

De plus en plus rarement nous avions le produit demandé et lorsque nous le possédions, c'était le client qui ne plaisait pas à mon père, ses opinions politiques étant à l'opposé des siennes : « Monsieur, je ne vends pas mon sucre à un bolcheviste! »

L'ex-acheteur sortait en claquant la porte dont le grelot continuait, argentin, à tinter; il s'éteignait bien avant que ne soit finie la diatribe de mon père.

– Sans les communistes jamais Hitler ne serait arrivé au pouvoir, jamais, et vous verrez qu'un jour ils s'allieront aux Allemands pour nous tomber dessus. Aux Boches on ne cède pas, et nous on s'est déculottés : la révision du traité de Versailles, l'évacuation de la Ruhr!... Avec Hitler c'est la guerre avant dix ans! Et ce gouvernement d'andouilles qui nous prépare un nouveau Cartel des Gauches!

Le client harponné se débattait en vain, papa ne lâchait pas sa proie et le malheureux qui voyait toutes ses tentatives de fuite échouer se jurait, une fois libéré, de ne plus remettre les pieds dans la boutique! Serment qu'il tenait.

– Louis, le raisonnait maman, laisse les clients tranquilles, ils ne viennent pas ici pour ça, tu les embêtes, tu leur fais peur avec tes histoires de guerre.

– Leurs âneries me font bouillir, je ne peux pas m'empêcher de leur mettre le nez dans leur sottise...

Enfin, voyons, Georgette, tu ne peux pas me dire que j'ai tort quand je dis...

Et ça repartait de plus belle.

Il nous faisait bien rire papa alors que sa clairvoyance aurait dû nous faire réfléchir.

L'été est sur sa fin, déjà le samedi le train des maris déverse moins d'hommes chapeautés et vêtus de sombre. Sur le quai, ils sont moins nombreux à embrasser distraitement leurs femmes. Encore quinze jours et Dieppe s'acheminera vers son visage hivernal, tout le long du boulevard de Verdun les villas fermeront leurs paupières. La Présidence, l'Univers, le Windsor prépareront leur clôture annuelle ou entreront en demi-sommeil. Les tentes de couleur vive disparaîtront, les cabines seront cadenassées. Et moi je retournerai au collège, que pourrais-je faire d'autre?

Les rêveries c'est très bien, la mélancolie donne un joli regard, mais la réalité ce n'est pas mal non plus. Et la réalité, ce matin, sur le sable tiède où je me fais bronzer entre une tente rayée de vert et un château de sable lauréat de l'un des derniers concours de plage, la réalité c'est le regard du monsieur aux yeux bleus. Un regard d'homme, gênant par son insistance, mais séduisant et flatteur! Quand on a quinze ans l'intérêt d'un homme vous fait si agréablement vieillir. Et puis, aucun danger, il est marié et père de famille. Une garantie!

La menthe à l'eau qu'un de mes flirts, Eric (dans le Nord on aime les noms qui sonnent anglais), m'a offerte à la terrasse du bar du Casino est d'un joli vert, qui va bien au rouge des géraniums et s'harmonise avec l'horizon bleu turquoise de la mer, quel plaisant tableau : un Manet! Ce genre d'appréciation, je ne pourrai le faire que plus tard. Aujourd'hui je suis occupée par tout autre chose, il est là, le monsieur de la plage, et il ne se contente pas de me regarder, il me fait un petit signe de tête. Soupçonneux, Eric me demande :

– Tu le connais?

Agressive je le défie.

– Oui, qu'est-ce que ça peut te faire?

– Tu fréquentes les vieux maintenant?

– Ça te regarde?

Il m'agace, je me demande ce que j'ai bien pu lui trouver.

– Eh bien, ne te gêne pas pour moi, va lui dire bonjour!

Il n'en faut pas davantage pour faire s'écrouler ma superbe. A cette seule pensée, furieuse, je me sens rougir jusqu'à la racine des cheveux. Le monsieur qui a de si beaux yeux bleus se lève, il est désinvolte lui, et il ne manque pas de culot, passant près de notre table il me dit : Bonjour!

Nos relations venaient de s'engager. Après mon départ la menthe est fade, écœurante et Eric décoloré.

Avec Tanine, Suzanne dispose de moins de liberté que nous, la boulangerie a des exigences, je vais souvent au thé dansant du Casino. J'ai retrouvé le charme, l'ambiance de ces étés de Dieppe dans « Le blé en herbe » de Colette. Seulement l'ambiance, car le monsieur aux yeux bleus n'était pas une dame en blanc et je n'en étais pas amoureuse. Mais les couleurs, les émois, les douces ardeurs de l'été étaient bien semblables.

J'avouerai que c'est tout de même avec une arrière-pensée que je vais le lendemain au Casino. Bien entendu il est là et m'invite à danser. Il possède une expérience que je suis incapable d'apprécier. Mais ses bras savent tenir un corps de femme, c'est bien autre chose que mes cavaliers habituels, cela je le sens et je suis à la fois séduite et désorientée.

– Savez-vous que vous êtes belle?...

Je suis charmée.

– Avec ces yeux-là, vous devriez faire du cinéma.

L'admirable phrase, jamais encore je ne l'avais entendue.

La raison dicte ma réponse.

– Il faut d'abord que je passe mon brevet.

– Eh bien, lorsque vous aurez terminé vos études, si vous voulez toujours être artiste, venez me voir à Paris, je vous ferai rencontrer deux ou trois personnes qui pourront vous être utiles. Je peux même vous présenter à Georges Rigaud.

– La vedette de « Quatorze Juillet » de René Clair?

– Mais oui, c'est un ami.

En quelques instants, à pas glissés, dans la lumière orangée d'un tango la chance venait de se présenter. La saisir au vol, ne pas la laisser échapper. Comment?

La voix grave, chaude de Marc – appelons-le ainsi – précipite mon angoisse : « Je suis désolé que nous fassions connaissance si tard. Mes vacances s'achèvent, je rentre à Paris. »

– Quand?

– A la fin de la semaine. Mais je ne partirai pas sans vous laisser mon numéro de téléphone.

Huit jours, je n'avais que huit jours pour agir. Devrais-je attendre encore un an? Quelques minutes auparavant l'évocation de cette année me laissait indifférente, maintenant sa seule pensée m'est insupportable.

Ce soir, sous son éclairage réduit, avec son rideau de fer à moitié tiré, comme la boutique aux bois sombres, aux rayons peu garnis, me semble triste, un éclairage de film allemands! Papa assis derrière la caisse fait ses comptes et il m'apparaît vieilli. Machinalement, avec mes frères et ma sœur, je puise dans un bocal de bonbons à demi vide. Papa lève la tête :

– Arrêtez, les enfants, je n'ai plus les moyens d'en racheter. Où vas-tu? me demanda-t-il.

– Sur la promenade retrouver des amis.

– Ne rentre pas plus tard que neuf heures!

Je sors, mais j'ai le cœur serré : pas de quoi acheter des bonbons, nous en sommes là. C'est plus grave que je ne le pensais! En réalité je n'y pensais pas tellement.

Si seulement je pouvais les aider. Il faut que je fasse quelque chose! Cette résolution c'est comme un souffle épique qui passe et me grandit. Il y a de la brise ce soir, mes cheveux frissonnent dans le vent. Je suis résolue, invincible, je suis Jeanne d'Arc, un beau rôle pour Garbo, on devrait y songer. Je la vois, répondant à ses juges. Les larmes me viennent, elle est sur son bûcher; son beau, son merveilleux visage graduellement s'estompe dans la fumée...

— Simone, fais attention, tu as failli te faire écraser, me crie mon frère Paul qui m'accompagne.

Où en étais-je? Ah! oui, Jeanne d'Arc. Quelle parfaite sensation que de se sentir prête à tous les sacrifices pour sauver sa famille! Là commençait ma mauvaise foi. Le premier et le seul que j'envisageais n'en était pas un, mais quelle agréable solution : j'allais faire du cinéma et gagner beaucoup d'argent. Déjà entre mes doigts apparaît une liasse de billets que je tends à mon père...

— Simone, arrête-toi! (Paul se cramponne à mon bras.) Regarde l'affiche, il y a un concours de photogénie, sur la plage, demain.

Décidément, la chance me suivait pas à pas. Ce matin Marc. Demain le concours.

Etre photogénique. En quelque sorte le premier visa pour Hollywood. Et j'ai le second prix. Mais il m'éblouit moins que la phrase du cameraman :

— Vous devriez faire du cinéma!

Deux fois en quarante-huit heures. Il y avait de quoi me tourner la tête. A une vitesse folle mes pensées virevoltent dans mon crâne.

Si j'en parle à ma famille — elle n'a peut-être pas oublié la prédiction —, elle dira : « On verra... » Pour moi c'est tout vu. Je vais aller à Paris, une occasion comme celle que j'ai trouvée ne se représentera pas deux fois. Cela fait partie des arguments enflammés que je développe devant maman indécise, mais troublée. Pour l'instant je ne lui en demande pas davantage.

Le lendemain Marc est seul sur la plage, femme et enfants sont repartis par le train, lui rentrera en voiture avec les bagages. Ce qu'il ne sait pas encore c'est que dans ses bagages il y aura moi.

A l'innocence que n'accorderait-on! Avec simplicité je lui demande s'il ne pourrait pas m'emmener à Paris, me déposer chez ma marraine et... me présenter à Georges Rigaud? Qui aurait pu refuser une telle demande? Pas lui. Je ne sais si le méchant loup s'est léché les babines à la pensée de dévorer ce petit Chaperon rouge doré par le soleil! Sans doute, il n'eût pas fallu pour cela être un homme normalement constitué.

Avec la plus totale inconscience des dangers que je pouvais courir, je persuade maman – aussi naïve que moi – de me laisser partir dans la voiture de l'homme aux yeux bleus, bien entendu sans rien révéler de mes projets à mon père.

– Tu comprends, maman, dès que j'aurai vu cet imprésario, un des plus grands, je reviendrai. Dans trois jours je serai là.

– Est-ce bien prudent?

– Mais voyons, maman, je ne risque rien, c'est un homme marié, il a des enfants.

Je ne risque rien, c'est certain, mais je n'ai pas oublié la chaleur de sa main sur ma taille, l'insistance un peu trop câline de son regard. Inexpérimentée mais pas folle, je propose :

– Et si j'emmenais Paul avec moi? – il a douze ans.

C'est comme ça que le lendemain matin, mon petit frère d'une main, ma valise de l'autre, je suis au rendez-vous avec la chance. Car c'en était un.

Le calcul à propos du petit frère protecteur n'était pas si faux puisque Marc, sans montrer le moindre dépit – c'était un monsieur qui savait attendre – me laissa sur le trottoir devant la maison de ma marraine avec bagage et petit frère.

Je frémis encore à l'idée de tout ce qui aurait pu

m'arriver. Il y a vraiment un bon Dieu pour les innocents.

Si à la lumière des réalités d'aujourd'hui ce départ paraît à peine croyable, ce qui va suivre l'est tout autant.

Je suis à Paris. Paris sent bon le macadam, l'essence et la gloire. Je respire un bon coup, et si je n'ignorais Rastignac je le paraphraserais : « A moi le Cinéma! »

En attendant j'affronte plus modestement et avec moins d'assurance marraine stupéfaite de me trouver devant sa porte.

– D'où venez-vous tous les deux?

– De Dieppe.

– Et tes parents?

– Eh bien, voilà...

Et je lui raconte tout.

Marraine est positive : « Je n'ai pas de place, je vais vous conduire chez vos grands-parents, eux pourront vous héberger. »

Pauvres chers grands-parents Payot, quel bouleversement et quelles responsabilités. Ils nous accueillent et envoient immédiatement un télégramme à mon père, ainsi libellé : « Paul et Simone bien arrivés, qu'en faisons-nous? »

La réaction est foudroyante, maman rétrospectivement épouvantée, n'osait avouer la vérité à papa. Après une scène qu'aujourd'hui je ne puis imaginer sans rire, mettant en cause l'inconséquence de sa femme, la coupable faiblesse des mères, le pourrissement d'une société contaminée par le socialisme, l'abaissement de la morale, la folie des jeunes et bien d'autres choses d'un enchaînement tout aussi logique, mon père finit naturellement par céder à sa femme en m'accordant un sursis : « Que la petite soit de retour dans trois jours ou j'irai la chercher moi-même. » Menace à prendre au sérieux, papa, impulsif et colérique, était fort capable de tenir sa promesse.

Trois jours, une éternité pendant laquelle je n'avais pas une minute à perdre. L'admirable succession d'invraisemblances! Nulle part je n'attends, les gens sont tous là, tous disponibles, tous bienveillants et efficaces. A croire que tous m'avaient déjà réservé une place dans leur journée.

Comme promis, Marc me présente à Georges Rigaud, lequel me donne un mot de recommandation pour l'imprésario Jean Devalde, qui, affable et souriant, me remet une lettre à l'intention du cinéaste Yvan Noé, en train de tourner avec Danielle Darrieux : « Mademoiselle Mozart. »

Et, ça continue.

Je franchis la porte des studios de Neuilly – toujours Neuilly – mais je ne pourrais y faire de pèlerinage aux sources, aujourd'hui ils ont disparu comme beaucoup d'autres.

– Monsieur Yvan Noé, s'il vous plaît...

Le portier, casquette galonnée et moustache grise, regarde, interloqué, cette gamine.

– Qu'est-ce que vous lui voulez, mon petit?

– Voir M. Yvan Noé. J'ai une lettre de recommandation pour lui.

De paternel il devient méfiant.

– Il est au courant?

– Je ne sais pas. M. Jean Devalde a dû lui annoncer ma visite.

Dix interminables minutes avant que la porte des studios s'ouvre, mes premiers pas dans la féerie. C'est gris et poussiéreux. Il y a tout un va-et-vient dans les couloirs, une agitation de métro vers l'entrée des plateaux, et soudain je me trouve dans un bureau sans fenêtre, face à un assistant débordé par les appels téléphoniques. Dans sa main ma lettre décachetée. Une vérité inquiétante m'illumine : M. Noé n'a pas lu la lettre.

Le petit jeune homme qui n'a pas de temps à perdre me dit :

– Mademoiselle, M. Noé tourne en ce moment une scène importante. Il ne peut pas vous voir. Revenez demain, nous avons besoin de figuration. Avez-vous

une robe du soir? C'est un décor de boîte de nuit.
– Oui, dis-je enthousiaste, en organdi blanc.

C'était la première chose que j'avais mise dans ma valise. Il ne devait pas savoir que ce tissu habillait surtout l'innocence car il me dit :

– Très bien. Demain matin, sept heures et demie au maquillage.

C'est ainsi que plus tard on lira dans mes « bio » : « 1935, Michèle Morgan débute au cinéma dans « Mademoiselle Mozart ».

Demain je ferai du cinéma mais mon sursis expire ce soir. Mes grands-parents, convaincus par moi, envoient à mon père un télégramme demandant une prolongation de cinq jours qui est acceptée.

La facilité avec laquelle ces enchaînements se sont faits, leur apparence logique me semblaient des plus naturelles, n'était-ce pas ainsi que dans mes magazines favoris l'on résumait tant de débuts glorieux : « On lui fit faire une figuration et elle fut remarquée par Chose ou Machin. » J'étais sur la voie, comment douter qu'elle ne fût royale!

Il m'est difficile alors que tant d'années de tournages superposent leurs images dans ma mémoire, de retrouver la fraîcheur de cette gamine qui, dans sa petite robe d'organdi blanche taillée par maman, attendait, dès 6 heures du matin, que les portes des studios du boulevard du Château s'ouvrent.

Je devais être insolite dans cette tenue virginale. Neuilly lentement s'éveille. La journée sera splendide, le soleil allume déjà quelques feuilles rousses dans les arbres. Paris a l'automne précoce. Des oiseaux pépient, des pierrots se battent dans la poussière. Un ouvrier à bicyclette passe, il me semble qu'il tourne la tête. Quelques rares voitures troublent ce calme provincial.

De cette matinée exceptionnelle où je réalisais le rêve de ma vie, où je mettais pour la première fois le pied sur un plateau de cinéma, ces plateaux dont je croyais tout savoir, il m'est resté vivace une odeur. L'odeur des studios. C'est un composé de peinture fraîche, de copeaux, de sciure de bois, de colle, de fards, de poussière, et de toiles peintes surchauffées par l'électricité, avec un relent de caoutchouc « cramé ».

A l'époque, on vous maquillait encore avec de gros bâtons de fond de teint Leichner et vous démaquillait à la vaseline Panafieu au citron. La lumière était intense car la sensibilité de la pellicule n'avait rien de comparable à celle d'aujourd'hui, elle lui était très inférieure. Mon maquillage, trois millimètres d'épaisseur, me donnait la sensation de porter un masque qui empêchait ma peau de respirer, je craignais qu'il se craquelle à la moindre expression. Et puis dans la glace je ne me reconnais pas : dix ans de plus! où ai-je été chercher ces yeux cerclés de noir, cette bouche saignante?

N'osant même plus sourire, j'entre sur le plateau dans ma « robe de première communiante » – c'était ainsi que l'assistant stupéfait venait de la qualifier – et d'emblée je me retrouve assise à côté de... Danielle Darrieux! Le cinéma était aussi magique que je l'imaginais. Il m'avait transportée auprès d'une de mes actrices préférées. Plus belle encore que sur ses photos. Seulement, elle, son maquillage n'est pas plâtreux, il est léger, des cils soyeux ombrent son regard, sa bouche conserve son délicat modelé. Pourquoi cette différence? Longtemps elle m'apparaîtra injuste, comme une sorte de ségrégation, et puis je comprendrai qu'on ne peut éclairer individuellement cinquante ou cent personnes, qu'on est obligé d'unifier teints et lumières.

Elle n'en finissent pas ces lumières d'être réglées. « Gros plan de Mademoiselle Darrieux! » a-t-on annoncé. Danielle est en place, immobile elle attend. Cela me paraît effroyablement lent. Enfin, un assistant crie : « Silence, on tourne! » Un machino présente le clap. Mon cœur bat plus vite, comme s'il s'agissait de moi. Les yeux de Danielle deviennent plus profonds, une sorte de regard lointain qui s'interroge. Je décide qu'elle ne peut s'interroger que sur l'amour.

— Coupez! crie Yvan Noé.

Il vient s'asseoir près d'elle. Enfin, je le vois. Je l'imaginais patriarcal sans doute à cause de son nom biblique. Et il me paraît presque banal, malgré son œil vert étiré vers la tempe et sa haute stature. Il parle à voix basse, Danielle Darrieux est attentive.

On reprend le rituel à zéro. Sur le plateau le silence est religieux.

— Coupez. Bon.

Je respire, elle a réussi. Non. Yvan Noé lui assure qu'elle peut faire mieux. On recommence. Ce gros plan de rien du tout, dans lequel elle ne parle même pas, elle le tournera quatre fois, jusqu'à la perfection.

Je viens de prendre ma première leçon de cinéma, et j'en ai conscience.

Je regarde, j'écoute, je vis ces instants si intensément que je sursaute en entendant, proche, la voix d'Yvan Noé.

— Alors, ça vous plaît le cinéma?

— Oh! oui, monsieur.

— Quel âge avez-vous?

— Quinze ans, monsieur.

Et à toute vitesse, rougissante sous mon fard, je lui avoue : mon départ de Dieppe, mon désir d'apprendre ce métier, mon ambition de devenir une grande artiste. Il dira, plus tard : « Plus encore que votre gentil visage, c'est votre spontanéité, votre franchise qui ont retenu mon attention. J'étais en général plus habitué à des gamines effrontées, prêtes à tout, qu'à votre ingénuité. »

Il me sourit, ses yeux ont une lumière amusée.

— Savez-vous qu'il vous faudra beaucoup travailler si vous voulez faire ce métier sérieusement?...

— Je le sais.

Je devrais préciser : d'instinct. Ce moment très court et très long est terminé; Yvan Noé me quitte pour régler le plan suivant, puis se ravise.

— Alors, allez voir René Simon de ma part.

Cette fois-ci il a tout dit. Non.

– Téléphonez-moi dès que vous aurez votre rendez-vous, j'essayerai de vous accompagner.

Mon inconscience est si grande que cette proposition inespérée ne m'étonne même pas. Ce n'est pas le métro que j'ai pris pour rentrer chez mes grands-parents mais un nuage rose. J'avais hâte d'ouvrir, devant eux, mon sac et de leur montrer mon premier cachet. Pour approcher Danielle Darrieux, parler avec Yvan Noé et figurer dans une boîte de nuit, j'avais touché cent francs. Quel métier!

Un an plus tard, après être restée de longs mois sans travail, je dirai aussi : « Quel métier! » sur un tout autre ton, beaucoup plus professionnel celui-là!

Le cours René Simon, il eût fallu n'avoir jamais ouvert un journal de cinéma, n'avoir jamais lu une ligne concernant le spectacle, ce qui n'était pas mon cas, et je me félicitais de les avoir davantage fréquentés que les encyclopédistes, pour ignorer la place unique, privilégiée, qu'il occupait dans la profession. Ce cours était réputé pour être une pépinière d'espoirs. A ses auditions assistaient metteurs en scène de théâtre et de cinéma, producteurs et directeurs. Quelques grands aînés, en quête de jeunes partenaires, y faisaient également des apparitions remarquées et bien entendu fort commentées. Etre acceptée à suivre ses leçons était aussi indispensable que de faire ses classes à Saint-Cyr pour devenir général. J'imaginais cela ainsi, ce qui n'était qu'à peine exagéré.

C'est donc accompagnée par Yvan Noé que le surlendemain, j'entrai dans ce cours que je considérais comme l'antichambre de la réussite.

Là, les choses n'ont pas traîné : intense, nerveux, rapide, René Simon, cheveux bruns et parole brève, l'autorité d'un Louis Jouvet sans la taille, me donne à étudier une scène des « Femmes savantes ».

– Téléphonez-moi quand vous l'aurez apprise.

Le sursis paternel expirait dans trois jours.

– Est-ce que je peux venir après-demain?

Etonné d'une telle célérité, il a levé un sourcil sombre : « Si vous voulez. »

– Alors, vous êtes contente? me demanda Yvan Noé en me quittant.

– Oh! oui, monsieur, merci... Merci de m'avoir accompagnée.

C'était du fond du cœur, mais ai-je suffisamment remercié cet homme désintéressé qui dans les mois qui suivront me fera tourner plusieurs bouts de rôle?

Le surlendemain, bien droite devant René Simon, sans en omettre un mot, ne m'arrêtant que lorsque je suis à bout de souffle, je « récite » ma scène et j'obtiens, auprès de lui, ce que l'on peut nommer un franc succès... de rire joyeux; assis derrière son petit pupitre de metteur en scène, il se tape allégrement sur les cuisses, sans pouvoir dominer son hilarité.

Stupéfaite, mortifiée, je reste là, incapable de bouger. Tout s'écroule.

– Attends! me crie-t-il, que je te regarde.

Il allume les deux projecteurs qui encadrent son podium, me fait tourner, virer dans leur lumière. Alors je n'attends plus rien de bon, je ne peux plus entendre que le pire, il me dit, riant encore :

– Bon, tu peux rester au cours, je te prends. TOI, TU FERAS DU CINÉMA!

3

LA PREMIÈRE CHANCE

Ma rentrée à Dieppe dans le style : « Bonjour! c'est moi, j'ai réussi. » « Bravo, dans mes bras ma fille! » serait donner une version aussi aimable que fausse. Mon retour ressembla plutôt à celui que vécurent bon nombre de comédiens annonçant à leurs parents qu'ils seraient artistes!

– Jamais ma fille ne fera du cinéma! hurle mon père au sommet de la colère.

Coincée entre le mur et le coin de notre buffet Henri II, qui a déménagé avec nous, je ne peux lui échapper. Je me laisse glisser à terre. D'une poigne vigoureuse il me repêche; ses coups tombent où ils peuvent. Destinés à me punir ils me font surtout rire, tant la scène me paraît d'une drôlerie irrésistible. Hilarité que mon père, heureusement, prend pour les sanglots du repentir. Il est si drôle papa vociférant des « hénaurmités » du genre : « Fille perdue! Elle fera pleurer à sa famille des larmes de sang! Elle finira mal! » – aux filles en ces temps on ne promet pas l'échafaud, c'est réservé aux garçons, mais le ruisseau!

Maman déchaînée, à son tour s'interpose :

– Je t'interdis de toucher à cette petite! Tu vas lui faire mal.

Dans quelques minutes le malheureux va être pris de

remords et m'étouffer de baisers. Nous avons l'habitude des colère tonitruantes de mon père, généralement proportionnées à l'inquiétude que nous lui avons causée, et cette fois-ci j'y suis allée un peu fort. Sans doute trop! Sa fureur apaisée il me déclare avec une inquiétante autorité :

– Tu termineras d'abord tes études. Elles te permettront d'accéder à un métier solide, sans surprises.

Mais je ne veux pas d'un avenir sur rails, d'un métier solide. Je veux être artiste!

Décidé il poursuit :

– Dans deux ou trois ans, je verrai si tu peux suivre les cours de « ton » monsieur René Simon.

Il y aura longtemps qu'il ne se souviendra plus de moi.

– Non, papa, je ne retournerai pas en classe.

– Si, tu y retourneras et pas plus tard que la semaine prochaine. A la rentrée avec tes frères et ta sœur, comme tout le monde.

– Mais papa, avec un métier sûr comment veux-tu que je devienne célèbre?

Ce soir la magie de la prédiction est impuissante, elle est rejetée à la place que normalement elle aurait dû avoir, un mirage. Il ne me répond même pas et me tourne le dos.

C'est fichu! Ce choc-là me fait pleurer... pour de bon. Mon inquiétude ne m'éprouvera pas très longtemps, mais il est salutaire que je l'aie ressentie. C'est un métier qui exige qu'on le conquière, et il y a de nombreuses façons de le mériter, que je connaîtrai plus tard.

Plus je redoute d'être obligée de renoncer temporairement à mes projets, plus ceux-ci m'apparaissent exceptionnels. Aussi je n'ai pas à me forcer pour faire à maman un récit éblouissant de mon séjour à Paris, de mes rendez-vous, de mes débuts dans « Mademoiselle Mozart ». Mon audition chez René Simon est un peu forcée dans l'optimisme. A m'écouter c'est tout juste s'il ne va pas m'attendre à la gare tous les jours!

Chère maman au joli visage, à la bouche sévère, mais au sourire, au regard tellement doux et tendres, comme elle me fait crédit : « C'est bien, me dit-elle, je vais parler à ton père. Tu sais comment il est. Il s'emballe, il s'emballe, mais il ne veut que ton bien! »

On peut même dire que cette fois-ci il le veut obstinément, seulement lui et moi n'en avons pas la même conception : « Non, répond-il à tous les arguments de maman, pourtant très convaincante. Je ne céderai pas! »

J'avais imaginé tout autrement le retour de la fille « prodige ». Mais à quoi bon me tourmenter, c'est vaincre qu'il faut.

Dans l'arsenal des moyens de pression mis à ma disposition je choisis la grève de la faim. Enfermée dans ma chambre je la fis avec une grande conscience, les premières heures. Vers minuit, me sentant un creux à l'estomac si pénible qu'il m'empêche de dormir, je décide qu'une petite boîte de sardines à l'huile ne saurait être considérée comme un repas. Dans le même esprit, le lendemain, maman me monte, en cachette, quelques fruits, une brioche...

Le secret de ces écarts étant bien gardé, papa s'émeut, craignant que je ne dépérisse. J'avais découvert les mystères du maquillage et m'étais fait des cernes admirables. Il entame les négociations.

– Et comment vivras-tu? Avec quoi paieras-tu les leçons de ce monsieur René Simon?

– En faisant mon métier. Yvan Noé m'a promis de me faire tourner des petits rôles.

– Où logeras-tu?

– Chez grand-père et grand-mère.

– N'y compte pas. Ton âge est une trop grande responsabilité pour le leur...

Papa triomphe :

– Tu vois, ce n'est pas possible.

Cette fois-ci c'est sérieux, je suis dans l'impasse.

Eh bien non. Tout va se passer comme si réellement c'était écrit. Bienheureuse prédiction sans laquelle les choses n'auraient pas été ce qu'elles furent. Ce n'était plus une vocation, c'était une prédestination!

Comme il se devait mes parents mettent tante Yvonne et oncle Teddy au courant des événements. Loin de fortifier mon père dans ses sages résolutions, de faire chorus : « Qu'elle fasse ses études d'abord! », ils renversent la situation; la prédiction faite il y a dix ans, ils y croient!...et ils le prouvent. Pour que je puisse devenir « artiste » ils n'hésitent pas à déménager, à revenir à Paris. Mon oncle trouve un autre travail, ma tante reprend son ancienne place dans sa banque et, trois semaines plus tard, nous voici tous les quatre, eux, leur fille, ma cousine Renée, et moi, habitant à nouveau Neuilly, notre village retrouvé.

Quand je pense qu'il y a des gens qui ne croient pas aux miracles, ils ne savent pas ce qu'ils perdent!

Il faut dire aussi que ma véritable première chance a été ma famille.

– Sois bien sage, ma petite fille, m'a recommandé papa en me quittant.

Une petite phrase simple qui n'a rien d'historique.Mais, il faut avoir à son tour des enfants et les quitter, un soir ou un matin, pour savoir à la fois quelle tendresse elle contient et quel aveu d'impuissance elle représente : ne plus pouvoir offrir à son enfant, pour le protéger du monde, que sa sagesse.

C'est ce matin, dans le métro de la ligne Nation, que commence ma vie véritable et de cela j'ai conscience : « Aujourd'hui, je vais prendre mon premier cours de comédie. » Une phrase magique, le prélude à l'initiation... Ma rentrée des classes à moi elle est autrement plus impressionnante qu'elle ne le fut jamais...

Une inquiétude soudaine : je ne suis plus sûre du nom de ma station. En face de moi, le nez studieusement enfoui dans un livre, un jeune homme. Il a des grains de beauté et un air honnête. Tellement que j'ose lui parler : « Pardon, monsieur... » Il lève la tête vers moi, un regard curieux et d'un beau marron chaud, plein de cils : « Savez-vous où il faut descendre pour le boulevard Garibaldi? » Le regard, maintenant vif, reste timide :

– Sèvres-Lecourbe. Je descends là également.

Il replonge dans son bouquin.

En me dirigeant vers le boulevard Garibaldi, j'ai la sensation d'être suivie, peut-être par ce garçon? Paris n'est pas Dieppe. Ça je le sais. J'augmente mon allure, coup d'œil discret en arrière, exact, le jeune homme du métro m'a emboîté le pas. Mais qu'est-ce qu'il s'imagine? En arrivant devant l'immeuble il me rattrape. Je passe sous la porte cochère, lui aussi. Il ne manque pas d'audace! Je sonne et j'entends sa respiration derrière moi. La porte s'ouvre. Je marque un court temps d'arrêt. Surpris, emporté par son élan il se cogne contre moi. Je proteste :

– Vous ne pourriez pas faire attention!

Confus, il m'explique :

– Pardon, mais j'ai cru que vous entriez... alors... j'ai freiné trop tard!

Je ris autant de son air ahuri que de ma méprise : mon « suiveur » est un apprenti comédien! Il a seize ans et sera connu sous le nom de François Périer!

Et, j'entre...

La salle de cours je la connais, je l'ai déjà vue : une grande pièce, très haute de plafond avec des rangées de bancs. Aujourd'hui elle grouille de garçons et de filles, peut-être une trentaine, comme on est nombreux! J'envie leur air libre, dégagé, une brochure roulée dans la main, un classique Garnier, corné, malmené, dépassant d'une poche, ils vont, viennent. Des groupes se forment, se joignent, se disloquent. Toute une agitation à laquelle je suis étrangère. J'aimerais rire avec eux, posséder cette assurance : savoir.

L'apparence est trompeuse et cela je l'ignore. Aujourd'hui en se donnant la comédie, ils me la donnent, je ne sais pas que moi aussi dès que se rapprochera le moment de « passer » sur scène, je serai saisie par cette fièvre qui vous oblige à parler plus haut, rire plus fort, à vivre un ton au-dessus.

Pour l'instant j'étais au-dessous! Dans ce milieu étonnant, je me sentais semblable à un corps étranger. Le garçon avec lequel je suis entrée doit être très drôle, les filles qui l'entourent rient beaucoup. Lui, à qui j'avais trouvé l'air timide! Que tout ici est trompeur. Tout y est illusion et on la crée sur cette sorte de podium encadrée de rideaux qui pendouillent. Pas de décor, tout dans l'imagination. Les accessoires, une table, trois chaises, figureront alternativement un salon, la forêt de Brocéliande, le château de Macbeth, ou la chambre à coucher de « Monsieur chasse ». Shakespeare et Feydeau y sont également à l'aise. Quant à l'absence de tout élément de fenêtre ou porte, elle donne lieu à des scènes loufoques du genre : « Ta porte! »

– Quelle porte, monsieur?

– Celle par où tu es entré.

– Ah, oui, alors?

– Alors? tu la laisses ouverte, idiot! Ferme-la, bon Dieu!

L'élève ferme la porte fictive.

– C'est bien. Enchaînons...

Et personne ne rira, car les lieux où l'on joue la comédie, même en apprentis, sont magiques. Et ceux qui n'ont pas froid lorsque la fenêtre imaginaire est ouverte sur l'hiver ne seront jamais touchés par la grâce.

Le brouhaha de rentrée qui m'environne, le caquetage qui m'étourdit sont déjà ceux des coulisses. Autour de moi, « ça » parle et « ça » respire théâtre. Ça potine aussi. Je voudrais tout comprendre, tout assimiler d'un seul coup, être comme eux...

En attendant, je me sens godiche. Réfugiée près de la porte, j'ai tout de la « nouvelle ». Que dois-je faire? Me présenter à René Simon, frapper à son bureau? Mes inquiétudes sont rapidement balayées. Il entre, et comme je suis sur son passage il me voit, me reconnaît :

– Ah! tiens, c'est toi?

Il règle mon cas rapidement.

– Aujourd'hui tu regarderas les autres. Il n'y a pas de meilleur moyen d'apprendre, c'est fou le progrès qu'on fait en voyant ce qu'il ne faut pas faire.

Ce doit être de l'humour. Il avance et revient, ironique son œil m'évalue :

– Et puis mets-toi tout de suite dans la tête qu'ici personne n'est admirable!

Je n'en suis pas encore à comprendre cette vérité.

Il poursuit :

– En partant, tu viendras me voir. Je t'inscrirai et je te dirai ce que tu dois travailler. Comme tu es entrée la dernière, va te mettre là-bas, dans le fond.

Le dernier banc ce sera ma place et je n'en changerai pas. Elle me plaît, me donne une impression de sécurité. Sans personne derrière moi, le dos au mur. J'écoute, je regarde et j'ai affaire. Je suis loin de saisir toutes les nuances de ce que j'entends.

Sarcastique, René Simon crie à un garçon filiforme qui me restera inconnu :

– Tu t'es trompé de cours. Tu joues théâtre, tu fais Odéon. Allez, file derrière le troisième pilier côté cour et cache-toi que je ne te revoie plus.

Ce langage n'est ésotérique que pour moi. On rit beaucoup. J'ai la tête qui bouillonne, ça se bouscule, je voudrais tout comprendre. Pendant les deux heures de cours je reçois les élèves en bloc, les bons et les médiocres, et malgré les recommandations de René Simon, je les trouve toutes et tous ad-mi-ra-bles!

Comment aurait-il pu en être autrement? Dans cette promotion se trouvait François Périer, drôle, moqueur, brillant. René Simon le donne en exemple et en profite pour lancer une tirade sur les dons, la facilité, ces catastrophes qui vous empêchent de travailler en profondeur! – un mot que je réentendrai – et dont on met ensuite, lorsqu'on a compris, des années à se défaire!

Il était naturel que je sois impressionnée par Jacqueline Porel, la petite-fille de Réjane. A elle, le maître n'oubliait pas de rappeler que le talent de votre aïeule ne doit pas vous empêcher d'avoir le vôtre! Elle l'avait, et bien à elle. Son petit nez fin, son menton aigu rendaient plus spirituelles encore ses répliques servies par la précision mordante de sa diction.

Mais celle devant laquelle, ce jour-là, je reste béate d'admiration, c'est Denise Bosc, la fille d'Henry Bosc, un acteur connu et apprécié que j'avais souvent vu à l'écran. Tragédienne-née, avec une aisance que j'envie, elle atteint au pathétique sans gestes grandioses, sans cris. Sur son visage de brune coulent les larmes qui déchirent, celles que l'on ne peut retenir. Pleurer comme cela à volonté, j'en rêve!

Cependant mon admiration ne fut pas totalement inconditionnelle. Fugitivement, çà et là, d'instinct, je saisis au passage un geste pas à sa place, une intonation qui sonne comme une fausse note. Lorsque le maître les sanctionne, j'éprouve de la satisfaction, mais s'il les laisse passer, je perds pied. Qui se trompe, lui ou moi? Comment saurais-je que la pire des sanctions, la plus cruelle peut être l'indifférence?

Pendant des jours je vais me sentir débordée, roulée comme une pierre par les vagues sans comprendre qu'elles me polissent. Ce n'est pas facile de devenir un galet bien rond, cela ne se fait pas sans mal! Cette image satisfaisante ne me viendra que plus tard. Pour l'instant je subis.

Tout dans cet enseignement me surprend. Dans mon ignorance et mon expérience, toute scolaire, de la récitation, je croyais apprendre par cœur des textes, des scènes que je jouerais avec les expressions et les intonations. Je me sentais tout à fait au point pour exprimer tous les sentiments : douleur, colère, joie, jalousie et amour. Surtout l'amour. J'étais prête aux poses langoureuses, aux dialogues passionnés et même aux baisers cinéma, en gros plan...!

J'aurais très bien admis, je m'y attendais même, que l'on m'apprenne à danser, à chanter, à pratiquer tous les sports, à me préparer pour Hollywood, mon phare, mon soleil à l'horizon! Il n'en est nullement question. Au lieu de cela, avec le plus grand sérieux, René Simon m'a donné comme exercice de diction des scies : « Les chemises de l'archiduchesse sont-elles sèches, archi-sèches », « Gros grain d'orge, quand te gros grain d'orgeras-tu? », je les débite le matin chez tante Yvonne en faisant le ménage, en balayant, avec ou sans crayon entre les dents accompagnées des tirades raciniennes qui ont des mètres et des mètres de longueur, et que je peine à me mettre en bouche.

Le cours René Simon, c'était un endroit étonnant presque incommunicable à ceux qui ne l'ont pas vécu, ils sont peu nombreux; les noms des anciens élèves, quelle affiche pour le Gala de l'Union!

Qu'avait-il de particulier, ce cours?

Avec le ton que les hommes prennent pour parler de leur service militaire, nous, l'œil amusé et la bouche débordante de superlatifs, nous disions, entre autres, qu'il était « unique »! Sans conteste, c'était René Simon qui l'était. Quel spectacle et à lui seul quelle leçon! L'œil sarcastique, le cheveu plat mais rebelle, affectionnant les cols roulés bien avant leur mode, il nous fustige de ses mots à l'emporte-pièce, de ses aphorismes sur les grandeurs et servitudes du métier de comédien dont il nous accuse de ne vouloir connaître que les grandeurs. Pour l'instant, nombreux sont ceux qui en les attendant pratiquent surtout le rituel café-crème-croissant ou pain-beurre, comme repas principal. C'était ça nos années folles!

– Par l'intérieur! hurlait René Simon. On ne joue pas la comédie en faisant des grimaces! Ce n'est pas là que ça se passe, dans ton crâne! (Et il se frappe le front.) Les acteurs intellectuels sont emmerdants. C'est là! là! (De sa main largement ouverte, il se tapait le ventre.) Dans les tripes et il faut les sortir ses tripes! Seulement pour ça il faut en avoir!

Il n'y a pas que ça dont il faut avoir. Tous les garçons deviennent de lamentables châtrés! Et nous les filles, nous sommes des vierges, de pauvres crétines mal aimées! Il dit « mal baisées », car son langage des plus verts appelle un chat un chat. La première fois j'en ai été tellement ahurie que j'en ai oublié d'être choquée. Inimaginable! à la maison les « gros mots » étaient prohibés, zut! et crotte! étant seuls autorisés.

Pour lui l'état de pucelle ne peut que freiner grandement l'épanouissement de la féminité, hors laquelle il n'y a pas de salut pour une comédienne. Sarcastique, rempli de commisération, il s'écrie : « Ce n'est pas possible, tu n'as jamais fait l'amour! Alors avec quoi veux-tu l'exprimer! » Soyons juste, ce genre de reproches, il ne pouvait le faire qu'à un très petit nombre. Aussi je suis devenue rapidement pour lui un sujet de choix. Ce qui ne devait pas tarder à avoir des conséquences.

Ce n'était certes pas à moi qu'il pouvait dire : « T'as trop couché, tu n'es plus bonne à rien. » Ce reproche se faisant également au masculin. Accusé d'être lessivé, le malheureux était renvoyé dans ses foyers : « Respecte au moins ton cours si tu ne te respectes pas! »L'admirable phrase qui contient tout l'enseignement philosophique et moral de René Simon : « Le respect de soi-même et des autres », les autres étant le public. Car il ne se contente pas de nous inculquer les rudiments de notre art, de jouer, avec quelques-uns, les Pygmalion, il nous enseigne une manière de vivre, celle du comédien, qui pour lui n'est comparable à aucune autre et tellement supérieure!

Je crois qu'il vous aimait beaucoup.

Cette certitude ne m'est venue que plus tard. Pendant des jours j'ai l'impression d'être bloquée. Je comprends ce qu'il me demande, attend de moi, mais quand je suis sur cette fichue scène il me semble qu'une autre a pris ma place : gauche, la voix étranglée, avec des bras interminables au bout desquels pendent des mains bêtes comme des pieds. Je me sens nulle à en pleurer! Ce qui m'achève, c'est l'indulgence du maître. Il est patient, gentiment bougon : « Bon, bon, c'est pas mal. T'as tout à apprendre, mais ça vient! »

Et puis un jour au plus fort de ma désespérance c'est venu. Je me suis sentie légère, délivrée comme un oiseau qui ose son premier vol et le réussit.

— Bien! On y est. T'as même été vite, trois mois c'est rapide — et moi qui étais sûre de traîner — maintenant que tu ne bouffes plus tes mots, qu'on comprend ce que tu dis, on va pouvoir s'y mettre, travailler en profondeur!

Fini l'indulgence, les gentils « Oui, oui, pas mal, continue... » J'apprends à redouter, bien plus qu'avant, le moment où de sa place, sans tourner la tête, René Simon crie « Simone à toi! » puis d'une voix à la fois résignée et blasée prononce le sacramentel « Je t'écoute ».

Et je me lance. Il y a des fois où je fermerais volontiers les yeux, c'est plus facile pour se jeter à l'eau, et ça commence.

— Simone, ta voix, articule.

Il se lève, d'un bond saute sur l'estrade, pose ses mains nerveuses et courtes sur mon ventre.

— Et respire avec ça... Sinon tu manqueras de souffle. Racine en exige beaucoup!

Il n'est pas le seul à avoir des exigences. Corneille, Molière, Marivaux et La Fontaine en ont tout autant. Que de mauvais moments me fait également passer « La jeune veuve »!

A peine si je crois en avoir terminé avec les rigueurs des classiques qu'il m'impose celles des romantiques, « respirer » Victor Hugo, quelle épreuve pour le souffle! et Alfred de Musset, quelle aventure!

François Périer qui me donne la réplique souffre sous Perdican et moi, je peine avec Camille : « Je suis curieuse de danser à vos noces! »[1] dit-elle à Perdican. Une phrase apparemment bien simple.

1. « On ne badine pas avec l'amour » d'Alfred de Musset.

Calme, précis, René Simon me la dissèque :

– Tout, elle contient tout : le dépit, la jalousie, l'amour, le désespoir, l'orgueil, et même, l'espérance! Tout sauf la résignation... Reprends.

– Non! Tu m'envoies ça sur le ton de : « Le rôti de veau a brûlé. » Vas-y.

Je repars : « Je suis curieuse... »

– Non! Tu ne m'annonces pas une catastrophe! De l'orgueil dans le dépit. Reprends plus haut, ça te donnera de l'élan.

J'en ai bien besoin pour franchir le passage.

– Mais, nom de Dieu! ce n'est pas une vendetta corse, tu ne venges pas l'honneur de la famille! Tu aimes Perdican... Et tu vas le perdre!...

Quatorze fois j'ai recommencé, François les a comptées, et pour chacune d'elles mon tortionnaire a trouvé une image différente. Je passe de Messaline à la rosière du village, sans jamais rencontrer Camille! Je crois bien en avoir pleuré.

– Je vais te montrer!

Et commence le spectacle!

En pleine forme, René Simon grimpe sur l'estrade, se retourne et... devient Camille. Le prodige s'accomplit : plus de col roulé, de pantalon fuyant la taille. Il est Camille telle qu'il la voulait, orgueilleuse, passionnée. On n'ose pas applaudir mais qu'est-ce qu'on aurait aimé! Une fois je l'ai vu se transformer en une Agnès admirable! Ce n'est pas facile avec un menton rasé et la voix qui va avec, de dire : « Le petit chat est mort! »

Il y a des moments plus cuisants : « Mets-toi bien ça dans le crâne! hurle-t-il. Comme ça tu t'en souviendras! » « Ça » c'est une gifle, qui n'emprunte rien au théâtre, une vraie. J'en ai reçu comme les autres, et chose qui m'a toujours étonnée, aucun de nous ne l'a jamais ressentie comme une humiliation. Il avait l'art de les donner justes.

Si, très vite, je me suis sentie faire partie du cours, René Simon, une sorte d'élite, c'est sur une scène que j'ai avec mes camarades les rapports les plus vrais, les plus directs. A la fin du cours ils m'échappent.

D'abord ils sont très différents des filles et des garçons que je fréquentais à Dieppe. Ici, avec mes quinze ans, je suis la benjamine, et je les regarde évoluer avec les yeux qu'une gamine a pour les grands. Ils ont une vie tumultueuse; flirts, amours se succèdent et s'entrecroisent, les partenaires s'échangent au milieu des scènes, de drames qui heureusement empruntent beaucoup à la comédie.

Ce n'est pas impunément que chaque jour ils s'appliquent à être autres, à exprimer des passions, à vivre des situations dramatiques magnifiées par le verbe. On mûrit différemment au contact d'Alceste. A se mettre dans la peau des adultes, et quels adultes! on vieillit plus vite. Et lorsque à la fin du cours on se sépare d'eux, pour que le décalage ne soit pas trop insupportable, eh bien, il faut poursuivre encore un peu la fiction pour son propre compte, et l'on risque d'aller trop loin.

Quelques années plus tard, tout cela sera fort bien exprimé par Marc Allégret, comme réalisateur, André Cayatte et Henri Jeanson comme scénaristes, dans leur film « Entrée des Artistes ». Ce fut le cours de René Simon, en pleine vogue, qui leur servit de modèle. Sorti en 1938, quelques mois après « Quai des Brumes », je me souviens en le voyant avoir eu l'impression que tout cela était loin, loin... Alors que trois ans à peine m'en séparaient, j'avais pour ce passé si proche le regard attendri et le rire indulgent que l'on a pour ses jeunes années.

Je me sens d'autant moins proche de mes camarades que nous n'avons pas vraiment un langage commun. Le leur est théâtre et le mien est, déjà, cinéma. Ils ambitionnent de « brûler les planches », je ne rêve que plateau des studios, œil rond de la caméra.

Gaston Baty, Dullin, Marcel Herrand, Georges Pitoëff, quelle que soit leur célébrité, ne sont pas mon oxygène, je ne vis pas de leur respiration. Approcher René Clair, Marc Allégret, Marcel Carné, L'Herbier... a pour moi une tout autre résonance. Je crois avoir été seule, parmi ceux de ma promotion, à ne connaître que l'écran.

A différentes reprises on m'a proposé, on me propose encore, des rôles au théâtre. J'ai lu des manuscrits dont certains m'ont beaucoup plu, tenté même. Mais je n'ai pas franchi le pas. La scène n'est pas mon lieu d'expression. Son astreinte ne me convient pas, jouer tous les soirs, deux fois par jour lorsqu'il y a matinée, et retrouver les mêmes gestes, la même voix, pour la même situation, entourée des mêmes visages, me fait peur. J'ai un caractère trop indépendant, un besoin trop impérieux de liberté, pour éprouver du plaisir à cette contrainte.

C'est sans doute pour cela qu'aucuns cours n'aurait pu me convenir aussi bien que celui de René Simon. Cet homme de théâtre connaissait les exigences de l'écran, son goût du jeu vrai, de la simplicité des moyens d'expression, lui faisait pourchasser toutes intonations et gestes un peu forcés. Il nous accusait tout de suite d'en faire trop. Ce qui aurait passé fort bien sur scène – question éloignement public-acteur – se transformait pour lui en grimaces. Son œil avait la focade d'un gros plan.

Le temps passait et mes relations avec les autres, mes camarades, restaient superficielles : « Bonjour! – Bonsoir! – Dis donc, formidable ta scène! – Tu n'étais pas mal non plus! » D'une banalité! Cela aurait pu me contrarier; j'aurais pu désirer avoir une amie, en fait je m'en fichais. J'avais l'âge où l'on est complètement centré sur soi-même. On n'est plus dans le ventre de sa mère, on est sorti de son giron pour vivre dans son propre giron. Nous sommes tous passés par cette phase égocentriste. Celle de l'épanouissement, où l'on s'ouvre au monde, c'est pour plus tard, il faut pas mal d'années pour se détacher de soi!

En plus cette forme d'isolement me convenait, j'étais toute à moi, j'avais le temps de penser, c'est une opération pour laquelle j'aime bien n'être pas bousculée par moi ou les autres, n'être pas distraite par les courants extérieurs.

– Dis-moi, tu gardes ton nom pour le théâtre?

Quand René Simon m'a posé cette question, prise de court je n'ai pas su quoi répondre. Mon nom je trouvais qu'il sonnait plutôt bien.

– Bon, enfin tu verras, tu n'en es pas encore là. Il y a plus urgent.

Michèle Morgan, un nom qui a une histoire, je l'ai trouvé en deux fois. Mon prénom d'abord pour plaire à un jeune homme qui venait au cours. Il n'y faisait pas des étincelles mais il m'attirait. Je le trouvais joli garçon. Il travaillait Othello et Don Juan, certainement par inclination, il lui en restait quelque chose, il faisait plutôt dans la séduction, mais pas trop, ce n'était pas un bellâtre, genre dont j'ai toujours eu horreur, le tombeur me fait rire. Seulement, moi, il ne me regardait pas, enfin pas suffisamment à mon goût. Un soir en sortant, je n'ai pas compris pourquoi, il m'a dit avec le regard perdu de passion de ceux qui rêvent un amour impossible.

– Dommage que je ne connaisse pas de Michèle. Je voudrais tellement avoir une maîtresse qui s'appelle Michèle.

Le lendemain avant d'attaquer mon passage, d'une voix de scène, bien timbrée, je déclare à René Simon :

– Monsieur, j'ai trouvé mon nom de théâtre : Michèle Roussel!

A la sortie, aucune hésitation à avoir, le message a été reçu.

Albert, me prenant furtivement la taille, me propose :

– Michèle... Tu viens voir un film avec moi, je t'emmène.

Le film n'est pas mal, mais son bras autour de mon épaule, sa main qui cherche la mienne, quel triomphe! Quelques promenades, en amoureux, le long des quais, deux ou trois porto-flips dans un bar : murs en palissandre, fauteuils club et lumières tamisées, me convainquent de cette sévérité : je suis amoureuse.

Aussi lorsqu'un après-midi, assez sournoisement, Albert me propose : « Viens, on va prendre le thé chez mes parents », j'accepte.

C'était le piège, les parents étaient absents. Je n'en fus qu'à demi surprise lorsque j'ai vu l'appartement vide et l'imposant lit conjugal de papa et maman vers lequel Albert, tendre et gentil, ému je crois, m'entraîne doucement.

– Viens, n'aie pas peur, je ne te toucherai pas, je te le jure.

Sur ce lit inconnu j'ai un peu froid, un peu chaud, une crainte vague. Je voudrais que tout soit joli, harmonieux, que ça se passe bien, que je puisse l'aimer. Il s'allonge près de moi et d'une voix un peu tremblante m'affirme : – Michèle, je veux seulement dormir contre toi... tout près de toi...

Nous sommes nombreuses à avoir entendu ce genre de serment fait pour nous donner confiance, mais jamais tenu.

Albert me prend dans ses bras, c'est étrange, ce corps inconnu dont la tiédeur se mêle à la mienne, et je pense un peu troublant.

Il a posé sa joue au creux de mon épaule. Cette douceur, cette patience, alors que je redoutais un amant désordonné, me rassure, et... rien du tout : la tête d'Albert est devenue lourde, lourde, sa respiration apaisée est maintenant régulière... Albert dort! J'aurais pu être furieuse, déçue. J'ai surtout eu très envie de rire en me voyant à côté de ce garçon décoiffé, dont la joue, dans le sommeil, avait retrouvé la grâce de l'enfance. J'étais loin d'avoir l'âge de m'en attendrir! Désenchantée j'ai refermé la porte sur Albert et sur l'amour que j'aurais pu avoir.

Vingt ans plus tard cette anecdote a une « chute » : en plein hiver, sur les plateaux ensoleillés de Montana-Vermala, je vais d'un bon pas allongé, la marche est un de mes sports favoris, lorsqu'un grand monsieur moustachu, la tête coiffée d'une schapska, me rejoint précipitamment.

– Michèle, tu ne me reconnais pas?

Je le regarde, cherchant dans mes souvenirs, et puis soudain :

– Albert!

Mais oui, c'est bien lui. Avec stupeur je vois s'approcher du mien un visage complice, j'entends une voix lourde me murmurer :

– Michèle, tu te souviens!

Nous ne devions pas partager le même souvenir. Pour lui son sommeil, s'il se le rappelait, ne pouvait être que celui de la « bonne fatigue » après un après-midi d'amour avec une Michèle qui n'était pas encore Morgan; et si elle était restée Roussel, aurait-il transposé de la même manière?

Albert m'a laissé plus qu'un souvenir : un prénom. Je crois à l'influence des prénoms sur le comportement, et j'ai souvent pensé que Michèle m'avait imposé une manière d'être qui n'aurait pas été complètement celle de Simone : une certaine retenue, une apparente froideur. Une Simone a le fou rire plus facile, le droit d'être moins réservée, plus spontanée. Il est possible que je me trompe mais je le ressens ainsi. Je crois qu'il y aurait beaucoup à dire sur l'être que l'on devient et dont une part est votre création. Cela est plus réel encore, me semble-t-il, pour une comédienne. Elle n'est jamais tout à fait libre d'être seulement elle-même. Simone se serait-elle coiffée, maquillée, habillée, comme Michèle? Aurait-elle eu les mêmes attitudes? Et même ses pensées auraient-elles été identiques? A cause de tout cela lui aurait-on proposé les mêmes rôles?

Souvent il m'arrive de penser à toutes ces femmes auxquelles j'ai prêté mon visage, mes gestes, ma voix, qui en revanche m'ont obligée, un certain temps, à vivre, à penser comme elles, à subir leur destin. Que vous reste-t-il d'elles. et, lorsqu'on s'identifie à leur personnage alors qu'il semble n'avoir rien de commun avec vous, si ce n'est l'imagination du metteur en scène qui les voit avec votre visage, l'avez-vous accepté parce que dans votre subconscient il y a un petit trait de caractère qui vous rapproche d'elles?

Quelle est la grande bourgeoise qui un soir n'a pas rêvé d'être une courtisane? C'est aussi cela qu'on nous offre, à nous, comédiennes.

L'année s'achève. J'ai beaucoup appris, mais cela s'accompagne de quelques doutes.

Lorsque j'étais très petite fille, six ans, je me souviens le jour de mon anniversaire m'être émerveillée des progrès de ce que je nommais « mon intelligence ». « Cette année, me disais-je, je sais beaucoup plus de choses que l'année dernière, si je continue comme cela où vais-je m'arrêter? »

Maintenant aussi je sais davantage de choses, juste ce qu'il faut pour mesurer que je ne sais pas beaucoup, j'en ai également compris quelques-unes qui ne me mettent pas le cœur en fête : vivre de ce métier en l'apprenant n'est pas aussi facile que je l'imaginais à Dieppe.

Incorporée à ce milieu déjà professionnel, entourée de filles, de garçons qui tous ont physique, personnalité et talent, et ne décrochent rien de plus que moi, je commence à comprendre combien la phrase rengaine « Il y a beaucoup d'appelés et peu d'élus » est une réalité.

Yvan Noé a tenu sa promesse mais il ne travaille pas sans interruption , alors je participe à la grande course aux « cachetons ». Entre élèves nous échangeons des tuyaux sur les films en cours de tournage. Là aussi c'est plein de mirages : « Il cherche un vrai petit rôle! » on part dans le rêve, on atterrit dans la réalité : une figuration d'une journée qui cependant fait dire : « Ouf, j'ai décroché un truc! »

J'apprends également à faire antichambre chez des imprésarios dont les secrétaires, plus ou moins bienveillantes, invariablement prennent ma photo, mon adresse. « Quand on aura quelque chose pour vous on vous fera signe. » Je ne suis plus assez novice pour nourrir ce genre d'illusion. Pas un seul, parmi ceux qui m'ont, je ne dirai pas vue, mais aperçue, ne s'est écrié : « Entrez donc, mademoiselle, vous êtes celle que je cherche depuis toujours! »

Ces démarches sont plutôt démoralisantes; cependant je persévère, je suis sûre que, comme cela ou autrement, je réussirai. J'ai la foi.

Elle n'est pas utile qu'à moi.

Chez oncle Teddy, la vie n'est pas sans quelques difficultés. Maman nous envoie les restes du fonds de l'épicerie : des paquets de nouilles, du riz, des conserves, trop souvent inutilisables, complétés, je n'ai jamais compris pourquoi, de liqueurs de marque, elles, parfaitement vendables : Bénédictine, Chartreuse, Cointreau, Marie-Brizard, etc. Ce qui, auprès de nos voisins auxquels oncle Teddy dit : « Mais prenez donc un digestif », nous vaut une estime imprévue pour l'étalage de cette munificence.

Gentil, mon oncle les met à l'aise :

– Ne vous gênez pas, choisissez, c'est mon frère qui me les envoie de Normandie où il a un commerce.

Amusée, prête à rire, je vois passer dans leurs yeux l'image de mon père transformé en une sorte de Félix Potin imperator...

La chance, je comptais dessus, comme tous mes camarades. A part quelques rares exceptions, nous avons tous débuté avec son aide. Il ne faut pas ensuite s'étonner que les artistes soient superstitieux. Quand on attend tout du hasard, comment ne pas éplucher les signes du destin et ne pas les redouter?

Lorsque j'ai rencontré Nicole Ferrier, je ne m'étais pas levée du pied droit, je n'avais pas cassé un verre blanc, ni été éclaboussée de champagne ni rencontré le bossu dont j'avais furtivement caressé la bosse. Non, rien, je n'avais commis aucun geste propitiatoire. J'arrive au cours, comme tous les jours, et j'aperçois une nouvelle. Tout de suite elle me plaît. Je la trouve très bien, style réservé mais souriant. Charmante, sobrement vêtue, mais quel chic! Celui-là, je l'ignorais encore, au cours, l'élégance des filles ne passait pas inaperçue. Quant à moi, disons que je n'avais pas très bon goût, Hollywood était passé par là, et lequel! celui des magazines! Je découvrais le tweed anglais, la flanelle, le cachemire. Je ne connaissais pas la prédilection de son oncle, Jean Gabin, pour ce « bon genre » très XVIe : cette parenté, dont elle ne parle pas, n'a pour moi d'ailleurs aucun intérêt. Non, Nicole me plaît pour ses qualités de gentillesse, de discrétion, de modération. Nous bavardons sur l'amour, le mariage, la mode, le métier – sujet inépuisable; il se glisse dans tout ce sacré métier, en dehors de lui on n'est même pas libre d'aimer, ne met-il pas parfois les hommes de votre vie dans vos bras?

J'ignorais, entre autres, que le destin comme au billard joue votre chance par la bande. Cet après-midi Nicole rouspète :

– Dans ce métier il n'y a pas de mesure, ou tu restes sans rien faire pendant un mois ou tout arrive en même temps! Demain j'ai un petit rôle avec mon oncle dans « la Belle Equipe ». Deux répliques, tu comprends, ça ne se rate pas! Ce matin je reçois une convocation pour une figuration dans « Le Mioche », je ne peux pas non plus la laisser perdre. Si tu y allais à ma place? Je vais te donner un mot pour le régisseur. Tu diras que tu viens me remplacer.

Tout se passe bien. Léonide Moguy est un metteur en scène du style calme, pas de gestes, de cris inutiles, il donne des ordres précis en roulant agréablement les « r ». Je le trouve sympathique cet homme plutôt petit, au vaste front. Je vais le trouver bien plus encore.

– Mademoiselle! Approchez...

– Moi?

– Oui, vous!...

Je m'avance. L'œil rivé à l'œilleton de la caméra, il délimite le champ. Je me sens oubliée! Le cinéma c'est l'école de la patience, alors j'attends. Il revient à moi :

– Vous pourriez dire un mot?

– Même plusieurs!

– Bon. Parfait. Venez...

Je le suis, le décor représente un dortoir de filles dans un pensionnat.

– Vous vous approchez de la fenêtre, comme ça, vous regardez au-dehors et vous dites : « Tiens, Prosper est couché! »

Quelle promotion : de figurante, je devenais silhouette! Appréciable : le cachet est plus important, on reste plus longtemps à l'image. On croit que cela vous fera remarquer et pourquoi pas? Je dois dire que mon « Prosper est couché! » est passé totalement inaperçu à la projection!

Au déjeuner, à la cantine du studio, je me trouve placée près de Jeanne Vita, la script du film. A ces tables où je ne me suis jamais assise, je me sens dépaysée. Plus âgés que moi les autres parlent de gens que je ne connais pas, de films que je n'ai pas vus ou qu'ils ont tournés. Ils rient sans que j'en comprenne le pourquoi. Silencieuse j'écoute; ne pouvant se fixer sur un sujet, mon attention se disperse et mon esprit vagabonde, ce qui m'est toujours très agréable.

– Comment vous appelez-vous? me demande Jeanne Vita.

– Michèle Roussel.

– Avez-vous le téléphone?

Je lui avoue que non. Songeuse elle me regarde :

– Vous avez un visage très intéressant.

A cet instant j'aurais préféré qu'elle me dise que mon « Prosper est couché! » avait été remarqué.

Comme on peut se faire des idées fausses à cet âge-là!

– Eh bien, si je vois quelque chose pour vous, je vous ferai signe, donnez-moi votre adresse.

Cette phrase-là on me l'avait déjà dite et on ne m'avait pas fait signe. Il ne me restait qu'à l'oublier. J'ai tout de même répondu :

– 14, rue Louis-Philippe à Neuilly, mais on peut aussi me joindre chez René Simon.

Encore un petit morceau de temps qui s'écoule. A nouveau j'habite chez mes parents, pour eux l'aventure dieppoise est terminée : on a fait les comptes et fermé boutique. Ils sont rentrés à Paris un peu plus pauvres. Des engagements ont été pris, chaque mois il faut payer. Papa a retrouvé une place au service de la correspondance étrangère du Rhum St-James. Mes frères et ma sœur poursuivent leurs études. La famille est à nouveau au complet. Loin de la sauver comme je l'ambitionnais, je parviens péniblement à payer mes cours moi-même. Tout cela ne m'empêche pas d'être heureuse. C'est peut-être ce que l'on appelle un bonheur modeste mais moi il me convient.

Malgré cela il y a des jours où j'aimerais que ça change. Ce soir est un de ceux-là. Assise dans le métro, le nez dans ma brochure, que je ne lis pas, je remâche mes déceptions. depuis ma ligne de texte dans « Le Mioche » dont je m'étais tellement réjouie. J'arrive trop tard ou trop tôt. Je suis trop grande ou trop petite, trop jeune aussi, il eût été difficile de me dire que j'étais trop vieille!

Bref, je ne décroche rien.

– Bonsoir, Simone, vous avez l'air bien morose, qu'est-ce qui ne va pas?

– Oh! Marcel, vous! Que je suis heureuse de vous rencontrer!

A cet instant, je ne doute pas qu'il ne soit l'homme de la situation : mon avenir vacille, et ma foi donc! Lui va me remettre tout cela d'aplomb. Son apparition entre Barbès-Rochechouart et Havre-Caumartin ne peut être que prophétique! Comme il l'avait fait lorsque j'avais trois ans, il va me dévoiler mon destin.

Ce qu'il y a d'admirable c'est que je n'attends de cet homme qu'une prédiction heureuse. D'ailleurs au cours des années je n'ai jamais cessé de le consulter, il m'a prédit avec exactitude tous les événements marquants de ma vie.

Marcel me demande des nouvelles de papa, qu'il regrette toujours comme collègue, de maman, de mes frères, de toute la famille, je dois donner notre adresse et les stations défilent... Il peut descendre à la prochaine sans que je lui aie posé la question qui me tourmente. Situation angoissante. Enfin il pense à moi :

– Alors, que faites-vous?

Pas de temps à perdre en vains discours. Brièvement je le renseigne sur ma situation et termine par cette phrase :

– Vous avez dit à Papa que je deviendrais célèbre... Est-ce que ce sera encore long?

La merveilleuse question! Il ne sourit pas de mon impatience, me demande ma date de naissance, sort de sa poche un petit livre qui ne le quittait jamais, le consulte, murmure des choses énigmatiques du genre (dont je ne garantis pas les termes) : le Verseau dans le Soleil, passage de Mercure en maison V, etc. et tranquillement m'assure :

– Dans six mois environ vous aurez votre première chance.

4

MONSIEUR RAIMU

Si je voulais broder un peu, je dirais : « Ce matin-là, je me sentais désespérée, ou joyeuse! » enfin, quelque chose de particulier. Justement, je ne me souviens pas de mes états d'âme parce que ce matin-là commence à l'instant où maman ouvre la porte de la petite pièce qui me sert de chambre et crie : « Simone, dépêche-toi, le téléphone... c'est pour toi... » Je cours – pleine d'espérance : une figuration peut-être? – chez Mlle Sapin notre voisine et logeuse – nous sommes en meublé.

– Mademoiselle, je suis l'assistant de Marc Allégret. Il désire vous voir rapidement. Nous avons eu votre nom par notre script, Jeanne Vita, et votre numéro de téléphone par René Simon. Il s'agit d'un essai pour un rôle dans « Gribouille », le prochain film de M. Raimu.

Ça c'est vraiment la nouvelle, celle qu'on reçoit en plein estomac et qui vous laisse bafouillante. Marc Allégret... Jules Raimu. Des noms à vous faire perdre vos moyens. J'ai retrouvé ma voix pour tout raconter à maman. Volubile, je termine mon discours, qui dut être incohérent par : « Et sais-tu ce qu'il m'a dit? Demain, seize heures, Champs-Elysées! »

Inutile de raconter ma veillée d'armes, tous les comédiens, un jour de leur vie, ont vécu la même. Et lorsqu'ils la racontent c'est toujours le jour qui... le jour où... le jour J naturellement!

Assise dans le bureau de la production j'attends que la porte s'ouvre sur Marc Allégret : « Mademoiselle... » et après que va-t-il me dire?

– Bonjour, Michèle.

C'est Jeanne Vita. Quel ange! Une femme merveilleuse!... Elle ne me laisse pas le temps de la remercier, même pas celui de l'embrasser.

– Vous voyez, je ne vous ai pas oubliée. M. Allégret cherchait quelqu'un et je me suis souvenue de votre visage. Voici le texte de la scène, pour votre bout d'essai. Apprenez-la et soyez au studio mardi, à 10 heures.

– Oh! merci! merci!

– Ne vous montez pas trop la tête. Ce n'est pas encore fait, d'autres passeront en même temps que vous, et elles sont nombreuses sur le rôle.

Quel rôle? Je n'ose le lui demander.

– Bonne chance, Michèle!

C'est fini, je suis dans la rue. Elles s'écoulent vite les minutes des miracles, à peine des secondes, à peine si on se sent les vivre! C'est ainsi que l'on en arrive à se poser la question : ai-je rêvé?

Mon rêve je le tiens bien serré dans ma main : le texte d'une scène de découpage de « Gribouille » de Marcel Achard.

J'ai deux jours pour l'apprendre. Je sèche le cours, je reste enfermée dans ma chambre et je travaille mon monologue comme René Simon me l'a enseigné : « D'abord bien comprendre le personnage, la situation et ensuite l'exprimer par l'intérieur avec simplicité. » Deux feuillets, trente lignes pour me défendre. Le personnage, la situation je la devine, une accusée, moi; je dois être quoi au juste? convaincante, pathétique, désemparée? A la fois tout cela. Au fur et à mesure que passent les heures je ne sais plus. Je me sens horriblement perdue, tellement seule.

Cette solitude devant un texte, quel comédien ne la connaît pas? Elle est comparable à celle de l'écrivain devant sa page, du peintre face à sa toile vierge.

Je fais moi-même monter mon angoisse en saoulant ma mère de mes doutes et surtout de mes espérances.

– Tu comprends, maman, Marc Allégret, c'est très important pour moi. Il passe pour être un « découvreur » de jeunes vedettes. Avant de le rencontrer, de tourner sous sa direction dans « Lac aux Dames », Simone Simon était inconnue, Jean-Pierre Aumont aussi. Comme moi aujourd'hui et ce film les a lancés, un seul peut suffire... Ensuite, elle en a fait un second avec lui, « Les Beaux Jours ». Depuis, c'est une vedette. Je ne pourrai jamais avoir une meilleure chance...

Sagement maman tente de me préparer à l'échec :

– Bien sûr, ma petite fille, mais si tu ne faisais pas l'affaire cela prouverait seulement que tu n'es pas le personnage du rôle.

Pas le personnage! Mais il faut que je le sois. Déjà je voudrais arriver au studio coiffée, maquillée comme cette Nathalie, habillée comme elle. Je ne sais rien de mon métier, enfin pas grand-chose, mais je sais cependant qu'il faut être entièrement l'autre dans les moindres détails.

Malgré ces excellentes conceptions, j'ignore si, disposant d'un vestiaire étoffé, j'aurais mis les vêtements qui convenaient. Si je n'étais pas tombée dans ce piège : être la plus jolie. Je ne le pense pas, d'abord parce que je n'ai jamais cru que je l'étais, ensuite parce que mes « outrances » vestimentaires furent toujours très modérées, j'ai toujours craint de me faire, comme l'on disait alors, remarquer. Quoi qu'il en soit, je n'avais ce matin-là aucune question de cet ordre à me poser. Je ne possédais « d'un peu bien » qu'un petit ensemble gris clair, payé avec mes cachets de figurante. Je le regarde, je le vois pour la première fois. Sur le dossier de la chaise comme il fait fatigué, tristet, mon petit tailleur de confection! Ainsi s'appelait le prêt-à-porter qui était loin d'être ce qu'il est aujourd'hui. Ce n'était pas un certain luxe mis à la portée de tous, mais plutôt une certaine médiocrité de tissu, la finition, la coupe restant certainement ce qu'il y avait de mieux; à ceux qui n'avaient pas les moyens d'avoir leur tailleur, leur couturière, la maison de couture étant réservée aux crans supérieurs, cela permettait de suivre la mode.

J'étais coquette mais fort simplement vêtue, maman y pourvoyant. Ce que j'avais me suffisait d'autant plus facilement qu'autour de moi la surenchère des vêtements n'existait pas. Les jeunes filles, on nous appelait ainsi, étaient de par leur condition même habituées à une certaine modestie, de bon goût et de bon ton. « Lorsque tu seras une femme, tu pourras porter ça » était un critère respecté.

J'ai repris sur sa chaise mon petit ensemble auquel l'éclairage de ce matin réussit si mal. Peut-être aurais-je dû le porter chez le teinturier? Cette crainte s'ajoutant aux autres, c'est moins sûre de moi que j'entre dans le studio. Un lieu connu, mais lui aussi ce matin me paraît bien différent. L'ambiance qui règne dans les loges, les couloirs, est celle d'une compétition sans merci : une dizaine de concurrentes se dévisagent furtivement, sournoisement ou hardiment, question de caractère; deux ou trois sont accompagnées par leur mère, dont les regards, lorsqu'ils ne sont pas meurtriers, sont pleins de commisération pour ces pauvres gourdes qui osent venir se mesurer à leur fille. C'est le seul moment où je m'amuse. De courte durée, le passage sur le plateau faisant renaître mes angoisses.

Dans un coin du décor avec mes « rivales » j'attends. Le premier nom est appelé, nous passerons dans l'ordre alphabétique, vraisemblablement je serai la dernière. Bon ou mauvais? J'aurai le temps de voir ce qu'il ne faut pas faire!

Elles passent une à une devant la caméra. Pour la première fois j'aperçois Marc Allégret, il est beau, gentil et surtout impassible, il accorde à chacune le même intérêt poli. Dans la lumière crue, sans complaisance, des projecteurs, mes « rivales » m'apparaissent bien différentes, et dans l'ensemble moins à leur avantage me semble-t-il. Ce changement va, sans doute, opérer également pour moi. Quelques-unes sont vraiment ravissantes, alors?... En les écoutant j'ai l'impression d'avoir ma chance. La plupart auraient bien besoin de René Simon.

Il me semble qu'elles passent très vite, les minutes sont grignotées à une allure qui me terrifie. Bientôt plus que trois, deux... et je tremble, j'ai chaud, je suis en eau, j'ai la gorge contractée, le cœur qui bat, un désir fou que ça en finisse, n'importe comment! mais que s'arrête ce supplice. Je découvre le trac.

– Mademoiselle Roussel! Essai n° 11, première fois.

Le clap claque comme un couperet. Je me lance. Je fais ce que je peux, le mieux possible et j'entends :

– Merci, mademoiselle.

Voilà, c'est fini.

Ces minutes, ces secondes sont irrémédiablement fixées sur la pellicule, plus rien ne pourra les modifier.

Shirva, l'assistant de Marc Allégret, est indien, il a un sourire doux et le geste courtois pour me désigner la porte :

– Nous verrons les rushes sous quarante-huit heures, nous vous téléphonerons aussitôt pour vous donner la réponse (il insiste), bonne ou mauvaise...

Bonne ou mauvaise, est-ce un régime de faveur, va-t-il passer onze coups de téléphone dont un seul sera le bon? Les dés sont jetés, pourvu qu'ils l'aient bien été!... Au fond de moi il me semble que ça n'a pas mal marché!... Cependant je passe une nuit qu'au matin je qualifierai d'effrayante.

Beaucoup plus tard je comprendrai que tout m'a servi : mon petit ensemble qui aurait pu être celui de l'héroïne, ma coiffure, mon maquillage et surtout mon émotion, elle est devenue celle du personnage, elle a eu les accents de la sincérité.

Seulement pour l'instant, je vis les affres de l'attente. Dès huit heures du matin je guette la sonnerie du téléphone de Mlle Sapin. A chaque appel, je me prépare à courir, heureusement qu'elle n'en reçoit pas beaucoup. Après tout, ce « Nous vous téléphonerons! » une simple formule de politesse, ils peuvent ne pas le faire.

Le troisième jour je pense que la « gagnante » a déjà été prévenue, que c'est probablement terminé pour moi. Non. On m'appelle et j'entends la voix de Shirva, reconnaissable à sa façon d'escamoter les « r » français si pénibles aux étrangers :

– Mademoiselle Roussel, M. Marc Allégret et M. Marcel Achard désirent vous voir. Ils vous attendent à Fontainebleau. C'est notre producteur André Daven qui vous y conduira.

Je raccroche, je ferme les yeux, je savoure cet instant.

Je ne sais ce qui s'est passé en moi, mais vêtue de mon petit ensemble gris, vis-à-vis duquel je n'éprouve plus aucune sorte de complexe, c'est tranquillement que je monte dans la voiture du producteur, dont je remarque à peine l'élégance, le sourire charmant et l'œil ténébreux, pourtant il valait au moins un regard André Daven.

Il roule vite, très vite, sans que je m'en préoccupe. Rien de ce qui se passe autour de moi ne m'intéresse, les propos qui s'échangent entre lui et Shirva ne parviennent pas jusqu'à moi. Confortablement assise dans le fond de la voiture, isolée du monde, j'étudie la prochaine scène que je dois passer au cours Simon. Sagesse ou inconscience? Sang-froid, en tout cas!

Plus tard Daven s'en étonnera encore : « Michèle, je me souviendrai toujours de vous cette première fois. Je faisais du 130 chrono et vous sembliez ne pas vous en apercevoir. Pas la plus petite émotion! Vous étiez le nez dans votre brochure, parfaitement isolée. »

C'est une faculté que j'ai toujours, mais en ce qui concerne la vitesse, j'ai bien changé!

De l'épreuve de passage que je vais subir, je ne sais

rien. Est-ce la dernière? Marcel Achard pour mon premier regard, c'est d'énormes lunettes d'écaille, rondes comme des hublots, en équilibre sur un petit bout de nez. C'est l'auteur après tout, et s'il disait non? Je n'y pense pas. Le regard a de la malice, mais il se dégage de cet homme carré une bonhomie tranquille, rassurante.

L'œil bridé de Marc Allégret a beau être professionnel, il ne me fait pas davantage peur. D'abord, il est beau, ce qui est agréable, et il sait sourire, et cela est important.

Vu de l'extérieur le spectacle ne doit pas manquer de drôlerie. Dans ce jardin où ils m'attendaient, je suis debout devant ces trois hommes qui m'examinent; le sourcil interrogateur, l'œil critique, à la façon de ces amateurs qui après avoir découvert dans l'arrière-boutique d'un antiquaire un objet, le font apporter chez eux pour voir s'il convient à son futur décor. Suis-je vraiment celle qu'ils cherchent?

Eh bien oui, je le suis, mais..., il y en a presque toujours un, c'est André Daven qui attaque :

– Voilà, nous avons vu votre essai et nous l'avons trouvé intéressant.

Marc Allégret va plus loin.

– Nous pensons à vous pour le personnage de Nathalie.

Comme je reste sans réaction apparente il précise :

– C'est le rôle principal.

Cette fois-ci plus de doute possible. Ils m'ont choisie.

– Mais, enchaîne Allégret, nous ne pouvons prendre aucune décision définitive sans l'accord de M. Raimu. Il a accepté de visionner votre bout d'essai.

Après, il y eut un déjeuner, mais il m'est totalement sorti de l'esprit, je vivais sous une douche écossaise : joie et inquiétude.

Le « mais » est de taille, il a celle de Raimu. Le nom est fabuleux, ses dimensions sont telles que je suis incapable d'imaginer mes rapports avec lui.

Bien entendu, excitée, survoltée, moi la benjamine à laquelle il n'était jamais rien arrivé, au cours je fais profiter tout le monde de ma chance. Et je reçois la douche.

René Simon ne rate pas cette occasion de se lancer dans un brillant numéro d'improvisation sur « Monsieur Raimu ».

– Raimu, ma petite, c'est une montagne! C'est l'Himalaya! Que tu le voies de face ou de dos, il est toujours immobile et toujours colossal, et quand il parle, c'est le tonnerre, et quels orages! Dans ses colères, un ouragan. On l'a vu aller jusqu'à piétiner les décors! Mais quel comédien! et quelle leçon tu vas prendre!

Les leçons dispensées par un cyclone me paraissent redoutables. Quant à mes petits camarades, non sans malice, ils en rajoutent, jamais je n'aurais pensé qu'ils soient aussi bien renseignés sur Raimu. Ça commence par cette phrase rassurante pour une débutante qui va tourner son premier film avec lui :

– Oh! lui, il n'aime que le théâtre.

– Tu sais ce qu'il a répondu à Pagnol quand celui-ci lui a proposé de tourner « Marius »? « Ton truc de photos qui parlent, c'est une attraction pour Luna-Park! Ce n'est pas sérieux! et moi, je le suis, sérieux! »

– Ça ne va pas être marrant pour toi, il paraît qu'il refuse de tourner une scène plus d'une fois.

J'en transpire et ils font bonne mesure :

– Pas de perte de temps. Il prétend qu'un dialogue de film devrait être comme un télégramme, les mots essentiels, sans ponctuation. Et, comme il impose sa loi, ton texte, il le réduira à Bonjour! Bonsoir! et encore peut-être ne te laissera-t-il que B'jour! B'soir!...

Plus sérieux, plus gentil aussi, René Simon me prend à part au moment de mon départ :

– Je suis content pour toi, tu sais.

– S'il veut de moi, je ne suis qu'une débutante.

Il me dévisage, puis m'affirme :

– Si j'étais lui, je prendrais ce risque.

Il l'a pris. Daven me téléphone le lendemain matin.

– Victoire, Michèle, Raimu est d'accord!

J'entends la voix de Marcel, notre « astrologue » : « Dans six mois vous aurez votre première chance. » Nous y sommes presque jour pour jour!

La joie de la famille réunie le soir même, à ne jamais oublier, l'imagination lâchée on rêve, on divague, on est en pleine féerie. Maman, ma tante me promettent une vie de star.

Teddy, lui, voit déjà mon portrait sur la façade du Gaumont-Palace : « Cent fois grandeur nature avec dessous : Michèle Roussel! » Est-ce la vision euphorique du nom grandi au centuple qui le rend réel? Je m'écrie :

– Ce nom-là n'est pas possible, il n'est pas bon.

Pas bon, mon nom, le leur, celui de la branche paternelle. Ils sont suffoqués, au bord de l'indignation.

– Et que reproches-tu au nom de ton père? me demande noblement maman.

– Il n'est pas international. Il me faut un nom à consonance américaine.

Cette superbe réponse les laisse désarmés.

Je ne voulais pas affabuler, mais je crois bien que le lendemain, passant place de la Concorde, je remarque une plaque « Banque Morgan ». Le voilà mon nom! Il s'étale en lettres d'or sur cette façade. A mi-voix, je répète : Michèle Morgan. Cela sonne bien, me paraît aisé à prononcer et, pour les Américains, déjà familier à leur oreille.

Inattendue pour moi sera, plus tard, leur réaction. Quand j'arriverai à Hollywood, les journalistes me demanderont :

– Quel est votre véritable nom, miss Morgan?

– Simone Roussel.

– Wonderful! Si romantique! Vous aviez un nom absolument ravissant. Pourquoi l'avoir changé? Morgan, pour nous, c'est comme Smith en Angleterre ou Dupont chez vous...

Le premier tour de manivelle de « Gribouille » va être donné et je n'ai toujours pas rencontré Raimu : « Ne vous inquiétez pas, cela se fera sur le plateau. » J'aurais préféré un endroit plus chaleureux que le lieu de ses colères historiques.

En quelque quarante années de cinéma, je crois n'avoir jamais tourné, le premier jour, la scène qui se trouve au début du film – il n'est même pas rare de commencer par la fin – et pourtant c'est ce qui se produit pour « Gribouille », on commence par le début. La première image de « Gribouille » c'est Nathalie, moi, dans le prétoire, et j'y suis. Fermée de trois côtés, la salle du Palais de Justice avec ses bois sombres patinés, austères, attend, pour me juger, que l'audience soit ouverte. Etre jugée, cette impression-là n'est pas fictive. Je vais vraiment l'être et je suis reprise par le trac.

« Gribouille », maintenant j'en connais l'histoire : une très jeune fille, seize ans, mon âge, est seule dans la vie. Accidentellement elle tue son amant. Acquittée, un des jurés, Raimu, la prend en pitié parce qu'elle a l'air d'une pauvre gamine et la recueille. Son fils tombe amoureux d'elle. Véritable Gribouille le juré qui voulait sauver Nathalie l'a remise dans des conditions semblables et tout recommence!

Dans un petit moment j'occuperai le box des accusés et Raimu sera parmi les jurés. Ce sera un instant d'intense émotion pour moi, mon « avenir » commencera! Il est là, près de la caméra, silencieux, les mains derrière le dos il contemple le décor. Se prépare-t-il à entrer dedans? à l'habiter? ou pense-t-il à autre chose? Et s'il lui déplaisait, que brusquement il brise le prétoire en mille morceaux? Non, il lève le sourcil droit, tourne la tête et circule à travers à pas pesants : il prend possession de son territoire à la façon d'un éléphant.

– Venez, Michèle, on va vous présenter...

Ça y est. Devant Raimu je me sens très petite, tellement petite que j'ai l'impression qu'il se penche vers moi. Ce qui est faux, car, sans être très grande, j'ai tout de même un mètre soixante-trois.

Les épais sourcils noirs s'abaissent sur des yeux marron que les paupières recouvrent à demi, adoucissant l'acuité du regard. Profonde, magistrale, la voix inimitable se fait entendre :

– Cette petite... comme elle est gentille!... qu'elle est timide, cette petite!... Bonjour, mademoiselle!

Transformée par ses intonations, dans la bouche de Raimu, cette phrase, si simple, devient du Pagnol.

Et il me tend la main. Je n'ai plus peur de l'ogre, il me plaît.

Du Raimu impossible, despotique, désagréable, colérique qui me fut décrit, je ne connaîtrai jamais rien. J'ai travaillé avec un homme paisible, souvent bonhomme, prodigieusement présent. Si j'ai bénéficié d'une grâce spéciale, tant mieux, parce qu'il ne fut pas toujours facile, facile, le tournage de « Gribouille »!

Il est heureux pour moi que nous ayons commencé par le prétoire. Enfermée plus de quatre jours dans ce décor presque clos, j'ai eu le temps de vivre la peine de Nathalie, sa peur, de connaître et de partager ses angoisses. C'est sans me forcer que je participe au procès. Suffoquée, indignée, écrasée aussi, j'écoute l'avocat général – Jacques Baumer – vêtu de la robe rouge, le geste justicier, me couvrir d'opprobre. C'est vraiment la justice poursuivant le crime. De lui quelle pitoyable image je donne! Je la verrai, au fur et à mesure que se déroulera le procès, se dessiner dans les yeux de Raimu. Ah! ce regard de Raimu, juré n° 8. Sans cesse il se pose sur moi, sévère, attentif, fugitivement paternel, il se dégage de lui une telle vérité qu'il m'aide à être Nathalie, ce petit chat perdu qu'il recueillera.

Pour le moment, entre nous, tout se joue de loin, mais lorsque nous serons face à face et qu'il me faudra lui donner la réplique, tout ne va-t-il pas changer?

Qu'ai-je de commun avec cette Nathalie? Un physique choisi par ses créateurs. Choyée par ma famille, petite fille heureuse, protégée, n'ayant connu que l'ambiance déjà un peu feutrée de cette petite-bourgeoisie que l'on appelait alors la classe moyenne, elle est pour moi un rôle de composition. Aucun souvenir d'une expérience, même partiellement vécue, ne peut m'aider. Aussi est-ce avec des bonheurs incertains que j'exprime les sensations, les sentiments de cette enfant abandonnée et livrée aux autres.

La première fois que Marc Allégret me dit : « Non, Michèle, ce n'est pas ça... Faites un effort – comme si je n'en faisais pas! – ne nous obligez pas à recommencer! » j'éprouve un déplaisant sentiment de culpabilité. Au cours, on peut reprendre plusieurs fois, se faire engueuler, c'est sans importance, mais ici, tout un plateau – techniciens, machinistes, acteurs – dépend de vous. Vous devenez responsable du temps perdu et « time is money », cela on le comprend tout de suite.

Pas rassurée, je lève les yeux vers Raimu-la-foudre. Va-t-elle éclater? Le sourcil noir n'est pas orageux, le visage demeure paisible.

Patiemment, trop à mon goût, cette patience-là c'est déjà de l'exaspération, Allégret m'explique à nouveau la scène :

– Comprenez bien, vous êtes intimidée, mais non terrorisée, inquiète, mais pas affolée. Vous devez aussi faire attention à l'endroit où se trouve la caméra. Ce n'est pas une raison pour la regarder, mais elle, comme elle doit vous voir, ne sortez pas tout le temps du champ!

Ses mains, qu'il a très belles, volent dans l'espace, désignant les limites de l'objectif :

– Restez naturelle, ne soyez pas figée...

Tant de choses à faire, à respecter en même temps, me troublent. Je suis dans la situation d'un débutant au volant d'une Bugatti : il doit penser simultanément à ses pieds, à ses mains, à sa voiture, aux signaux, à lui, et aux autres. Seulement, on ne lui demande pas, en plus, de simuler la douleur ou la joie, spontanément et avec simplicité!

Intérieurement, je me sens crispée. La dernière recommandation m'achève :

– N'oubliez pas ce que je vous ai dit et tout ira bien! Allez, moteur!

Ça ne va pas du tout, on répète une fois encore et on recommence.

– Non, vous dites faux, soupire Allégret. On reprend.

– Elle sort du champ, constate, ennuyé, le cadreur.

Je n'ose même plus regarder Raimu. J'ai tort, il est exemplaire. A chaque nouvelle prise, comme si la chose était naturelle, Raimu reprend sa place, redit son texte, toujours aussi parfaitement.

– C'est pourtant simple... s'étonne Marc Allégret. Vous n'avez qu'à...

La voix forte de Raimu le coupe. Elle se fait douce pour dire, en me désignant :

– Cette petite... elle n'a pas encore l'âge de savoir. Il faut être vieux pour tirer la boule du premier coup... et celui qui affirme qu'il ne la rate jamais, c'est un menteur, un gros menteur!

Dans sa bouche avec son accent méridional, ce « gros » menteur devient si énorme que, détendue, je ris. Alors, paternel, le regard de Raimu s'abaisse vers moi, m'enveloppe, devient complice...

– Mais elle rit, cette petite!... Elle ose rire, cette innocente!

Il mettait tant de choses dans ces deux mots parfumés aux herbes de sa campagne toulonnaise!... Cette phrase il la répétera deux ans plus tard, en 38 à Berlin au moment des accords de Munich. Nous tournions chacun dans une production différente, aux studios de l'U.F.A. et un soir, rentrant à notre hôtel, j'entends tonner la grosse voix de Raimu :

– C'est la fin!... Qu'est-ce que nous faisons ici, je vous le demande? De quoi avons-nous l'air? De ce que nous sommes : des couillons!

Superbe, il déclare qu'il va aller à son consulat se faire rapatrier. Il est magnifique, sa voix gronde, roule, s'enfle et... devient toute douce, lorsqu'il m'aperçoit : « Mais je ne l'avais pas vue... Tu es là, mais, que tu es devenue belle! »

Puis, sans transition, sa colère regagne ses cimes olympiennes. C'est tellement parfait que j'éclate de rire : et lui de s'émerveiller :

– Elle rit... elle rit, cette innocente!

Etonnant Raimu dont je ne saurai jamais si ce jour-là, il avait peur ou se jouait, pour lui-même, « César en Germanie »!

Pour mon premier film, être au côté de Raimu fut une chance exceptionnelle : le naturel, la simplicité de son jeu, la vie qu'il donne à son personnage le rendent tellement vrai que je peux y croire, ce qui est essentiel et me trace déjà plus de la moitié du chemin. Si bien que les scènes avec « Monsieur Raimu » que je redoutais tant deviennent les plus aisées.

Il ne se passe pas de moment où je ne mesure la différence entre ce que l'on apprend dans un cours, fût-il le meilleur, et ce que l'on apprend « sur le tas ». Ici on n'a pas le temps d'être porté par le texte, pas de scène qui, par sa longueur vous met en condition, prépare la montée des sentiments. Non, on est tout de suite dans le vif du sujet. Le morcellement des séquences par plan, pour des raisons techniques, ne respecte pas toujours l'ordre chronologique, vous oblige à pleurer, à être en colère, ou à se pâmer, avant d'avoir pu en exprimer la raison. Ce qui oblige à une concentration que mes seize ans peinent à soutenir.

Il m'a toujours paru certain que si je n'avais pas eu devant moi Raimu, ce gigantesque acteur, je n'aurais pas connu le succès que j'ai eu dans « Gribouille ». Car ce succès fut véritable, de quoi tourner bien des têtes; sur ce plan la mienne était bien organisée.

Ma famille est aux anges et je les soupçonne de

modifier les itinéraires de leurs déplacements pour passer devant le Madeleine où je suis « affichée » aussi grand qu'oncle Teddy l'avait imaginé.

Je rayonne, mais avec modestie, pas par excès de vertus, parce qu'en fait je n'entre pas dans cette réalité, elle n'est pas encore mienne. D'ailleurs, d'une certaine façon, elle ne le deviendra jamais tout à fait, je continuerai à conserver mon pouvoir de dédoublement, à regarder cette « vedette » sans oublier qu'elle n'est que Simone Roussel, une fille semblable à beaucoup d'autres, à pouvoir en rire, à m'en amuser. C'est sans doute pour cela que jamais les journalistes ne m'accuseront de ce crime : « avoir la grosse tête! »

Ce bruit, ce succès, le soir de la présentation de « Gribouille », est-ce bien à moi que tout ceci s'adresse? Dans la salle du Madeleine ces gens qui se pressent, pour me serrer la main, à moi dont ils n'avaient rien à faire deux heures auparavant, m'ahurissent. Autour de ma robe longue, en satin turquoise que maman m'a faite, s'agglutinent des smokings, des robes du soir fabuleuses, jamais vues, des fourrures, des bijoux! Cela brille, scintille, m'étourdit, caquette et m'étourdit. C'est bruyant le succès et enivrant : « Regardez, Marlène Dietrich est venue...! » Assez loin, j'entrevois, telle que je l'ai toujours rêvée, la longue silhouette de la star. Là, il n'y a pas à s'y tromper, c'en est bien une! C'est Hollywood en déplacement!

Et ça continue, le flot de compliments ne tarit pas, me submerge : « Ravissante, et si naturelle... »

— Des yeux extraordinaires, une fraîcheur... Beaucoup de présence.

C'est tout de même inoubliable la soirée où l'on assiste à sa nouvelle naissance!

J'étais heureuse, mais non grisée. Tout ça c'était très beau, trop beau peut-être! Quelque chose, que j'avais voulu de toutes mes forces, venait de commencer, mais maintenant il fallait continuer. J'entendais la voix de

René Simon : « Méfiez-vous des feux de paille, ça brûle haut et clair, seulement pour se chauffer longtemps, il vaut mieux avoir de quoi alimenter un feu continu. » Ce feu continu c'était le talent, le métier. Et de mon interprétation je ne savais pas ce que je devais en penser. Certains passages me satisfaisaient assez, je me trouvais même bien, confondant un peu talent et physique, à d'autres moments je souffrais de me voir maladroite. Alors, l'avenir?

Beaucoup plus tard j'ai eu l'occasion de revoir « Gribouille » et j'ai constaté que mon jugement d'alors, très instinctif, n'était pas faux. Mes scènes sont inégales, pas toujours « justes » mais il est évident que malgré ma jeunesse – j'ai encore les bonnes joues de l'enfance – j'y fais preuve de présence et de personnalité. Ce sont certainement ces raisons qui poussent André Daven à me proposer un contrat d'exclusivité :

– Car, me dit-il, si on vous laisse seule, vous allez faire n'importe quoi!

Ce n'était pas faux, j'étais éblouie par le chiffre de mon cachet : douze mille francs! une somme énorme. Pour ce montant, j'aurais peut-être dit oui à n'importe quel scénario.

Douze mille francs! Quand je rapporte le chèque à la maison, que je le pose triomphalement sur la table, il y a un grand silence. Puis, papa le prend lentement, le contemple et le repose en disant :

– Maintenant, il faut t'ouvrir un compte en banque à ton nom.

Le rêve, un peu fou, que j'avais fait un soir à Dieppe devant l'affiche d'un concours de photogénie était devenu une réalité. J'allais pouvoir leur donner confort et sécurité.

5

AVEC CHARLES BOYER PAS D'ORAGE...

Lorsque j'étais à Dieppe ma conception de la gloire était des plus simplistes : ma photo en première page d'un magazine de cinéma. Tourner, jouer la comédie, avoir à mes pieds les plus beaux des partenaires ne venaient qu'après. Je voulais être ce visage offert à l'admiration des gamines et à leurs ciseaux. Etre découpée, affichée sur un mur ou conservée dans un livre, c'était ça la réussite...

Aujourd'hui, maman agite devant mes yeux « Ciné-Miroir » : « Michèle, Michèle! Tu es en première page! Regarde! »

C'est moi et ce n'est pas moi. Je crois que je ne m'habituerai jamais tout à fait à ces visages successifs qui traîneront, aussi bien chez les coiffeurs, dans les cuisines, que dans un salon.

Oui, je suis heureuse, mais pas comme je l'imaginais. Pour me regarder j'ai déjà l'œil critique. Maman est plus simple, je suis sa fille, je suis sur ce journal et elle me reconnaît, enfin pas complètement : « C'est bien toi, mais dans ton expression on voit que tu joues le rôle d'une autre. » Je recevrai rarement un aussi beau compliment.

Le succès c'est comme un jour de fête il y a le lendemain. Malgré les photos, les articles de journaux, mon nom, grand comme ça, sur une façade de cinéma, je n'ai pas du tout la sensation que c'est arrivé, je vois trop clairement ce qui me manque pour pouvoir le croire. Ce genre de lucidité je le conserverai et j'estime qu'il fait partie de ces nombreuses petite choses très utiles à une comédienne ayant quelque ambition – en ce temps-là je disais artiste et je pensais vedette. Star, c'était l'échelon hollywoodien, mon étoile polaire, celle qui vous permet de ne jamais perdre le nord. Je le perdais si peu que, passé le tourbillon du lancement de « Gribouille », j'ai décidé de retourner au cours.

Une porte pas si facile à pousser. Je m'attendais à un accueil type examen réussi et c'est un retour d'un autre style que je dois affronter; d'abord le : « Ah te voilà, tu nous reviens! » de René Simon. « Eh bien, en place! Grimpe et montre-nous ce que tu sais faire. Qu'est-ce que tu nous passes aujourd'hui?

C'était comme si rien n'était arrivé. Il m'a fallu du temps pour m'apercevoir que sous son apparence cynique et désabusée il était très fier des réussites de ses élèves; il suffisait de l'entendre dire : « Je lui ai tout appris à ce bougre-là, mais quel comédien! Il a fait... » là suivait la liste des succès dont il était responsable. La gloire de ses élèves : un boomerang, elle lui revenait! Elle entretenait la réputation de son cours, encore qu'il ne fût jamais riche, n'hésitant pas dans certains cas à oublier de toucher le montant de ses leçons.

J'étais rentrée dans le rang. Pas tout à fait : mes camarades et moi ne nous regardions plus du même œil. Ils n'allaient pas avoir à envier ma chance longtemps : quelques mois plus tard Renée Faure sera, à la Comédie-Française, une brillante Agnès de « L'Ecole des Femmes » qui nous sera souvent donnée en exemple par René Simon. Très rapidement Jacqueline Porel dans « Altitude 3200 », fait une création que la critique et le public remarquent. Quant à François Périer c'est dans « Les jours heureux » qu'il donne sa mesure. Ainsi, nous volions de nos propres ailes, notre promotion éclatait sur les scènes et les écrans. J'ai toujours pensé qu'à chaque envol, à la place de René Simon ma fierté aurait été teintée de mélancolie, peut-être la sienne l'était-elle.

Le cours terminé, on bavarde, je suis forcément très entourée et, pourquoi ne pas le dire? flattée.

Mon absence a duré environ six mois et les nouveaux, suivant leur caractère, essayent de se mêler à notre groupe, on nous regarde de loin. Il en est un qui ne s'approche pas, mais ne me quitte pas des yeux. « Tu ne peux pas savoir à quel point tu m'éblouissais », me dira-t-il un jour. Il s'appelle Gérard Oury, il a dix-huit ans. Deux ans plus tard, à l'âge de Britannicus, il interprétera ce rôle sur la scène du Théâtre Français et moi je grelotterai dans les glaces de la Laponie pour « La Loi du Nord ».

Est-ce ce jour-là, au cours, que j'ai vu qu'il était beau, que l'œil était vert, et le cheveu brun? Comment le saurais-je? Il me l'a si souvent raconté que sa voix à remplacé ma mémoire. Nous étions tellement loin l'un de l'autre, et nous le fûmes longtemps nous qui devrions être tellement près...

Dans ma vie il y a un passage neutre, un blanc. Après « Gribouille », André Daven a reçu de nombreuses propositions, inacceptables, me dit-il. Même l'Amérique toujours à l'affût, prête à « bloquer » des espoirs, des talents, a bougé sans qu'il y soit donné suite. Les lois du marché du film, tenu par les Américains sont, paraît-il, assez féroces. Je n'en suis pas encore à m'en préoccuper. « Nous attendrons », me dit André Daven. Mais qui dit U.S.A. entend anglais. Le mien est scolaire. Berlitz ou Linguaphone c'est bien, seulement l'Angleterre c'est mieux. Une langue, c'est connu, s'apprend dans le pays. Je ne suis peut-être pas la femme des décisions promptes, mais je sais fort bien prendre mes résolutions et m'y tenir.

– Papa, je dois parler anglais couramment, cela me sera indispensable. Penses-tu que nos cousins de Londres pourraient me recevoir pendant deux ou trois mois?

Ces cousins anglais, toute une histoire que l'on raconte dans la famille. Le grand-oncle Théo Roussel, artiste peintre – pourquoi ne serait-ce pas de lui que je tiens mon goût pour cet art? un passé héréditaire c'est plein de sauts de puce! – Théo donc s'est expatrié en Angleterre sous le second Empire, j'imagine qu'il suivait l'exemple de Victor Hugo, peut-être pour les mêmes raisons, bien que ses peintures n'eussent rien de révolutionnaire ni dans le fond ni dans la forme. La suite le prouve : devenu peintre de la Cour il a épousé une ravissante Lady et fait souche. Ce sont ses descendants qui ont accepté de m'héberger et c'est avec leurs enfants, mes cousins, que j'irai voir, après le trésor royal de la Tour de Londres, la relève des soldats de bois de Buckingham Palace et le musée Tussaud, les œuvres de Théo Roussel exposées, suprême honneur, à la Tate Gallery.

Mon séjour à Londres est parfait, je m'ennuie juste ce qu'il faut le dimanche pour être convenable et m'adapte fort bien aux mœurs et à cette nourriture anglaise dont on cite toujours le porridge et le gigot (bouilli) à la menthe. On oublie de parler des chicken-pies et apple-pies, des roastbeefs saignants, à point, etc. Cet etc. comprend tout le reste qui n'est pas négligeable. Et puis, j'ai toujours aimé le thé, un goût indispensable à qui vit en Angleterre! Pas de flirts blonds et roses, pas de diversion d'aucune sorte, une scolarité exemplaire auprès de mon professeur miss Bacon, si merveilleusement britannique que, s'il m'avait fallu, un jour, faire une composition de miss-professeur-de-langue-à-Londres, je l'aurais prise comme modèle, le nom y compris.

Après un studieux trimestre, persuadée de ne plus rien ignorer de la langue courante, rien à voir avec celle de Shakespeare, formule cependant couramment employée, je reviens en France et reprends en avril ma place chez René Simon.

Sournois printemps, il met un peu de vague dans mon cœur et le rend moins réservé. Au cours, la présence d'un « vieux » m'intrigue, la trentaine, apprendre la comédie à cet âge! Il fallait le mien pour avoir ce genre de pensée. André, n'est vraiment pas comme les autres : grand, brun, petite moustache à la Fernand Gravey, mes anciennes et lointaines amours; cet apprenti comédien se vante d'être photographe de plateau et parle de Françoise Rosay comme d'une grande copine avec cependant la nuance de respect qu'impose Mme Jacques Feyder.

A l'écouter, et je l'écoute, il n'ignore rien des plus secrets arcanes du cinéma. Sans perdre une minute, il me fait la cour. Une cour enlevée, drôle, pirouettante, très comédie américaine! Je ris beaucoup et j'accepte une balade en voiture hors Paris. Son arrivée dans Neuilly ne passe pas inaperçue, il s'arrête devant ma porte dans une superbe décapotable à l'arrière de laquelle trône... une panthère, le superchic! Avec un sourire explicatif il n'omet pas de préciser que la panthère appartient à une amie. Elle la lui a prêtée pour sortir, tout cela est d'une simplicité!

Ai-je été amoureuse d'André? Banalement j'étais surtout amoureuse de l'amour. J'avais tellement envie qu'un homme s'occupe de moi, me protège, je ne sais pas de quel danger, mais le sentiment d'être protégée m'est toujours agréable; ne pas confondre avec le sentiment protecteur que l'on peut exercer « contre » moi, celui-là me déplaît. J'en avais assez d'être seule, de ne pas recevoir d'appel téléphonique, de ne pas me rendre à des rendez-vous, de ne pas jouer les jeux exquis de l'amour. Je parle du marivaudage. J'avais tout bêtement envie d'être aimée, et très sincèrement je me suis crue amoureuse.

C'est donc en pleine euphorie sentimentale que quelques semaines plus tard je me rends à un rendez-vous d'André Daven.

– Cette fois-ci, Michèle j'ai un film intéressant à vous proposer. Marc Allégret va tourner « Orage » avec Charles Boyer

– En France?

– Bien sûr, c'est la rentrée à Paris de Boyer, un événement considérable.

Le monde du cinéma est petit, les remous y deviennent vite des tempêtes et le retour d'un acteur célèbre un événement national! C'est vrai, la popularité de Charles Boyer était immense.

– C'est pour le rôle principal?

Ce n'était pas de ma part une manifestation vaniteuse, bien au contraire.

– Oui, Michèle. Cela vous plaît? Vous acceptez?

Accepter, me plaire? mais je nageais à pleines brasses dans le rêve : dans ses bras j'occuperais la place, encore tiède, de Greta Garbo! Il venait juste de terminer avec elle « Marie Walewska ».

Je crois que cette pensée enfantine et cette sensation d'approcher un grand du cinéma anéricain ont été en partie responsables de ma demi-paralysie. Après Raimu, Charles Boyer; c'est une très mauvaise préparation à notre première entrevue qui a lieu sur le plateau. Suivant la meilleure tradition hollywoodienne, Charles Boyer a son fauteuil avec son nom derrière. Son habilleuse, son maquilleur, sa doublure ne le quittent pas. Quand j'entre il se lève, le geste mesuré, la parole courtoise il a, pour moi, lorsque l'on nous présente, un mot charmant de bienvenue, un « Mademoiselle... » très régence. Puis il va se rasseoir. C'est déjà terminé. Entouré de déférence il est le grand acteur français de retour d'Hollywood. Impressionnant. Pas tout à fait ce qu'il faut pour me mettre en confiance.

Allongée à plat ventre sur mon lit, appuyée sur mes coudes, je relis le découpage. Adapté de la célèbre pièce de Bernstein « Le venin » par Marcel Achard, « Orage » raconte l'histoire d'une jeune étudiante, moi, éperdument amoureuse d'un monsieur marié, Charles Boyer. Je deviens sa maîtresse, pour lui je ne serai qu'un charmant et flatteur passe-temps, pour moi il sera l'amour! Conséquence logique, lorsqu'il m'abandonnera pour rejoindre sa femme, je me suiciderai.

Amoureuse de lui... oui, il y a un an, deux ans, lorsque je m'imaginais dans ses bras à la place de toutes les femmes! Lorsqu'il n'avait ni chair, ni os... mais maintenant?

C'est la méthode Coué. Amoureuse de lui!... Je suis amoureuse!... je me répète cette phrase, mais ses vertus thérapeutiques sont sans effet sur moi. Et je m'endors en espérant que demain au studio dans le feu de l'action tout ira bien... Après tout, c'est un très grand acteur, si je ne peux pas compter sur moi, je peux, peut-être, compter sur lui. Est-ce parce que j'ai pensé : « peut-être », qu'entre nous tout marchera si mal? Manque de foi!

Amoureuse! Seigneur! J'en suis bien loin le lendemain, face à son attitude courtoise, mais tellement impersonnelle. Pourtant... Il a cette quarantaine séduisante, désinvolte, qui charme les filles de mon âge — et les autres. Son célèbre « œil de velours » — l'ai-je assez lu dans tous les magazines! — est incomparablement doux lorsque les lumières l'allument, seulement il s'éteint avec elles! Tellement décevant. Non que j'aie souhaité qu'il s'intéressât à moi, mais j'aurais bien voulu exister et cesser d'être transparente.

Raimu m'avait habituée à tout autre chose, tant qu'il était sur le plateau il ne se débarrassait pas complètement de son personnage, enfin, c'est l'impression qu'il me donnait. Lorsque je saisissais son regard celui-ci poursuivait le jeu, entre lui et moi aucune coupure. Cela m'avait beaucoup aidée.

Je n'ai pas encore le métier qui permet, le moment venu, d'endosser son rôle comme un vêtement.

Pour tout arranger, mon personnage très bernsteinien a des exigences que je peine à satisfaire. Tant de choses différentes à exprimer dans des scènes assez courtes serait pour une comédienne expérimentée, déjà un bel exercice de métier. Pour moi, c'est un amoncellement de difficultés à vaincre,.

Et j'ai l'impression que personne ne m'y aide.

– A toi, Michèle. Ecoute-moi bien.

Quand Marc Allégret commence sur ce ton j'ai l'impression qu'il s'adresse à une petite débutante et je m'effondre intérieurement.

– Tu sors de la salle de bains. Dans la poche de ton peignoir, ta main rencontre le tube de gardénal. Ton amant est là, devant toi, il n'a rien perdu de son charme, de sa séduction, tu l'aimes toujours, tu en es folle. (Si c'était vrai comme ce serait facile!) Pour lui, tout est différent, tu ne l'amuses plus. Il n'a qu'une envie : retourner vers sa femme. Tu le regardes, tu as peur de lire la vérité dans ses yeux, peur de l'apprendre, et, en même temps, tu es jalouse.

Tout ça dans un regard, une intonation... Mais, pourquoi ai-je voulu faire du cinéma!

Je réponds : « Oui. » C'est vrai, j'ai compris mais je ne le sens pas. Plus tard j'oserai le dire, je saurai qu'il n'y a pas de honte à ça! Maintenant, je préférerais la mort à cet aveu d'impuissance. On répète une fois, deux fois, trois, quatre et plus... Boyer c'est le geste précis, la voix juste, l'expression plus vraie que nature, il ne change rien! Moi non plus d'ailleurs, je patauge. Si seulement il se trompait une petite fois, je me sentirais moins seule. En plus, je suis sûre de l'agacer, trop bien élevé pour manifester la plus légère impatience, sa courtoisie est d'une éloquence redoutable. Il y a des politesses qui vous coupent le souffle.

– Michèle, reprend Allégret, on doit comprendre qu'à travers ton désespoir, au milieu de ta colère, ta main qui rencontre le tube t'apporte l'idée de la délivrance, on doit savoir que tu décides de te suicider... On doit tout voir sur ton visage, tout comprendre...

Je me sens désespérément vide... Tous me regardent, personne ne se met en colère. C'est si terrible que j'éclate en sanglots. Consternation. Marc hausse les épaules, les « casseroles » s'éteignent. Les lampes de service dispensent une lumière pauvre. Je renifle désespérément. C'est d'un misérabilisme! Alors, Charles Boyer me tend un fin mouchoir blanc, impeccablement plié, dans le linon duquel j'enfouis mon visage. Une suave bouffée de lavande me rafraîchit l'esprit...

C'est quand même gentil ce geste, et parfois bien compliqué de n'avoir que dix-sept ans.

Quelques années plus tard en tournant avec lui « Maxime » il sera à la fois étonné et consterné par l'aveu que je lui ferai de la crainte qu'il m'avait inspirée.

C'est de ma « rivale » dans le film, Lisette Lanvin, que me vint le plus grand secours. Tout au long du tournage, compréhensive et adorable – se souvenait-elle de ses dix-sept ans proches? –, elle s'ingénia à remonter mon moral défaillant. Plus tard elle devait faire pour moi bien davantage en me présentant celle qui deviendrait mon agent et mon amie : Olga Horstig. Tout se tient, tout s'enchaîne...

Bien que j'aie l'esprit fort encombré par mes difficultés avec Charles Boyer, un après-midi, en fin de tournage, je remarque un jeune homme mince, comme ces insectes noirs aux fins élytres, corsetés de laque qui parfois dans la campagne tropézienne semblent s'appuyer contre l'écorce d'un branchage. Debout, le dos contre un portant du décor, il lit une brochure. Sa veste de cuir est insolite, je n'en avais vu que sur les motards porteurs de « L'Intransigeant » ou de l'« Excelsior ». Il penche à peine sur sa lecture un front vaste que balaie une boucle brune. Il a une beauté plus intellectuelle que celles que je côtoie. Il m'intrigue. Devine-t-il mon regard? il lève les yeux, me regarde : une sorte de grande grimace qui étire sa bouche, barre son visage, et se transforme en un sourire à la fois confiant, généreux et naïf. Puis d'une démarche aisée et lente comme une danse il traverse l'espace qui nous sépare et me tend la main.

– Je m'appelle Jean-Louis Barrault.

Il n'a que vingt-sept ans et déjà sa carrière lui donne un nom qui ne laisse personne indifférent. Il est de ceux qui osent. On prononce pour lui le mot d'avant-garde. Dans le film, il est un peu suicidaire, un peu anarchiste, amoureux de moi, nous avons quelques scènes à jouer ensemble. Charles Boyer, Jean-Louis Barrault, deux écoles en présence. J'étais trop jeune pour les apprécier, mais leur différence m'oblige à me poser des questions et rien n'est plus salutaire.

Charles Boyer très classique, la perfection, que l'on ne trouve que chez les acteurs américains – c'est fou ce que j'ai appris à Hollywood! Tout est admirablement placé, c'est si juste dès la première répétition, que l'on s'étonne qu'ils puissent l'améliorer et pourtant ils le font. Alors que pour Boyer la rigueur professionnelle domine, elle n'est pour Jean-Louis Barrault qu'un tremplin dont il espère toujours qu'il va le projeter dans les étoiles. Il représente une manière de jouer la comédie très différente de celles que je connais. Déjà, il accorde une place importante au mime, à la danse. Je me souviens de certains gestes de ses mains qui m'enchantèrent, elles portaient les mots, les lançaient dans l'air, les rattrapaient! un précurseur de l'expression corporelle.

Jouer avec ces deux hommes, si différents, exigeait une gymnastique qui m'était parfois difficile; là aussi je manquais de ce métier qui m'eût permis de passer de l'un à l'autre avec aisance et d'apprendre de chacun ce qu'il avait à m'enseigner.

Du début à la fin tout m'a coûté dans ce film, que de larmes j'ai répandues durant cet « Orage »-là! Moins cependant que le soir de la première où, désespérée de me trouver si mauvaise – l'étais-je autant? – je me suis réfugiée en sanglotant dans les toilettes du Marignan. Si les premières de gala se suivaient, elles ne se ressemblaient pas!

Depuis, j'ai souvent pensé que ce demi-échec personnel m'avait été très salutaire. Après lui comment croire que la route était lisse? Qu'un seul film, le premier, vous ouvrait la voie royale! Je venais d'apprendre, un peu brutalement, que dans cette profession rien n'est jamais gagné : tout peut être à chaque fois remis en question.

6

« QUAI DES BRUMES »

– ... Nous cherchons une fille différente des autres, ni fleur bleue, ni femme fatale, qui ait une présence, un regard...

On dirait une petite annonce : « On recherche... » La dame qui s'exprime ainsi au téléphone c'est Denise Tual. Un nom très « cinéma »! femme du producteur Roland Tual, très connue dans les milieux professionnels. Très active aussi. Petite, brune, vive et jolie, on la rencontre partout.

Nous venons d'avoir un dialogue qui me laisse éberluée, ravie et impatiente. Il a débuté par une question inattendue :

– Avez-vous vu « Gueule d'Amour »?

– Justement hier soir. Pourquoi?

– Jean Gabin, qu'en pensez-vous?

Pour moi c'est un acteur formidable, je le dis. Elle rit satisfaite.

– Que diriez-vous de tourner avec lui?

On ne peut dire que oui. Elle poursuit, rapide et enthousiaste :

– Le film s'appellera : « Quai des Brumes », joli titre! il est tiré du roman de Pierre Mac Orlan, vous connaissez?

Mais oui, je n'ignore ni l'auteur ni le roman.

– Le metteur en scène sera Marcel Carné. Lorsque je lui ai parlé de vous, il a été emballé. Jean Gabin a eu le coup de foudre. Pour lui c'est un rôle en or, fait sur mesure, il n'a pas hésité, pensez donc, un déserteur de la Coloniale sur fond de dunes, de port et de brumes. Qu'en pensez-vous?

Marcel Carné le metteur en scène dont on parle, le génie de demain. « Jenny » l'a mis en avant et « Drôle de Drame », sorti depuis peu, par son étrangeté a braqué les projecteurs du monde du cinéma sur lui. Quant à Jean Gabin, à trente-quatre ans, il a déjà derrière lui treize films, dont quelques sommets comme « La Bandera », « La Belle Equipe », « Pépé le Moko » et surtout « La Grande Illusion ».

Après Raimu et Charles Boyer, Jean Gabin c'est la consécration.

– Comme nous cherchions une fille qui ait une présence et un regard, nous avons pensé à vous...

La présence j'en connais l'importance, René Simon nous en a rebattu les oreilles. Le regard, je sais. Souvent je me suis regardée dans la glace en me demandant ce que mes yeux pouvaient bien avoir? J'en ai vu, me semble-t-il, de plus beaux, de plus verts, de plus grands. Pourquoi ne loue-t-on pas mon nez? Non, ce sont mes yeux... Mon regard... il deviendra mon « image de marque », cela se nomme ainsi. Cependant l'image de marque sans quelques autres solides capacités ne suffirait pas; aussi à « ces yeux-là » on demandera beaucoup d'autres choses, et c'est sans doute elles qui leur permirent de tourner si longtemps et encore. Mais ceci est un autre chapitre.

– Avec vous, dans le rôle de Nelly, poursuit Denise Tual, au côté de Gabin, nous tenons un succès!

Touche-t-elle du bois? Moi oui.

– Savez-vous que Gabin en sortant de « Gribouille » a téléphoné à Carné en lui disant : « J'ai vu une môme bien dans un film avec Raimu! »

Je ne trouve pas qu'il y ait là de quoi s'émerveiller. Le laconisme de cette phrase, qu'elle me répète avec l'accent parigot pour la rendre plus chaleureuse, me déçoit plutôt. C'est que je ne connais pas Gabin. Et elle conclut :

– Carné et lui aimeraient vous rencontrer très rapidement.

Voilà qui me paraît plus concret et plus rassurant. L'élan est pris et une heure plus tard derrière Denise Tual j'entre au Fouquet's, lieu privilégié et sacré des gens du cinéma. On y rêve mille films, on en réalise un.

Jean Gabin, je ne l'avais jamais rencontré, même pas aperçu. De lui je ne connaissais que le personnage de ses films, celui qu'il offrait à tous : gouailleur, un peu tombeur, avec des tendresses dans la clarté de l'œil, des colères qui lui blanchissaient les lèvres – une par film. De son image se dégageait une force qui plaisait, une élégance plus proche de celle des faubourgs que du Faubourg St-Germain. A le voir plus souvent vêtu en trimardeur qu'en prince, j'avais de lui une image toute faite, un stéréotype de ses personnages...

Le souvenir que j'ai conservé de cette première rencontre : le choc d'une étonnante blondeur, rien de la pâleur décolorée du Nordique, un blond chaud de blés au soleil. Ses yeux bleus sous des cils drus et dorés : un paysage de Beauce ou de Brie. Quant au costume, quelle découverte! Une élégance très golf, cachemire anglais, strict costume en prince-de-galles, cravate club et bleuet à la boutonnière, sa coquetterie. Tout est net en lui, il est ce que j'appelle « superbement récuré ». Un homme à after shave et lavande. Il a la même aisance dans cette tenue que dans celle de ses personnages, à se demander qui est dans la peau de l'autre, du prince ou de l'ouvrier?

Assis à mes côtés, il s'occupe de moi à m'en faire tourner la tête. Amusée, flattée, je regarde ce beau mâle qui gonfle son jabot et fait miroiter son plumage. Pour lui, séduire doit être une habitude; cependant, j'en augure plutôt du bien, après tout je suis ici pour plaire! mais pas à lui seul. Il s'est emparé de moi avec une telle autorité que j'en ai un peu oublié Marcel Carné, lequel tout en parlant avec Denise, ne cesse de nous observer. J'aimerais savoir ce que nous sommes pour lui. Il est courtois, un peu sec dans son verbe mais, chose étonnante il ne m'intimide pas et aiguise ma curiosité. On sent chez lui une intelligence rapide, précise, le sens de l'esthétisme.

Malgré cet accueil de charme les jeux ne sont pas faits. On me parle d'un essai baptisé maquillage-photo. Après tout pourquoi pas?

– Tenez, me dit Denise, voici le texte, du Prévert, vous allez voir, c'est admirable, et quel plaisir pour une comédienne!

Le soir, assise sur mon lit, je pense qu'elle a raison. Le style de ces quelques répliques me surprend, cela ne correspond en rien à l'idée que j'avais des dialogues de films. A la première lecture il m'apparaît étonnamment simple : des répliques quotidiennes, écrites avec les mots de tous les jours. Seulement dès que je les prononce, elles se transforment, prennent un sens nouveau. Est-ce la poésie qu'elles contiennent qui les rend, en quelque sorte, plus vraies que nous-mêmes? Prévert, quelle révélation!

Je ne ferai pas que le lire, je le rencontrerai; il viendra au Havre assister à quelques prises de vue de « Quai des Brumes » et je m'apercevrai que la source de sa poésie est si naturelle qu'il parle comme il écrit. Un alchimiste des mots, il transforme en or notre banalité, ses paroles il ne les met pas en cage, elles s'envolent, oiseau, fleurs ou papillons, et assis de guingois sur le bord de la chaise, il les suit rêveusement de son regard mouillé. Au bout de ses doigts jaunis par la nicotine sa cigarette accompagnant ses gestes dessine dans l'air de mystérieux hiéroglyphes... Un poète.

Déplaisante, une idée se glisse en moi : on n'a pas besoin d'un texte pour des essais de maquillage-coiffure. Plus désagréable encore naît la pensée que Gabin m'a étourdie pour faire passer la demande d'un essai. Demain, à nouveau comme une débutante, je serai jugée. La seule nouveauté : avec moi maintenant on y met des formes.

C'est dans cet esprit que j'arrive au studio où Jean Gabin m'attend – on ne dira jamais assez quelle était sa conscience professionnelle. Tout est en place, on a planté un bout de décor, la baraque d'une fête foraine. Le clap! et l'essai démarre : je vais vers un Gabin nonchalant qui me regarde venir.

Tout près de lui je lève les yeux, je suis Nelly perdue, et vulnérable et je lui crie : « Protège-moi!... » Les autres mots suivent, tellement naturels que je pourrais les croire miens.

Carné, en blouson de daim, le cheveu sombre et lustré nous regarde. J'oublie sa présence et ne reviens à moi que lorsque claque sec, sans appel, son « Bon, merci! »

Désenchantée je m'interroge à haute voix : C'était bien? Et Gabin, sourire mince et taquin, me répond :

– Qu'est-ce que vous en pensez?

– Je ne sais pas.

– Vous ne le sentez pas?

– Je sens tant de choses...

Je ne peux pas lui dire que je viens de vivre un rêve. Il se méprendrait. Il se méprend déjà, penché vers moi, il me dit :

– Avec ces yeux-là, vous devez voyager beaucoup, et en embarquer pas mal!

Je me tais. On apprend vite que, si le silence n'est pas une règle d'or absolue, la parole peut vous entraîner là où vous ne voulez pas aller, et je veux me garder de tout marivaudage avec lui.

Depuis mon arrivée au Havre où nous tournons les extérieurs, je n'ai pas eu de scènes avec Gabin. C'est à peine si je l'ai vu, un camarade gentil, c'est tout. Aucun rapport avec le monsieur du Fouquet's, ni celui du bout d'essai.

« Bonjour », « Bonsoir », « Ça va? » « Beau temps

hein? » « Il crachine encore! » Pour maintenir le contact c'est un peu faible. On ne risque pas l'intoxication. C'est tellement rassurant – je n'en suis pas encore à penser : décevant – que sur le moment je ne prête pas grande attention aux propos de Micheline : « Ah! dis donc, M'sieur Gabin il a l'œil qui frise, j'ai l'impression qu'tu lui déplais pas... »

Micheline c'est un personnage! Habilleuse, femme de confiance de Gabin, elle est sans doute celle qui l'a le mieux connu. Elle a avec lui le franc-parler de la Nicole de Molière, mais pas le physique : une sorte de colosse au cœur tendre, la gauloise au bec, une cigarette allume l'autre, le parler lent et l'œil rapide, rien de ce qui touche M'sieur Gabin ne lui échappe. Entre eux existe une complicité extraordinaire : elle devance ses gestes, il rit quand elle sourit et tous deux savent pourquoi. Jean qui a le goût populaire des surnoms l'appelle « la grosse » ou « la Miche ».

« La grosse » m'a eu tout de suite, comme elle dit, « à la bonne ». En deux phrases elle a d'abord cerné mon caractère : « Toi t'es du genre bien élevée qu'osera jamais se défendre! » – sous-entendu : « Si tu as besoin je le ferai pour toi » –, puis m'a fait bénéficier de sa philosophie : « T'occupe pas des imbéciles, y sont trop nombreux, tu perdrais ton temps! »

Une présence à la fois tonifiante et réaliste que je suis fort heureuse d'avoir près de moi, étant la seule femme de l'équipe. A table les hommes dominent. Leur moyenne d'âge se situe aux environs de quarante-cinq ans, Jean Gabin avec ses trente-trois ans reste le plus jeune, et j'avoue trouver les soirées un peu longues. Les fins de repas traînent, s'éternisent et j'attends pour disparaître discrètement qu'éclatent les discussions politiques. Celles de papa m'ont rassasiée pour longtemps.

Pourtant l'époque est passionnante, le Front populaire craque et la guerre civile espagnole divise l'Europe : « Là-bas on se bat pour la liberté! » « contre le fascisme! » disent les uns, « contre le communisme! » affirment les autres, et de tirer à eux, chacun de son côté, cette liberté qui se brise. En fait, ils font plus que m'agacer, ils m'exaspèrent avec leurs discours où le mot guerre gronde sans cesse. On ne peut attendre d'elle que ce qu'elle nous a donné : l'horreur! Je n'ai pas besoin d'en débattre pour le savoir, je le sens avec toutes les fibres de mon corps, de ma chair, un don qui nous vient, à nous autres femmes, du fond des âges, du fond des guerres.

Réfugiée dans ma chambre, je pense à Nelly, je trouve à mon troisième personnage un petit air de famille avec la Nathalie de « Gribouille », la ressemblance qu'entre elles ont les paumées! Orpheline, je suis recueillie par un oncle, Michel Simon, tyrannique, jaloux, se vengeant en tout de sa médiocrité et de sa laideur. En plus, ce Tartuffe libidineux me désire sournoisement. Comment lui échapper? Convoitée également par une petite frappe sans envergure, Pierre Brasseur, je voudrais fuir. Au cours d'une fête foraine je rencontre un homme, un vrai : Jean Gabin. L'amour pour moi, c'est aussi l'évasion.

Cette Nelly, une étrange fille, perpétuellement à la limite du rêve et de la réalité. Si j'avais eu son destin, il me semble que j'aurais pu réagir comme elle, penser comme elle. A moins que déjà je ne lui prête mes idées. Il va parfois si vite ce merveilleux phénomène d'osmose qui s'accomplit à votre insu et pas toujours sans douleur. Nelly est de celles qui feront partie de ma nouvelle famille, celle de mes doubles. Un jour ils seront très nombreux mes autres « moi » et pas toujours acceptés; certains me deviendront tellement étrangers que je les oublierai. Normal, dans les familles, il y a toujours les mal aimés dont on se persuade qu'ils le méritent!

Quelle belle matinée de février! De grandes dunes

portant la marque des vagues et du vent ondulent sous un ciel bleu où les nuages se pressent, floconneux, le dos rond, comme une débandade de moutons...

C'est bon cette odeur marine, elle donne envie de respirer à fond, de courir... Autour de moi un remue-ménage de studio. Insolite, sous cette lumière, le matériel que les machinistes sortent des camions! Marcel Carné vient, va, à la recherche de son angle, il saute du sommet d'une dune dans le creux d'une autre. A le voir bondir semblable à une puce des sables, je souris, prête à rire. Ce matin j'ai des envies d'école buissonnière, le besoin d'oublier Nelly et ses tourments. Etre moi que ce serait bon dans le soleil et le vent!...

– Michèle, viens que je regarde comment t'es fagotée.

Micheline, qui s'occupe de moi comme de Jean, resserre la ceinture de mon imperméable, une sorte de ciré très brillant.

– T'es bien comme ça. T'as une de ces allures là-dedans! C'est une trouvaille ce costume!

Une trouvaille qui a une histoire, elle est née d'une gaffe.

Un après-midi après la signature du contrat, Denise Tual vient me chercher :

– Je t'emmène chez Chanel, on va voir ce que l'on peut trouver pour toi dans sa collection.

Le cachet de « Gribouille » ne me donnait pas encore accès aux grands couturiers, et le nom de la célèbre Mademoiselle ne m'en imposait pas. J'avais remarqué chez Marcel Rochas une robe qui me plaisait, et de retour à la maison, j'en avais fait, de mémoire, un bout de croquis maladroit mais clair. Sachant très bien ce que je voulais je mets mon dessin dans mon sac. Chez Chanel, après le passage de la collection, Denise demande si Mademoiselle pourrait venir voir Michèle Morgan. Mon nom ne cause pas grande émotion;

cependant, vive, suprêmement élégante, Coco fait son entrée.

Tandis que Denise lui explique en quelques mots le personnage que je vais interpréter, son œil m'examine, m'évalue, et elle me demande :

– Vous avez vu un modèle qui vous convient?

Parfaitement inconsciente du crime de lèse-Chanel que je commets, je lui tends tranquillement mon dessin :

– Je crois que j'aimerais quelque chose dans ce genre-là.

Reconnut-elle le modèle de Marcel Rochas? Je ne le saurai jamais, n'ayant pas osé lui en reparler plus tard. Elle le prend, fait une moue de dégoût extraordinaire, me dévisage intensément et s'adressant à Denise Tual (qui m'a rappelé récemment cette anecdote), laisse tomber, du haut de sa renommée, cette sentence :

– Ce qu'il lui faut, c'est un imperméable et un béret.

Quel talent avait Coco Chanel!

– Voilà, m'explique Carné, vous arrivez par là, à pas pressés. Et, soudain vous le voyez...

Minutieusement, il m'expose la scène[1], détermine mon point de départ et l'endroit précis de mon arrêt, les fait marquer par un branchage enfoncé dans le sable.

– Maintenant on répète. C'est à vous.

Docile je pars de l'une de mes marques et m'arrête à l'autre.

L'œil vissé à l'œilleton de la caméra, Carné me crie :

– Pour les places c'est bon. On va pouvoir y aller!

Et ce perfectionniste me redit tout ce qu'il m'a déjà longuement expliqué :

– Michèle, une dernière recommandation, quand vous stoppez à votre marque, votre regard doit se fixer sur l'oreille gauche de Schufftan (le chef opérateur).

1. Elle sera coupée au montage.

Exaltant, c'est à une oreille que je dois dédier tout mon amour! Je gagne mon point de départ, me concentre, oublier cette oreille, être au-delà.

— Moteur. On tourne. Partez! me crie Carné.

Je relève la tête le regard au loin, j'avance, je m'arrête à la marque, mes yeux cherchent l'oreille de Schufftan et rencontrent le regard de Gabin...

— Coupez! C'est très bon, commente Carné.

Goguenard, Jean me dit :

— Avec mes yeux c'est tout de même plus facile qu'avec une oreille!

Ses yeux ils ont un joli bleu et la mer leur va bien.

Ce genre d'aide Gabin me l'apportera souvent. Tourner avec lui, c'est une révélation, une troisième manière de jouer la comédie. Raimu c'était la maîtrise d'un torrent, Boyer le triomphe de la précision, une technique imparable. Gabin c'est la vérité dépouillée, celle que l'écran impose. Il n'interprète pas son personnage, il le vit. Son naturel m'entraîne, quand on joue au tennis avec son professeur on renvoie plus facilement la balle. Avec lui mes répliques deviennent des réponses!

C'est Jean le premier qui m'a fait comprendre que devant une caméra, cet œil grossissant, impitoyable, il fallait « jouer la vie ».

Sa présence a quelque chose de rassurant qui déborde du cadre professionnel. Je suis « contente » de travailler avec lui et je suis « heureuse » qu'il soit là. Une jolie nuance pour se faire « son » petit roman, mais je ne rêve pas ou alors c'est comme M. Jourdain... sans le savoir.

Ce soir la vie d'hôtel me pèse. J'ai dix-huit ans depuis ce matin et c'est la première fois que ce jour-là je serai loin de ma famille. Toutes les fêtes de mon enfance me reviennent à la mémoire. Depuis hier soir je reçois des télégrammes. Tanine et Suzanne m'ont envoyé de longues lettres. Notre trio s'est reformé à Paris où elles sont venues poursuivre leurs études. A l'instant je viens de raccrocher le récepteur et j'ai encore dans mon oreille la voix de maman : « Bon anniversaire, ma petite fille! »

– Bon anniversaire, Michèle!

Jean Gabin au pied de l'escalier me tend une brassée de roses comme seuls en offrent les hommes, énorme! Il n'y a pas que le bouquet, il y a le regard!

Micheline évalue le tout mezza voce :

– Eh ben, m'sieur Gabin, quand il les regarde comme ça les femmes, elles tombent en digue-digue!

Je ne vacille même pas, mais je suis joyeuse : envolé mon vague à l'âme. A la fin du dîner apparaît le gâteau traditionnel, dix-huit petites flammes joyeuses lui font une couronne de lumière.

Jean me conseille, malicieux :

– Fais attention, si tu veux rencontrer l'amour dans l'année, ménage ton souffle, il faut les éteindre toutes d'un coup! Vas-y, la môme!...

La môme, ce sera mon surnom. Je souffle. Quatre petites flammes me narguent.

– Ben tu vois, tu t'marieras dans quatre ans! remarque Micheline.

Un chiffre dont j'aurais dû me souvenir.

– Ça te laisse encore un peu de temps pour vivre! conclut Gabin.

Pas de fête sans champagne et avec lui se déroule tout le rituel consacré à séduire la chance : je mouille deux doigts dans la mousse renversée et m'en parfume le lobe de l'oreille, on m'offre le bouchon de champagne que je dois garder toute l'année! Je ne sais plus qui, pour m'assurer beaucoup de bonheur, casse un verre blanc. Ce geste clôture la fête! Je me retrouve seule avec Jean qui me propose :

– Tu ne vas pas terminer la soirée comme ça, seule dans ta chambre, allez, viens, je t'emmène danser.

Quand a commencé cette romance? A l'instant où j'ai

vu Jean? – rien ne m'a avertie que c'était « la » rencontre – ou lorsque j'ai dansé dans ses bras?

Du charme... il en a ce soir. Trop pour ma tranquillité. Le décor de la boîte, je l'ai oublié, je ne suis même pas sûre de l'avoir regardé. Jean avait dû choisir la mieux. L'ambiance n'a rien de particulier, c'est celle d'un dancing de l'époque – pas comparable à celle d'aujourd'hui, bruyante à vous rompre la tête – c'est feutré, intime, on peut faire connaissance. Murmurés à l'oreille, une joue frôlant la vôtre, que les chuchotements d'un soir deviennent poétiques!

A l'instant où il m'a entraînée sur la piste, j'ai compris quel danseur Jean pouvait être, mieux que bien. Il parle peu, juste ce qu'il faut, et moi je me tais. Avec lui le tango est envoûtant et la valse, ah! la valse, grisante comme ces images de films où le couple tourne, ayant perdu le sens de la pesanteur et de bien d'autres choses! Son triomphe : la valse musette. Rien de la chaloupée sautillante, réputée pour être canaille. Ça c'est du folklore des petits bals de la Bastoche que je n'appréciais guère. Non, une valse à peine plus appuyée, plus glissante, à peine plus ondulée. La valse musette de Gabin, du grand art.

Nous avons dansé longtemps, et j'ai été étonnée quand Jean m'a murmuré en confidence :

– Tu sais, il n'y a plus personne – comment l'aurais-je su? j'avais fermé les yeux – ils ne jouent que pour nous, regarde, les garçons bâillent. On va finir par se faire mettre à la porte! Tu viens, on rentre...

Jean me tend mon manteau, un fragment de seconde ses bras me tiennent enveloppée. Ce doit être le courant d'air de la porte qui s'ouvre : je frissonne.

Il pleut sur Le Havre cette nuit-là, une pluie fine. Les lumières des réverbères zigzaguent sur les trottoirs luisants. Il est tard, très tard ou très tôt... au loin dans le ciel, déjà moins sombre, traîne quelque chose de rose...

Jean, tête levée respire la nuit avec avidité, on dirait qu'il s'en grise! Tourné vers moi il propose :

– On fait quelques pas?

Moi, l'air me dégrise, rompt le charme. J'en émerge presque douloureusement. Lui dire non, et rentrer avec lui en voiture? Dangereux. Marcher dans la ville, qui se fait complice, peut l'être tout autant... Mais, qu'est-ce qui ne le serait pas? Pour Jean tout est simple :

– Prends mon bras.

Nous allons, bras dessus, bras dessous, pas accordés. Nous ne parlons pas. Je suis bien, la pluie douce me rafraîchit le visage, c'est bon. L'hôtel est très proche, déjà nous l'apercevons. Le veilleur de nuit doit dormir. Tout est clos.

– On continue? me propose Jean.

Redevenue raisonnable, je m'abrite derrière une plate excuse :

– Non, demain je tourne.

– Pas demain, tout à l'heure!

Jean se penche vers moi. « Il va m'embrasser. » Erreur, il perd cette seconde à me murmurer : « Alors? » Un petit mot, bien court, bien banal, auquel on peut répondre par oui ou par non. Parler, m'obliger à une décision est de trop.

– A demain, Jean, cette soirée a été...

J'hésite, je cherche les mots.

– Elle a été quoi? me taquine Jean.

– Oh! Jean, je ne l'oublierai pas.

Il lâche doucement la main que je lui avais laissée.

– Tu es quand même une drôle de petite môme!

« Et si j'étais tout simplement une bécasse! » C'est la phrase irritante qui, quatre heures plus tard, s'impose à moi pendant que je fais couler mon bain. Il aurait été tellement plus simple de se laisser aller : une belle fin pour cette nuit un peu folle, un peu magique... et je n'aurais plus eu à m'interroger.

Je suis amoureuse. Oui, je le suis et... je soupire et je ne danse pas de joie! Ce n'est pas non plus la catastrophe. Séduite, embobinée, comme aurait dit petite grand-mère, j'aimerais vivre librement ce qui commence, mais... c'est précisément le mot librement qui est impossible. Jean n'est pas libre et moi pas davantage. Moi, cela pourrait s'arranger facilement : avec André mes relations se sont fort espacées. Son caractère jaloux, sottement soupçonneux en est la cause. Si bien qu'avec ou sans la présence de Jean je songe à rompre. Mais pour Gabin les choses sont différentes, il est marié et j'ai sur ce sujet des principes; je ne sais quelle est la part de « bonne éducation », de « on ne défait pas un ménage » mais, ma morale personnelle, une certaine conception de ce que l'on doit aux autres et à soi-même s'y oppose. En plus, tromper engendre toutes sortes de complications dont l'idée m'est très désagréable : se cacher pour se rencontrer à la sauvette, regarder l'heure, d'instinct je déteste tout cela. Et puis j'ai le sentiment que Jean et moi méritons autre chose qu'un amour à la sauvette.

J'en suis très exactement là de mon discours intérieur lorsque la sonnerie du téléphone me fait sursauter. Quand on pense au loup on en entend la voix! C'est André qui m'annonce qu'il ne peut plus supporter une si longue absence et vient me rejoindre pour le week-end. Tout cela n'étant pas dit sur un ton à me faire fondre, mais bien sur celui du propriétaire, m'exaspère.

Pour changer mon humeur à son profit, André ne se révèle ni assez adroit ni assez intuitif, ou alors flairer le danger le rend nerveux. Aucun des hommes qui m'entourent n'a grâce à ses yeux; il est bien évident que pour lui, ce sont tous des amants en puissance! Même mon amitié avec Michel Simon lui porte ombrage. « Je me demande ce que tu peux bien lui trouver! » Ce que je trouve à Michel? Je lui dis que sa philosophie d'une sagesse désenchantée un peu amère me touchait, que dès notre première rencontre j'avais senti quelle solitude cachait sa misanthropie, quelle humanité se dissimulait dans cet homme qui prétendait préférer les bêtes aux humains. Fallait-il lui dire : Je l'aime bien parce qu'il me comprend, qu'il prend garde à moi? Lui, dont le langage est des plus verts, dont les amours, qu'il ne cache pas, vont aux prostituées, prend un soin extrême à préserver mes candeurs. Ce cynique avait le cœur le plus pur que j'aie jamais approché. C'est cette sensibilité qui rendra tellement émouvante sa création dans « Le vieil homme et l'enfant ».

Ostensiblement André boude, une manière d'afficher la nature de nos relations et rien ne peut m'être plus désagréable. C'est d'assez mauvaise humeur que le soir je me retrouve à table.

Est-ce le fait que je sois avec André qui aiguise la verve sarcastique de Pierre Brasseur? Brasseur est un peu ma bête noire. Je redoute ses taquineries, ses excentricités me mettent mal à l'aise et je suis beaucoup trop jeune pour comprendre que ma timidité, mon attitude un peu guindée, drôles à ses yeux, ne peuvent que l'exciter. Malheureusement il devient impossible dès qu'il a bu. Et ce soir c'est le cas. Jamais il n'a été plus brillant, plus agressif aussi. Il commence par me taquiner, puis, virevoltant, il entreprend de mettre en boîte le « monsieur-qui-m'accompagne ». Il me semble qu'André doit l'entendre. Le nez dans son assiette il ne bronche pas. Je ne sais s'il est pleutre ou sage de ne pas répondre... à moins qu'il n'ait pas entendu. Je n'ai qu'un seul désir : quitter la salle à manger. En me levant, au passage, je saisis le regard de Jean, ses yeux sont gris de colère.

Le lendemain le dénouement!... Dans la scène que nous tournons, Jean doit envoyer à Pierre Brasseur une gifle. Planté près de la caméra, les mains enfouies au fond de ses poches, il m'accueille d'un : « Bonjour, Michèle! » assez froid. A l'opposé, Brasseur dessaoulé me paraît gêné, il me regarde comme s'il attendait quelque chose de moi, vraiment je n'ai rien à lui dire! Malgré le départ pour Paris d'André, je ne suis pas spécialement de bonne humeur.

La scène est importante, Carné, préoccupé, vétilleux, explique l'action aux deux hommes face à face. Jean, l'œil dur, le front buté, les lèvres serrées, ne répond ni n'acquiesce. Il me paraît énervé par la lenteur des préparatifs. Il est clair qu'il n'a rien oublié de la soirée d'hier, cependant les répétitions se passent normalement.

– Bon, allons-y! commande Carné. Action.

Un bref échange de répliques et la main de Gabin part... elle atterrit sur la joue de Brasseur avec une violence inouïe, il chancelle sous le choc, pâlit, serre les poings.

– Coupez! crie Carné. Absolument superbe!

Et la vie du plateau reprend. Le court instant d'une gifle, la réalité a pris la place de la fiction. Voilà la véritable histoire de la gifle de « Quai des Brumes » qui est restée fameuse. Dans les anthologies du cinéma on peut lire à son propos : « Jamais on n'avait vu un acteur recevoir une gifle comme Pierre Brasseur[1]. »

Pauvre Pierre Brasseur, il ne la méritait pas. A l'hôtel m'attendait une superbe gerbe de roses, avec un mot adorable. Seulement les fleurs étaient arrivées trop tard et la gifle partie trop tôt!

Quelques jours plus tard, Carné m'annonce : « Pour vous, Michèle, c'est terminé. Vous pouvez repartir. » Je pourrais aussi rester, m'accorder deux, trois jours de vacances... Cette hésitation n'échappe pas à la vigilance de Micheline.

Le danger est bien là : rester. C'est tentant le danger. Sans enthousiasme superflu, je prépare mon départ. Je l'annonce et Jean a une manière de me dire : « Alors, la môme, tu t'en vas? » qui me donne une envie folle de rester, mais pas irrésistible. Je pars le lendemain. Ainsi sont les femmes...

Depuis près de deux mois, nous tournons les inté-

1. « L'histoire du cinéma parlant », par René Jeanne et Charles Ford, Robert Laffont, éditeur.

rieurs de « Quai des Brumes » aux studios de Saint-Maurice. Ce matin, arrivée en avance, je regarde Marcel Carné évoluer dans « son » décor, celui de la fête foraine. Il l'examine, l'évalue il le veut à ses mesures; alors il tempête, fait déplacer une feuille[1], un accessoire, rehausser les couleurs d'une affiche. A sa voix, le décor se transforme, se prépare à devenir cette image unique dont on dira : « C'est du Carné! »

Sous les ordres de Schufftan, les groupes de marmites sur les praticables s'allument, les cris familiers se font entendre : « Envoie le 5, le 6, le 10 et le 12! Pique le 30! Resserre le 8, élargis le 20... » J'aime cette ambiance de fête, les lumières qui donnent une vie magique aux décors.

– Bon, allez chercher Mlle Morgan...

– Je suis là.

– Allez chercher M. Gabin.

– Pas la peine, je suis là!

– Bon, merci, dit distraitement Carné, dont tout l'intérêt se porte sur l'arrière d'une roulotte qu'il dissèque du regard, le sourcil froncé.

– Dis, sais-tu ce qui va se passer dans ce coin-là? me demande Gabin.

– Oui.

– Toi et moi, c'est contre cette roulotte qu'on va jouer la scène du baiser.

Prudente, je me tais. Il insiste, taquin :

– Ça ne te dit rien? Peut-être que tu ne sais pas qu'avec le « môme » Carné il n'est pas question de jouer ça au chiqué, c'est du vrai, on ne peut pas faire semblant.

Il m'amuse, des baisers cinéma j'en ai déjà reçu et donné, et celui-là sera comme les autres.

Jean se tourne vers Micheline toujours prête à l'entendre :

– Je te parie qu'elle ne sait pas embrasser!

C'est un jeu, je le sais, mais il m'agace.

1. Nom donné aux panneaux dont l'assemblage forme un décor.

– Et pourquoi?
– T'es trop jeune. Tu manques d'expérience. Ce n'est pas comme Annabella, elle, elle savait!
Que les hommes sont bêtes! Pas tellement, puisque je m'y laisse tout de même prendre et rageuse je décide intérieurement : « Il verra tout à l'heure! » tout en pensant qu'il se vante et qu'il n'osera pas m'embrasser « pour de vrai ».
Le résultat : je suis énervée comme une gosse un soir de fête du Trône!...
La voix de Marcel Carné nous commande :
– En place! Voilà, mes enfants, vous êtes cadrés comme ça, au 75. Michèle, faites bien attention, vos cheveux sont en bordure du cadre.
Avec des précisions de ce genre, je ne suis pas près de perdre la tête! Il m'explique le baiser, mes états d'âme... S'il savait comme au fond de moi j'ai le trac, et si Jean osait, comme ça, devant tout le monde!
– Lumière! Moteur! Clap! On tourne!
– T'as de beaux yeux, tu sais...
– Embrassez-moi...
Il a osé et j'ai oublié d'être gênée!... Mes souvenirs s'arrêtent là. Carné a dû dire : « Bon », puisque nous n'avons pas recommencé!

7

ENTRACTE

C'était joli cette rencontre sur le quai des Brumes, au Havre, et ce baiser final... si parfait que tout ce qui venait après me semblait vouloir l'abîmer.

D'emblée notre couple avait plu. Les journalistes parlaient, avec toute l'émotion désirable, de notre accord parfait : il était la force, j'étais le rêve!

Donc dès la sortie de « Quai des Brumes », sans aucune timidité de plume, la presse nous baptise « le couple idéal du cinéma français ». Rien que cela! C'est un thème au goût du jour, un sujet de concours. « Le Journal de la Femme », fort lu, n'a pas hésité à en organiser un. Je me suis demandé si les « heureux gagnants » étaient restés ensemble.

Puisque nous étions à l'écran ce couple « à faire rêver », nous devions l'être dans la vie! Sans avoir eu besoin de nous en parler, ni Jean ni moi ne nous prêtons à ce mensonge et pourtant aujourd'hui encore, même parmi les gens de la profession, on s'imagine qu'il en fut ainsi. Il y a des légendes qui ont la vie tenace!

Comme beaucoup de comédiens, le cinéma qui nous avait réunis nous sépare. Jean se préparait sous la direction de Jean Renoir, à tourner « La Bête humaine », et moi je vais signer coup sur coup plusieurs contrats, sept entre 1938 et 1939. J'ignorais tout de cet engrenage du cinéma dans lequel j'avais mis mon petit doigt, que j'avais voulu avec cette volonté aveugle que l'on a lorsque l'on est très jeune. On connaît si peu de choses de la vie que l'on ne saurait être gêné par elles. Comment aurais-je su qu'un système pouvait être implacable?

A l'instant de ce troisième film je suis en plein émerveillement, sa sortie – comme l'on dit – crève l'écran. « Gribouille » m'avait fait connaître. Une sorte d'acte de naissance. Avec « Quai des Brumes » je recevais la consécration d'un baptême officiel, je n'étais plus l'espoir du cinéma français, mais une nouvelle vedette. D'importants producteurs me proposent films sur films, comme s'ils n'avaient attendu que moi. Même Hollywood qui cette fois se manifeste, contrat en main. Je n'ai plus qu'à signer pour voir les portes de mon paradis s'ouvrir dans un ciel d'apothéose. J'aurais sans doute fait la bêtise de partir – comment l'éviter? – si Denise Tual, devenue mon imprésario, et surtout André Daven ne m'avaient conseillé : « Signe si tu en as trop envie – le terme était au-dessous de la vérité – mais ne t'en va pas maintenant. C'est en France que ta carrière a commencé, consolide-la avant de partir. Tu seras peut-être bien contente, à ton retour, de la trouver solide! »

Quand je repense à cette période de frénésie, à tous ces gens qui tourbillonnaient autour de moi, qui voulaient m'approcher, ces journalistes avides de je ne savais trop quoi, et qui m'intimidaient au plus haut point, je m'étonne d'avoir conservé un peu de raison. Oh! je n'avais pas une meilleure tête que d'autres, ni des vertus particulières et surtout pas un manque d'imagination, mais Simone Roussel pour moi existait toujours, et elle ne se privait pas de faire des clins d'œil à Michèle Morgan, salutaire dédoublement!

Pourtant plus jamais mon existence ne sera tout à fait pareille à celle des autres. « Quai des Brumes », c'est dans ma vie le point de non-retour : mes films vont programmer mes années, les planifier. Le temps se mesurera par mois de tournage, les étés ne seront plus synonymes de vacances, de repos, mais d'époques propices aux extérieurs, et c'est court un été! Il arrivera que je n'aie même pas d'entre-deux films, une véritable chaîne sans interruption! Mes loisirs? Une peau de chagrin, un point au centre d'un océan, je n'arriverai pas à y caser grand-chose. « Michèle, ce week-end il faut aller faire un petit tour sur les planches de Deauville, il faut assister aux Galas de l'Union, des Petits Lits blancs, du Cinéma, du Festival! » à croire qu'il y en a un tous les soirs!

Je ne voudrais pas ressembler à la dame qui se plaint : « Toujours de la brioche!... » mais les servitudes dorées, ça existe!

Même mon vestiaire ne m'appartient plus. Je ne mets pas mon-petit-ensemble-qui-me-va-si-bien-et-que-j'aime mais ma robe feuille-morte d' « Orage », le béret de « Quai des Brumes ».

Ce soir je rentre à la maison portant sous le bras une boîte contenant un achat féerique : un manteau de fourrure! Mon premier, et ma première dépense sur mon cachet de soixante-quinze mille francs de « Quai des Brumes ». Je n'ai oublié ni ce chiffre ni cette somptueuse chose de castor; je crois bien qu'avant elle aucune fourrure, à part un tour de cou en putois, n'avait passé notre seuil. Aussi son arrivée est-elle commentée :

– Il est grand. Il te fera de l'usage!

La mode est aux manteaux amples avec des manches pagodes, immenses, et je l'ai choisi des plus vastes.

– Il supportera des transformations! estime avec sagesse grand-mère Payot, qui me voit déjà terminant mes vieux jours dedans.

Quel équilibre de retrouver le bon sens familial qui remet toutes choses à leur place!

Les deux contrats que je viens de signer, « L'Entraîneuse » et « Le Récif de Corail », sont des productions franco-allemandes, les extérieurs seront tournés sur la Côte d'Azur les intérieurs dans les studios de la U.F.A. à Berlin. Cela se faisait beaucoup. Nous n'avons certainement jamais autant tourné en Allemagne que durant les années qui précédèrent la guerre. Les coproductions étaient considérées par le Dr Goebbels comme un excellent moyen de faire rentrer des devises étrangères, dans le cadre des accords commerciaux franco-allemands du 10 juillet 1937, et devaient compenser la déficience des exportations de films allemands qui, depuis le régime national-socialiste, baissaient progressivement.

L'Allemagne! Bien entendu, papa ne m'a pas laissé partir sans me fournir les données du problème. Il parle bien la langue, ayant été prisonnier. Il a dû me dire des choses fort justes sur ce pays et le caractère de ses habitants. Nous étions à un an de la guerre, à un mois des accords de Munich. Cela pouvait-il se voir dans ce Berlin que je traverse deux fois par jour pour aller au studio? Peut-être pour un œil averti. Certainement, pour quelqu'un connaissant l'allemand et ayant le loisir de traîner, ce qui n'était pas mon cas!

C'est une belle ville un peu pompeuse avec ses monuments, ses édifices publics de style néo-grec. D'abord je ne remarque rien d'imprévu, je m'attendais à une surcharge de drapeaux à croix gammée, de jeunes Siegfried en uniforme, et s'ils ne sont pas tous blonds et beaux, ils sont tous là avec leurs drapeaux!

Je suis bien davantage étonnée par la « Pension Impériale », sorte d'hôtel-résidence où descendent les Français qui viennent travailler à la U.F.A. Un lieu extraordinaire, hors du temps, ou conservé dans le temps, c'est souvent la même chose. Le mobilier est suranné, les couloirs sombres et cirés semblent tous mener à une salle à manger biscornue où règne Josef, le valet de chambre-maître d'hôtel, un Viennois efféminé qui parle notre langue avec un accent chantant. Josef c'est le maître Jacques de l'endroit, il peut tout, il connaît tout : le dernier potin du studio et le cabaret en vogue, jamais on ne le prend de court...

François Périer m'y attend, nous tournons ensemble dans « L'Entraîneuse ». Après un échange sur le thème : « Le cours Simon, tu t'en souviens? » il me livre sa vision de la vie à Berlin, en râlant :

– J'en ai par-dessus la tête de ce pays. Tu ne peux rien faire. La liberté ils ne connaissent pas : « Verboten », les portes, les chemins, les pelouses... les filles! Tout marche au coup de sifflet, les voitures, les piétons, les entrées, les sorties! Pour un peu nous aussi! Ils ne commandent pas à des hommes mais à des automates, bientôt faudra pisser au coup de sifflet![1] Marre, j'en ai marre des Fritz. Vivement le retour à la maison qu'on ne les voie plus!

L'ironie de cette phrase on a pu l'apprécier pendant quatre ans!

Que pensait Josef en l'entendant? Il restait imperturbable. Jubilait-il intérieurement? Faisait-il son rapport le soir à la Gestapo? Qu'est-il devenu? Mort sur le front de l'Est ou déserteur en France? On pouvait l'imaginer sous l'uniforme tout comme un autre! Questions que je ne me poserai que beaucoup plus tard. Mon père avait tellement prédit la catastrophe qu'en opposition, non seulement, je me refusais à en voir les signes avant-coureurs, mais je me rassurais avec n'importe quoi : la bonhomie des dimanches en forêt de ce peuple amateur de bière et d'accordéon. Qu'importe si parfois les chants étaient martialement scandés par des gamins en culottes d'uniforme, il faut bien que jeunesse (hitlérienne) se passe! Elle ne se passait pas, elle grandissait.

Pourtant, l'atmosphère me pesait. J'avais l'impression d'une immobilité, d'une lourdeur dans l'air sem-

1. Il ne croyait pas si bien dire, cela se fit dans les camps!

blable à celle qui précède l'orage. Quelques semaines plus tard, nous étions en septembre 1938, il ne m'était plus possible de nourrir des illusions.

En peu de jours la tension monte, dans les rues les crieurs vocifèrent les titres des journaux comme des ordres. A la pension chacun en donne sa traduction et j'apprends en même temps que quelques millions de Français qu'il existe en Tchécoslovaquie un problème des Sudètes.

Curieuse situation que la nôtre, on pourrait à cette date du 15 septembre nous croire au cœur de l'histoire, erreur, il bat à Munich, nous avons même l'impression d'être moins informés qu'un Parisien ou un Londonien. Tous les matins à l'heure précise la voiture nous emmène vers les studios, et là isolés de tout remous, aussi coupés du monde qu'au fond d'un bunker, nous tournons cette « Entraîneuse » pour laquelle je n'ai aucune sympathie spéciale et dont je me demande chaque jour comment j'ai pu me laisser prendre par elle. Puis, le soir, nous nous retrouvons entre nous, dans cette pension qui restera, jusqu'à la dernière minute, un fief français à Berlin.

Comme nous l'aurions fait chez nous, en arrivant nous nous précipitons vers la T.S.F. un énorme poste aux découpes gothiques, auquel je trouve un air particulièrement allemand. C'est par lui que nous apprenons l'arrivée de Chamberlain au nid d'aigle de Berchtesgaden. Un suspense qui dure treize jours, pendant lesquels nous restons isolés et anxieux, car la menace de guerre ne disparaît qu'avec l'arrivée de Daladier et Chamberlain venus signer les accords de Munich. Ce jour-là, le 30 septembre, je suis frappée par l'atmosphère de victoire que l'on respire dans les rues de Berlin. Avec une inconscience que je partage avec la majorité des Français, je respire : « La Paix est sauvée! » C'est ce que je dirai à papa qui me répondra : « Que Dieu t'entende ma petite fille. » Deux phrases qui reflètent parfaitement nos sentiments, et ce n'est pas péjoratif, de Français moyens. Soulagée, je quitte Berlin triomphal. J'y reviendrai deux mois plus tard pour les intérieurs du « Récif de Corail ».

Seconde erreur pour moi après « L'Entraîneuse » ce « Récif » totalement dénué d'intérêt. Il faut pour juger et refuser un scénario une maturité, une expérience que je n'ai pas, et je crois que je me suis laissé séduire par cette tentative de reconstitution du couple de « Quai des Brumes » – qui n'a pas fini de nous poursuivre. Un essai maladroit et raté qui m'amène sur la côte où nous devons tourner les extérieurs : la coproduction ayant décidé que la Méditerranée et ses plages feraient un atoll du Pacifique tout à fait présentable. Mon opinion est légèrement différente car en ce mois d'octobre 1938 la mer ignore tout des douceurs polynésiennes.

Jean, qui n'a pas terminé « Le jour se lève » qu'il tourne sous la direction de Carné, doit nous y rejoindre.

Je garde de ce « Récif » une curieuse impression de non-vécu. Jean y avait le rôle principal et cependant nous n'avons tourné ensemble que très peu de temps, même pas celui de refaire connaissance. Je conserve de ce « passage » des images figées comme des photos posées.

– Bonjour, Jean.

– Bonjour, Michèle.

Nous nous dévisageons. La complicité de deux camarades heureux de se retrouver.

– On y va, dit Jean, tu es prête?

Prête à quoi? à le retrouver? Je ne me poserai pas de longues questions, et surtout pas longtemps; à peine si s'est installée entre nous une curieuse camaraderie au bord du flirt, si Micheline a trouvé le temps de placer une de ses fameuses phrases : « Tu sais qu'il est content de t'revoir m'sieur Gabin, j'ai l'impression que tu lui as manqué », que déjà nous nous retrouvons face à face dans le hall. Lui dans le même strict costume bleu marine, chemise lavande et fleur à la boutonnière, moi portant le même manteau que le jour de son arrivée. Les deux souvenirs se superposent, se confondent, différence : au lieu de bonjour nous nous disons au revoir, « à Berlin! » précise Jean.

Et voilà, le temps d'un film nous nous sommes rencontrés, le temps d'un autre nous nous sommes séparés! Un peu mélancolique comme pensée.

Ce n'est pas mon retour à Berlin, et les quelques moments passés ensemble dans les studios de la U.F.A. qui vont changer les choses. Malgré le vent de novembre qui balaie rues, avenues, s'engouffre sous la porte de Brandebourg, et purifie l'air jusqu'à le rendre glacial, Berlin est devenu irrespirable, il résonne d'un bruit de bottes, la jeunesse en uniforme, les porteurs de brassards circulent comme l'on défile en faisant sonner militairement leurs talons.

A la Pension Impériale mes camarades s'inquiètent : « Ils ont l'arrogance des forts, de ceux qui préparent un mauvais coup! » disent-ils. Je ne veux pas les entendre. Je ne veux pas y croire, je rejette l'idée de cette guerre qui va bouleverser tant de vies, imprimer si fortement des destins, en transformer le cours, le mien y compris. Et, forte de mon expérience de septembre, je répète : « On est passé au travers une fois, on y passera bien deux!... »

Optimisme que je ne conserve pas longtemps. Cette nuit, je suis réveillée par les sirènes des voitures de pompiers, de police. J'ouvre ma fenêtre, une rumeur qui a des sonorités de tempête monte de la ville : cris, chants, coups de feu, dans le ciel palpitent des lueurs rouges d'incendies. Les guerres s'annoncent-elles ainsi? Les révolutions plutôt. Hitler? Sûre de divaguer je vais me recoucher et me rendors difficilement.

Au matin je traverse une ville révolutionnée, défigurée par la haine; les magasins juifs éventrés, incendiés, pillés, sont barbouillés de grandes lettres blanches : « *Jude.* » Je suis bouleversée par la sauvagerie de cette explosion de racisme.

Jamais chez moi le mot juif n'avait été employé autrement que pour désigner le peuple biblique. J'avais toujours ignoré si parmi nos amis il y avait des israélites.

Ce que j'ignore et que j'apprendrai par la suite, c'est que cette nuit-là[1] des hommes, des femmes, des enfants sont morts.

J'ignorais qu'il nous restait un an de sursis, mais au fond de moi s'ancrait maintenant un sentiment d'insécurité.

Cette année-là, 1938-1939, sera bien remplie, bourrée même, comme si le destin avait voulu faire bonne mesure avant la catastrophe : trois films « La Loi du Nord », « Les Musiciens du Ciel » et « Remorques » pour lequel je dois encore retrouver Jean Gabin. J'y pense sans vraiment y penser. Jean, je crois que j'aurais aimé garder le souvenir de « Quai des Brumes » comme une très jolie histoire sans suite. Ne plus tourner avec lui, le rencontrer seulement en camarade, lors d'une réunion professionnelle — cela n'aurait pas été fréquent, il détestait ce genre de manifestation, il estimait ne devoir aux producteurs et au public que son temps de comédien, le reste lui appartenait. J'aurais lu dans son regard qu'il n'avait pas oublié, nous aurions gardé une agréable nostalgie l'un de l'autre...

Un joli conte pour jeune fille! Mais les maîtres du cinéma en ont décidé autrement et nous allons nous rencontrer à nouveau. Alors? « Remorques » se transformera, au fur et à mesure que la date du tournage se rapprochera, en désir et en inquiétude... Une chose merveilleusement irritante. Retrouverai-je le Jean du Havre ou un indifférent?

Pour l'instant je vis un événement : je déménage et m'installe dans un deux-pièces 33, rue Raynouard.

1. Cette nuit du 9 au 10 novembre 1938 qui commence une série de pogroms contre les Juifs s'appellera « la nuit de Cristal » et dans le Parti « la semaine des carreaux cassés ». 815 magasins détruits, 171 maisons et 119 synagogues incendiées. 20000 juifs arrêtés...

– Tu es encore bien jeune pour vivre seule, a soupiré maman.

Pour elle qui a toujours vécu avec papa, ce statut de femme libre que j'ambitionne l'inquiète – nous sommes pourtant bien loin du M.L.F. –, elle me voit entourée de toutes sortes de dangers; sans un homme comment peut-on en être protégée?

Entre les femmes d'aujourd'hui et ma mère, quelle différence! Il me semble être un trait d'union, j'aurais pu dire que c'était ma génération qui l'avait mis, mais je ne le pense pas. Si elle a été moins timorée que celle de ma mère, qui pourtant avait affronté la guerre, son statut normal enviable demeurait une certaine conception de la famille. Le mariage, ce début de liberté avec lequel j'étais née – que la femme avait acquis en 1925 en se faisant couper les cheveux, emblème de sa féminité –, me permettait de l'envisager différemment. Je l'envisageais, mais d'une autre manière plus lointaine, moins pressante. Il est vrai que ma profession modifiait beaucoup les choses.

Ce n'était pas tellement la solitude que je recherchais mais la liberté, et ne pas dépendre quotidiennement de quelqu'un c'est déjà être libre. Aussi cet emménagement m'enchantait.

Je n'y trouvai, le premier soir, que des avantages jusqu'à minuit, heure à laquelle je me couchai, un soupir, un geste pour éteindre ma lampe de chevet, je m'étire sous mes couvertures et ferme les yeux, mais je ne dors pas, c'est curieux cette impression d'être entourée de vide. Un vide qui se peuple de craquements. « On » a marché dans le couloir. « On » a touché à la porte d'entrée. « On » se déplace... « On » est indéfinissable et angoissant. J'allume. Rassurante, la lumière fait renaître la pièce... C'est bien gênant d'aimer la solitude et de ne pas supporter de dormir seule dans un appartement! Clément, le sommeil a fini par effacer ma peur. Au matin je me suis aperçue que j'avais conservé la lumière toute la nuit.

Je n'ai pas le temps de m'y habituer, pas le temps

d'apprendre ma liberté, de goûter ma solitude que déjà je pars, pour tourner les extérieurs de « La Loi du Nord »[1] à Villard-de-Lans. Par mesure d'économie on transformera les Alpes en Grand Nord. « La neige c'est partout pareil, n'est-ce pas? » le producteur avait compté sans Jacques Feyder, notre metteur en scène, et c'est un voyage éclair. Nous débarquons le 28 février 1939, la veille de mes dix-neuf ans – heureusement que ma famille, mes amis ont le bon goût de ne pas attendre les années bissextiles pour me souhaiter mon anniversaire – et j'ai quitté Paris les bras chargés de cadeaux dans un wagon-lit qui a l'air d'une boutique de fleuriste. Un vrai départ de star! Charles Vanel, un des trois hommes du film, m'offre un flacon de parfum de Guerlain.

Papa m'avait habituée à la montagne d'été, vert prairie, celle que je découvre est une révélation. Cet univers blanc, une vraie carte de Noël. Vision qui n'enchante pas du tout Jacques Feyder. Planté dans le paysage, il martèle d'une botte rageuse la neige, constatant avec une nervosité qui m'étonne : « On n'enfonce pas là-dedans... Ce n'est pas de la neige, ça... et le ciel – il est gris et plat – ce n'est pas celui du Canada!

Respectueux, assistants, opérateurs, machinistes, attendent les ordres. Feyder explose :

– Rembarquez-moi tout ça. Je ne tournerai pas!

Effondrement. Personne ne bouge, on espère encore et on a tort. « Quels sont les imbéciles qui ont choisi cet endroit? » Les assistants coupables du repérage diminuent de volume.

– On n'a pas peur ici, ça manque d'espace, de vide. L'angoisse du désert blanc, vous la sentez, vous, là-dedans? (Il secoue un machiniste par sa manche.) Tu es

1. Au début ce film se nommait « Le Grand Nord ». Ayant connu de nombreuses péripéties, il ne put sortir que pendant l'occupation et les Allemands exigèrent que le titre en fût changé, il devint alors « La loi du Nord ».

angoissé, toi? Et vous?... Du coton, de la ouate!... et ces sapins, non mais, regardez-les! ridicules!

Et il nous tourne le dos.

Le soir le trouve perché sur un tabouret de bar. D'un œil bleu et farouche, il contemple son grog :

– J'attends Paris, je vais leur dire ce que j'en pense de leurs économies. Il me faut de la neige, pas de l'acide borique[1]. De la neige jusque-là!

Sa main désigne son cou à la hauteur de la carotide.

Il l'a eue sa neige telle qu'il la rêvait et nous aussi. Immaculée, inhumaine. Le 10 mars nous partons pour Kiruna, en Laponie suédoise. Quelques jours plus tard, son bonnet de fourrure descendu jusqu'aux yeux, Feyder, enfoncé dans la neige jusqu'au cou, parfaitement heureux, nous dirige avec autorité par un froid de moins vingt.

De la Laponie je garde le souvenir de couleurs vives, les costumes perlés des Esquimaux ponctuant l'irréalité du blanc; un blanc dur, diamanté sous le soleil. A l'horizon terre et ciel se confondent, se prolongent, une idée de l'infini qui vous donne l'impression d'un néant. Une couleur y est totalement inconnue, le vert tendre des pâturages, le vert laitue. Ce vert synonyme de vie pour les Arabes l'est devenu également pour moi et j'en ai fait ma couleur préférée, contrairement à beaucoup d'artistes qui le redoutent comme portant malheur.

J'ai vécu là-bas des moments de bonne camaraderie. Parfaitement soudée notre équipe était unie : un grand bloc chaleureux. Seule femme parmi ces hommes, c'est dire si j'étais choyée. Ils sont tous trois très différents et chacun m'apporte quelque chose de particulier. Charles Vanel sa force tranquille, Pierre Richard-Wilm, un merveilleux musicien, sa sensibilité, Jacques Terrane, sa pureté. On disait de lui : C'est un chevalier égaré en 1939! C'était vrai, il en avait la beauté, la droiture et en plus il avait du talent. Il est mort d'une

1. A cette époque, en studio, les paillettes d'acide borique répandues sur les vêtements, les petites surfaces, figuraient la neige.

absurde façon mais qui fut en accord avec son personnage. Engagé dans les Forces Françaises libres, il se battait en Syrie; les combats avaient été tellement violents qu'une trêve fut proposée pour permettre aux ambulanciers de ramasser les blessés. Jacques, porteur du drapeau blanc, s'est avancé vers les lignes ennemies et une balle perdue l'a tué. Je l'aimais beaucoup.

Devoir parler au passé d'un garçon de vingt ans rayonnant de joie et de vie me révolte et me peine, même trente ans après. Ne pas avoir eu le droit de vivre, quelle injustice!

C'est avec Jacques Feyder que je suis morte pour la première fois au cinéma. Ce ne sera pas la dernière, jusqu'à ce jour cela m'est arrivé quatorze fois! Je les ai comptées. Il faut croire que j'appartiens à ces personnages que les auteurs tuent, peut-être faute de savoir les faire vivre! Si bien qu'il m'est souvent arrivé d'être la dernière image d'un film.

Cette première mort est un très beau souvenir. Elle se situait en plein brouillard par un froid polaire. On la fit en studio. A demi asphyxiée par les fumigènes répandus sans parcimonie par l'accessoiriste, les cheveux inondés d'huile pour qu'ils collent à mon front, j'expirais sur un lit de fourrure sous une batterie de projecteurs. En eau, à demi morte de chaleur, je devais grelotter avec conviction, ce que je fis. Penché vers moi ce merveilleux directeur d'acteurs qu'était Jacques Feyder me mettait en état. On eût dit un prêtre me préparant à mourir. Je finissais par y croire! Si bien que j'ai vécu les ultimes secondes de ma vie avec une vérité paraît-il impressionnante. Pour moi cet instant fut en effet d'une intensité exceptionnelle et je m'en souviendrai jusqu'à mon dernier souffle.

La leçon cinématographique la plus importante de mes premières années, je l'ai eue dans « Les Musiciens du Ciel », en découvrant que je pouvais moi aussi oublier tous les câbles de la technique qui jusqu'à cet instant me ligotaient.

A cette époque le cinéma était un art que dominait souvent la technique; elle y avait une place importante dont nous étions tributaires. Tourner en décors réels était rare parce que difficile à éclairer, on préférait reconstituer des rues entières, ce qui donnait des images particulières, auxquelles un metteur en scène pouvait mieux imprimer sa marque. Je pense à « Quatorze Juillet » de René Clair, la petite place que le vent des lendemains de fête balaie, emportant drapeaux et lampions, aux « Rues sans joie » de Pabst.

L'éclairage n'était pas seul en cause, les appareils étaient lourds, peu maniables dans leurs mouvements. Nous étions loin de la caméra sur l'épaule d'un François Reichenbach ou d'un Claude Lelouch. Ils obligeaient à déployer un matériel de rails, de chariots, de câbles, important et encombrant.

Dans « Les Musiciens du Ciel » un très long travelling était prévu, je ne certifierai pas qu'il était le plus long, filmé à cette époque, mais certainement l'un des plus longs. Plusieurs dizaines de mètres de rails avaient été posés, je les regardais avec inquiétude, je devais marcher au milieu de ces rails, enjamber les traverses, prendre bien garde au fouillis de câbles. Une marche aisée à qui peut regarder à ses pieds où se trouvent les traquenards, mais comme d'habitude mon regard rôdait sur les cimes, rien de terre à terre... et à terre il y avait tous ces pièges.

Georges Lacombe me fait les ultimes recommandations, j'ai repéré mon chemin, je devrais dire mes pieds ont repéré leur chemin, et je pars... Comment expliquer un miracle? En un instant tout était transformé. Une merveilleuse sensation de libération, la technique ne m'entravait plus... Pour les profanes cela peut paraître de peu d'importance, mais moi je savais que je venais de progresser vraiment. Si j'ai employé le mot miracle ce n'est pas dans un esprit d'analogie avec le sujet du film, mon strict costume de l'Armée du Salut, mon ridicule petit chapeau quaker n'y étaient pour rien. Cette aisance soudaine, si agréable fût-elle dans sa spontanéité, ne me venait pas du ciel, mais des sept films précédents. Plus prosaïque, Michel Simon avec lequel je tourne, me répond lorsque je lui en parle : « C'est le métier qui rentre! »

C'est entre « La Loi du Nord » et « Les Musiciens du Ciel » que j'ai rencontré Jean Grémillon, mon metteur en scène de « Remorques », dans le bureau du producteur Tolia Eliacheff qui plus tard épousera Françoise Giroud. Un étonnant Russe en blanc et noir, une vraie figure pour l'écran, visage et charme slaves. A côté de lui la silhouette solide, un peu massive, de Jean Grémillon, au visage coloré, a un air des plus plébéiens. Le contact est immédiat. J'aime sa façon directe de poser des questions – car si je déteste être « violée » je redoute également les phrases fleuries, tortueuses, et longues, pour ce qu'elles dissimulent en général d'hypocrisie et d'arrière-pensées.

– Aimez-vous la mer? me demande Jean Grémillon.

– Beaucoup.

– La véritable, pas un lac pour bateaux de plaisance. La Manche, avec ses humeurs, ses coups de tabac?...

Il en parle en amoureux. Je répète :

– Oui. Beaucoup.

– Suffisamment pour rester des heures sur un remorqueur qui roule d'un bord sur l'autre, tangue, pique du nez, tombe dans le creux des vagues?

Sa description destinée à me mettre en face des réalités ne m'horrifie pas. Je le rassure.

– Je ne crains pas la mer – là je m'avance peut-être un peu – je suis assez sportive pour l'affronter, solide aussi. Ne vous fiez pas aux apparences!

Perspicace son regard demeure un instant sur moi, m'évalue :

– Détrompez-vous. Vous n'avez pas l'air fragile.

Vous l'êtes même certainement moins qu'on se plaît à l'imaginer.

Certes, je n'en ai pas l'air, pas assez, et à cause de cela on a souvent exigé de moi une force de caractère que j'aurais aimé que l'on ne me prêtât point.

Il ne faut pas grand-chose pour que naisse une certaine complicité, avec cette petite phrase c'est fait. Il m'est d'autant plus sympathique que je le sais très ami avec Gabin. Il existe d'aileurs entre ces deux hommes une certaine identité, la même épaisseur, la même intransigeance, la mer les réunit également dans le même amour.

Alors que je n'avais pas terminé « Les Musiciens », « Remorques »[1] s'amorçait; déjà les dates étaient avancées pour le tournage des extérieurs à Brest. Comme je m'en plaignais auprès de Tanine et Suzanne, elles m'avaient dit en chœur : « Ne t'en plains pas. C'est le succès! »

Ce matin d'août je trouve que ça accélère terriblement la vie le succès! et je soupire intérieurement : Est-ce que je ne pourrais pas m'arrêter trois semaines, quinze jours, je fais une dernière concession, huit jours! Ce n'est pas grand-chose. Qu'on me laisse souffler un peu. J'en rêve de cette halte, mais Denise Tual me l'a dit : « N'y compte pas, entre les deux films il n'y aura pas de coupure. » Ce en quoi elle se trompait il y en eut une.

Le téléphone sonne quelques instants avant mon départ pour le studio.

— Bonjour, je ne te dérange pas? C'est Micheline.

Comment ne pas reconnaître sa voix, son parler. Que me veut-elle? j'ai le sentiment d'attendre quelque chose. Cela ne vient pas, on échange des banalités sur le plaisir de se retrouver bientôt. Elle n'est pourtant pas timide, si elle a quelque chose à dire, qu'elle le dise...

— Dis donc, t'es au courant?

1. Adapté du roman de Roger Vercel.

– De quoi?
– Jean va divorcer.
Je reste silencieuse. Un mutisme qui doit l'enchanter, elle le savoure, le téléphone grésille, elle reprend :
– Tu sais, il me parle tout le temps de toi. Il ne t'a pas oubliée. L'aut'jour j'lui ai demandé : Ça vous plaît de tourner « Remorques »? Y m'a dit : « C'est un bon scénario, Le Breton[1] est un ami et un excellent metteur en scène... » Il m'a fait attendre la suite. J'me disais elle viendra pas quand y s'est lancé : « Et puis retrouver la môme ça me plaît. »
Plénipotentiaire en gros sabots, elle continue sans enfiler de gants :
– Tu ne crois pas que ce serait plutôt gentil que vous vous rencontriez avant de tourner?
Je me tais, elle conclut :
– Alors, il peut t'appeler?
J'ai dit oui.
Cinq minutes plus tard la sonnerie du téléphone me stoppe dans mon geste, je m'apprêtais à ouvrir ma porte pour sortir, c'est Jean, je le savais. Un rapide échange de phrases usuelles et sans plus attendre il me dit : « Je passerai te chercher ce soir! » Un deuxième oui suit le précédent.
En rentrant du studio une cinquantaine de roses rouges m'attendent. Dans mon petit appartement on ne voit qu'elles! C'est étonnant à certains moments la présence que peut avoir un bouquet.
A peine s'il m'a laissé le temps de reprendre mon visage de ville. Jean est là, dans l'embrasure de la porte, superbe, sentant discrètement l'eau de toilette. Je n'ai pas le temps de refaire connaissance avec lui, ses yeux clairs, son étonnante blondeur, de le retrouver, que déjà son sourire se transforme en un rire contenu, heureux, qui fait disparaître entre nous un entracte de plus d'un an...
C'est exactement le genre d'instant où tout paraît

1. C'est ainsi que Gabin appelait Grémillon.

possible, où tout l'est. Jean ouvre les bras et... m'embrasse sur les deux joues.

Après tout ce séducteur a peut-être besoin d'une Micheline qui lui fasse savoir qu'il est attendu.

Pas plus que je ne savais dans quel dancing nous étions allés au Havre, je ne sais dans quel restaurant nous dînons à Paris. Bien, très classiques nappes blanches damassées, et petites lampes roses sur les tables, ce qui à l'époque n'était pas tellement habituel, certainement moins que les bougies maintenant. Nous étions très émus et je crois assez impatients l'un de l'autre. Un flirt amoureux : les yeux ne se quittent pas, les mains se frôlent n'osant encore se prendre. Nous avons des rires faux, gênés, des silences denses. Les mots changent de sens, les phrases dites sur un ton négligent sont lourdes de sous-entendus :

– Il était beau gars ton partenaire de « La Loi du Nord ».

– Et Simone Simon, elle est charmante...

L'air détaché je chipote je ne sais quoi dans mon assiette, je n'ai pas d'appétit, lui non plus. Comme il ne relève pas cette insinuation, j'insiste :

– Moi je la trouve très jolie, avec elle les scènes de « La Bête humaine » ont dû être très agréables à tourner...

Des phrases apparemment sans importance mais qui sont autant de petits ballons d'essai. Déjà on voudrait savoir quelle place on occupe et on la souhaite privilégiée, unique. C'est le moment où chaque geste, chaque silence prépare les : « Tu te souviens! » que l'on se dira plus tard.

Mais tout cela qui ne l'a vécu? Ces petits riens, ces miettes de bonheur sont incommunicables. Et pourquoi le seraient-ils? Rien n'est jamais aussi parfait que l'instant qui est vôtre. Généralement quand on écoute le bonheur des autres c'est pour le rapprocher du sien, s'en souvenir! et le mieux goûter...

C'est au « Florence » la boîte en vogue, que nous allons danser. Décoration très 1930, miroirs, appliques, aujourd'hui terriblement rétro. Orchestre français, musique américaine... Constantinople... « Tea for two »... des slows, des blues... Il devait y avoir beaucoup de monde, mais comment pourrais-je m'en souvenir, nous n'étions que deux!...

Nous dansons si subtilement accordés que Jean me murmure :

– Tu vois, la danse c'est comme l'amour, c'est mieux quand il y a eu une première fois.

Sa main à la paume solide, aux ongles courts et soignés, se referme sur la mienne, chaude, convaincante :

– Tu me plais bien, tu sais...

Je reste silencieuse, contre ma joue la sienne est devenue un peu rugueuse. Comme la nuit avance!... La plainte du saxo en solo, c'était la grande époque du saxophone, se fait envoûtante, se taire... glisser toujours...

– Et toi? insiste Jean.

L'interrogation m'offre un refuge dont j'use :

– Moi?

Ce n'est pas facile de demander « Je te plais? ». Alors il bifurque :

– Oui, toi, le monsieur du Havre, tu le vois toujours?

Qu'il ne l'ait pas oublié est un sentiment agréable.

– André? Non, il y a longtemps que c'est fini...

– Alors, nous sommes libres!

Libres, le mot sésame qui nous ouvre la permission de s'aimer. De sa liberté toute neuve Jean me parle à cœur ouvert mais, à mots discrets, il évoque son divorce et les raisons de sa séparation avec une grande pudeur et beaucoup de gentillesse. Une attitude que j'apprécie, qui me le rend plus proche.

Et nous continuons à voguer sur la piste. Aucune fatigue ne m'envahit, je ne sens pas passer la nuit, elle est immatérielle...

Lorsque nous sortons du « Florence », le jour se lève, un jour rose et léger de juin. Dans Paris vide naissent les bruits des matins laborieux, passe la voiture du laitier tirée par deux solides percherons, un camion de la SITA fait le porte à porte des poubelles... un ouvrier en casquette sifflote...

Nous passons par le bois, il est désert, pas une voiture. Même pas, au détour d'une allée, un sportif coudes au corps. On y respire un air de campagne, une fraîcheur de forêt au matin, le feuillage est peuplé d'oiseaux, très loin la voix sourde de la ville...

Notre première nuit se terminait par ce matin de printemps...

C'est séduisant un homme que l'on séduit, j'étais conquise... et j'ai hâte de le retrouver. Comme une frénésie, tout ce temps perdu il nous fallait le rattraper. Nous en avions tellement peu devant nous! mais cela nous l'ignorions.

— Mique — je ne suis plus que très rarement la môme —, j'ai une surprise pour toi! Prépare-toi, à la fin de la semaine nous partons en week-end à Auron. Un petit village au-dessus de Nice. L'hiver on peut y faire du ski, mais en cette saison nous n'y rencontrerons pas grand monde...

Le sacro-saint week-end dont nous subissons maintenant l'obligation n'existait pas, aussi la proposition de Jean, des plus agréables, avait quelque chose de pas ordinaire. Qui n'a rêvé de partir sans autre raison que celle d'être ensemble ailleurs?...

J'ai l'impression ce samedi-là, de me réveiller au bout du monde. Jean sifflote, va et vient, fait toutes sortes de projets pour la journée, moi je le regarde et je pense que lorsque le bonheur a ce visage-là, il mérite de n'être pas éphémère...

— A quoi penses-tu?

— Jean, quoi qu'il nous arrive, je voudrais conserver ton amitié, ta tendresse...

— C'est tout?...

Il y a de la moquerie dans sa voix, une moquerie gentille, mais qui m'agace un peu. Il est possible que d'autres femmes lui aient dit la même chose, mais moi c'est la première fois que j'ai cette envie, ce besoin d'une certaine forme de durée... A-t-il senti que je me rétractais, m'éloignais de lui? Il vient s'asseoir sur le bord du lit.

– Mique... L'avenir... occupons-nous avant tout de celui d'aujourd'hui, parce que l'autre... (Sa main happe un journal qui traîne.) Tu vois, il ne donne pas envie de chanter!... Ils se préparent à nous refaire le coup de la fleur au fusil... le départ pour le casse-pipe n'est peut-être pas si loin que ça!...

La guerre, qu'on ne m'en parle pas, je ne veux pas y croire. Nous étions quelques millions de Français à jouer les autruches.

– Les journaux dramatisent, ça fait dix-neuf ans que j'entends papa nous prédire la guerre!

– Peut-être était-il en avance de dix-neuf ans. Mais tu sais, ma chérie... elle pourrait bien être en marche. C'est au pas de l'oie qu'elle avance, et en un an elle risque d'avoir fait un sacré bout du chemin!

Il allume une cigarette, et comme si cela allait de soi il conclut :

– Moi, je ne peux pas oublier que je suis mataf et si la Royale[1] me fait signe...

Je m'inquiète :

– Qu'est-ce que tu veux dire? Que tu partirais? Ce n'est pas possible, pas toi!

– Et pourquoi pas moi? Parce que je fais du cinéma? Les acteurs ont aussi des devoirs. Tu ne me vois pas demandant des passe-droits, ce n'est pas mon genre. Les premiers maîtres on n'en a jamais de trop dans la marine, et j'ai le bon âge pour embarquer...

Comme les hommes, parfois, réussissent à vous gâcher le soleil! Il s'en aperçoit.

– Ne fais pas cette tête-là, Mique. On a encore le temps... viens...

1. Nom donné à la Marine Française sous la royauté et qu'elle a conservé.

Le temps! il passe vite, trop. Les prises de vues des « Musiciens du Ciel » se sont terminées dans une ambiance joyeuse, tous font des projets. La France entière est en vacances et nous partons, Jean et moi, deux jours à Deauville. Bien que le rush des voitures ne puisse en rien être comparé à celui d'aujourd'hui, il y a beaucoup de monde sur les routes. Les congés payés rendent insouciant, passé le mois d'août il sera bien temps de s'inquiéter! D'ailleurs les guerres ne se déclarent que l'été et dans un mois c'est la rentrée, alors!... Il y a bien quelques pessimistes invétérés qui assurent : « Nous dansons sur un volcan! » Possible, mais les danseurs ne manquent pas... D'autres prophétisent, regardant le ciel d'été : « Quand Mars est rouge, la guerre n'est pas loin! », mais qui écouterait ces sornettes de vieilles paysannes?

Jean ne me parle plus de rien, et c'est sans souci que nous vivons notre dernier week-end avant le tournage de « Remorques ».

Brest est une ville de pierres et d'ardoises mouillées. Comme Le Havre, elle vit de la mer, elle n'existe que pour elle. Mais davantage qu'un port marchand, c'est un port de guerre. Ce mois d'août 1939, Brest est grouillante de cols bleus et de pompons rouges. Sans doute parce qu'elle conserve ici une gaieté d'image d'Epinal, l'évocation de la guerre ne m'inquiète pas. Je ne parviens pas à trouver sinistres ces bâtiments, gros comme des jouets, hérissés de tourelles et de canons qui, comme le dit Jean « font mouvement » dans la rade. Il les connaît tous par leur nom qui célèbre des vertus guerrières : L' « Intrépide », l' « Invincible », ou rappellent de grands militaires : « Foch », « Jean-Bart », « Surcouf »... Quand Jean les regarde il rêve. « Bourlinguer dessus », il paraît que ça ne s'oublie pas, que ça laisse une nostalgie. Et les escales, et les bordées... La vraie vie, quoi! Hommes de mer tous deux, Grémillon et lui parlent d'elle avec des mots d'amants. J'ai le sentiment dans ces moments-là que toutes les femmes ne sont plus pour eux que des épouses.

Mon amour pour la mer est moins passionnel mais réel, et je supporte parfaitement les conditions assez dures du tournage. Presque constamment nous sommes en mer, à bord du remorqueur, dont Jean Laurent dans le film, est le capitaine.

Joyeux, la cigarette au coin des lèvres, Jean, l'œil plus bleu que jamais, me déclare quand nous croisons en vue des côtes : « Tu sais, toi, comme moussaillon, tu n'es pas mal! » Il est heureux, court dans les coursives, grimpe aux échelles, comme si le bateau était à lui, je suis persuadée qu'essuyer « un coup de tabac » ne lui déplairait pas. Ce bonheur lui sera refusé et c'est en studio que nous essuierons des tempêtes reconstituées. En attendant, entre deux prises de vues à bord, nous tournons sur la grève. Je n'ai pas oublié la très belle scène où Jean Laurent ramasse une étoile de mer et me la donne. Chargée d'amour elle restera le symbole de notre passion, et lorsque je partirai le laissant à sa femme – Madeleine Renaud – je remettrai à Ledoux la petite étoile morte pour qu'il la lui donne.

Nous marchons sur le sable mouillé. Jean, casquette de marin, caban bleu marine, se découpe sur le ciel et la mer. Je lève la tête vers lui, tenant la petite étoile entre mes doigts. Je murmure : « Un canot m'a apportée, un canot me remportera... »

– C'est parfait Michèle, c'est excellent! me crie Grémillon.

Est-il plus facile d'interpréter l'amour quand on est amoureuse? Peut-être est-ce très personnel, pour moi cela me gêne plutôt. Je puis aisément exprimer, sans retenue, des sentiments passionnés que je n'éprouve pas, mais je redoute d'afficher les miens. Que publiquement fiction et réalité se confondent m'embarrasse, un peu comme si j'ouvrais la porte de ma chambre à coucher. C'est un point suffisamment important dans la vie d'une comédienne pour que j'y revienne et je le ferai, d'autant plus qu'une situation identique se représentera pour moi avec une grande acuité.

Nous travaillons à une cadence très rapide, laquelle s'accroît encore lorsque le 23 août les deux Jean, Gabin et Grémillon, consternés, commentent les articles des journaux annonçant la signature du pacte de non-agression germano-soviétique. J'avoue ne pas en avoir saisi toute la portée. Je m'y refusais, trouvant que « ce serait trop bête! » Ridicule petite phrase que nous étions à cette époque nombreux à prononcer.

Si ce sont les derniers beaux jours alors je veux les vivre égoïstement, pleinement, nos heures de liberté, nos soirées, nos jours – rares – nous les passons, Jean et moi, en tête à tête; à nous promener dans Brest, découvrant dans le secret d'une rue un vieil hôtel que devait habiter quelque lieutenant du Roi du temps de la chasse en mer, à parcourir la campagne, nous arrêtant dans une auberge discrète, cela existait même en plein mois d'août, ou allongés sur le sable d'une plage, nous paressons comme s'il n'y avait pas de film, pas de rumeur de guerre, rien que nous, un couple comme un autre...

Septembre est vite là et avec lui la guerre. Nous sommes sur le pont de notre remorqueur, tous penchés sur les titres des journaux. Ils tiennent toute la page : « La guerre est déclarée. » Notre matériel, devenu inutile, traîne sur le pont, câbles mêlés aux cordages.

Il y a environ neuf mois j'étais à Berlin dans les studios de la U.F.A. Nous donnions, pour fêter la fin du film, un verre d'adieux à la cantine; artistes, techniciens, personnel de plateau mêlés. Je ne sais pourquoi cette réunion m'avait paru grave, malgré les plaisanteries d'usage, les verres entrechoqués et quelques rires qui sonnaient faux. Les Allemands, dans leur majorité des hommes qui avaient dépassé la quarantaine, me semblaient mal à l'aise; il flottait dans l'air une certaine gêne dont je ne définissais pas la cause. C'est dans cette atmosphère bizarre que tout se déclenche :

la première poignée de main d'adieu entre un Allemand et un Français, tous deux à cheveux gris, fait passer comme un courant dans l'assemblée jusque-là réservée... Fraternels, tous se serrent la main, se tapent dans le dos, se promettent de se revoir, s'embrassent même. Mais ce qui aujourd'hui s'impose à moi, en surimpression, c'est le regard chargé de messages de ces Allemands, une sorte d'appel angoissé, qu'essayaient-ils de nous faire comprendre? Que représentions-nous pour eux? La liberté! On me dira plus tard que c'étaient des hommes de gauche. Et maintenant, à cet instant, sont-ils déjà casqués, bottés, le fusil en main?

Sinistres, les sirènes, celles de la ville, celles des bateaux dans la rade, éclatent dans le ciel. Ce premier essai d'alerte répercuté à l'infini est angoissant. Le soir même nous quittons Brest où déjà sont placardées les affiches annonçant la « Mobilisation générale ».

A Paris, Eliacheff décide de poursuivre le tournage du film. Chaque jour, au studio, des hommes manquent. « Des spécialistes, rappelés individuellement », m'explique Jean. Bientôt il n'y a plus dans le studio que des hommes à cheveux blancs ou des gamins. Ce visage de la guerre me surprend... Vont-ils tous partir? Pour aller où? Il n'y a pas de front, les frontières en tiennent lieu, des trains entiers partent vers elles.

Je n'ose pas demander à Jean : « Et toi quand pars-tu? » Il m'a expliqué une histoire compliquée de fascicule dont la couleur ne l'oblige pas à être parmi les premiers.

Comme tout est devenu précaire, cette vie en « sursis » me met mal à l'aise. En pénétrant sur le plateau j'éprouve un sentiment nouveau : pour la première fois le décor ne fait pas vrai, il ne correspond plus à une réalité. L'actuelle a tout fait basculer. Autour de moi on s'arrache les journaux, on commente les communiqués sibyllins et rassurants entendus à la T.S.F. où toute publicité est interdite.

Grémillon nerveux interroge :

– Mais enfin, où est Jean? Sait-il qu'il tourne ce matin?

– Oui, monsieur, répond l'assistant, il est sur la feuille de service.

– Et Micheline où est-elle? Elle a des nouvelles?

– Je suis là. M'sieur Gabin m'a rien dit, y va pas tarder à arriver.

Grémillon me cherche des yeux, ma présence le rassure comme si elle garantissait celle de Jean.

– Ah! bon, Michèle, vous êtes là...

– On va régler les lumières. Allons-y...

Quand les spots s'allument Gabin apparaît. Il est en bleu marine :

– Ça ne raccorde pas, monsieur Gabin, ce n'est pas le caban. Dans ce décor vous êtes en veston, dit la script. Ah! Pardon! Je n'avais pas vu...

Jean est en uniforme de premier maître de la marine, casquette et galon plat sur la manche : étrangement on le croirait prêt à tourner... on l'a si souvent vu en uniforme.

Notre étonnement l'amuse.

– Eh oui, comme les copains! Je suis venu vous dire au revoir.

Nous nous quittons là, sur le plateau, devant tout le monde : « Ça vaut mieux, me murmure Jean. Souris-moi »...

J'ai la gorge serrée.

– On arrête, coupez! crie Grémillon.

Les lumières s'éteignent. Il prend Jean par le bras.

– Viens boire un verre.

Avec Micheline nous les regardons s'éloigner.

– Tu vois, les hommes, c'est comme ça, quand y partent pour la guerre, y vont boire un coup et nous, on reste là, comme des connes.

Que c'est court une romance et que c'est triste lorsqu'elle se termine par « s'en-va-t'en guerre... ne sais quand reviendra... »

8

LA FIN D'UNE ROMANCE

De Jean je reçois des cartes laconiques venant de « quelque part en France », de « quelque part en mer ». Je ne possède qu'un numéro de secteur postal et comme la majorité des Françaises j'écris en F.M. Tout cela est plutôt démoralisant.

Il ne se passe rien. La ligne Maginot tient bon, elle n'a même pas à combattre et l'armée, comme l'arrière, s'installent dans l'attente. Maurice Chevalier chante : « Et tout ça fera d'excellents Français, d'excellents soldats. » « La Madelon » est remise en vogue. Les Anglais se promettent d'aller faire sécher leur linge sur la ligne Siegfried! on danse le « Lambeth walk » et le bleu R.A.F. est à la mode. Paris n'a pas changé même si les lumières de la ville clignotent en bleu la nuit. Tout cela pourrait paraître apaisant, si l'immobilité, à notre regard, des troupes allemandes n'était aussi rassurante que celle du tigre avant de bondir.

Au fond d'elle-même la France n'a pas confiance, elle redoute que cette « drôle de guerre » change de visage. Discrètement on loue des villas, des maisons, sur la Loire... – heureuse inspiration! ou sur la côte Atlantique. Si ça ne sert pas pour une catastrophe, ça servira pour les vacances! Sur les conseils de maman j'achète une petite maison dans les pins à La Baule. « En cas de coup dur on aura un refuge », dit papa, dont le pessimisme politique tourne à la prescience, il affirme : « Ça sera pour le printemps! » Seulement pour lui la Loire reste ligne de repli, au-delà c'est la sécurité complète.

La sécurité, un sentiment qui nous fait défaut, j'ai la curieuse impression de vivre une vie au jour le jour, par touches minuscules, un peu comme si je la brodais à l'envers sans connaître le motif de l'endroit.

Je fais de petits projets, faute de pouvoir en faire de grands. Jean adore que je porte des tailleurs, j'en commanderai un, en prince-de-galles, chez Barclay, croisé, jupe porte-feuille, ou droit jupe à gros plis?

J'ai déménagé de la rue Raynouard à la rue Saint-Dominique, l'appartement est plus grand, je l'ai décoré moi-même, meubles Directoire blonds et satinés, tapisserie vert amande, salle de bains rose. Il me plaît tout en y éprouvant une impression inconfortable de provisoire. J'y rentre le soir comme on regagne une chambre d'hôtel.

On tourne peu, l'activité des studios est des plus réduites. Le goût du jour se porte vers la famille française exemplaire, gardienne des vertus sûres et guerrières – cela s'impose! – allié à un chauvinisme des plus opportuns. Est-ce là que Julien Duvivier puise son idée de film à sketches : « Untel Père et Fils », une sorte de fresque, l'histoire d'une famille de la bourgeoisie moyenne à travers les trois guerres 70, 14-18 et 39?...

Tourné au début de 1940 ce film connaîtra quelques tribulations. Les Allemands l'interdiront. Sous le titre de « Hearts of France », il sera projeté aux U.S.A. avec un commentaire de Charles Boyer. Il ne sortira en France qu'en 1945. Il paraîtra alors démodé et attendrissant dans sa conception un peu puérile et dépassée de la guerre de 1939.

– J'ai pensé à vous, me dit Duvivier, pour un rôle très différent de tous ceux que vous avez eus. Rien de dramatique, un personnage léger, drôle. Je suis persuadé que ce sera une révélation! (C'est toujours agréable à entendre.) Vous avez vingt ans en 14-18 et quarante-cinq maintenant, une véritable composition!

Dans l'enthousiasme j'accepte. Quelle est la jeune première dramatique qui ne rêve de jouer la comédie, la tragédienne le vaudeville et le comique la plus mélo des histoires sombres? Cependant j'ai eu l'occasion de revoir le film et j'ai regretté que l'on m'ait demandé aussi rarement – « Les Grandes Manœuvres », « Benjamin » et encore! – d'interpréter des rôles légers. Je ne sais plus qui, un jour, m'a dit : « Vos yeux sont si beaux quand ils pleurent! » Une phrase à oublier si elle n'avait reflété l'optique des producteurs. Alors, invariablement dans chaque film, j'ai pleuré, souffert, et quand on ne pouvait plus faire autrement, je suis morte!

Après « Untel Père et Fils » je n'ai rien en vue. « Et si tu allais en Amérique? » me propose Denise Tual en dînant.

– N'aie pas l'air étonnée, tu as signé avec R.K.O. pour trois films. C'est peut-être le moment. Ils m'ont proposé, ce matin, un rôle pour toi. Es-tu d'accord pour partir?

– Tout de suite?

– Oui.

– Le contrat m'accorde un délai d'un an... j'ai bien le temps... je préfère attendre un peu, ne pas quitter Paris maintenant.

Elle sourit :

– Je comprends.

Je ne le crois pas. Elle pense : Jean. C'est vrai, il me manque. Si je pars, entre nous, tout risque de s'arrêter là. Si je reste, qu'il revienne, peut-être ferons-nous un plus long bout de chemin ensemble. Je veux le tenter et puis il n'y a pas que lui, je n'abandonnerai pas ma famille en ce moment.

C'est cette période que le hasard choisit pour me remettre plus étroitement en rapport avec Nicole Ferrier, pendant quelques jours elle loge même chez moi.

Le soir, les volets sont obturés, les doubles rideaux tirés. Tout rai de lumière est interprété comme message aux espions et suscite les coups de sifflet impératifs du chef d'îlot de la Défense Passive, car si on n'a pas ressorti la fameuse affiche de 14, « Méfiez-vous, taisez-vous, des oreilles ennemies vous écoutent! » les murs, dans les lieux publics, postes, mairies, gares, sont couverts d'une iconographie de mise en garde du même genre. A l'abri donc, nous bavardons.

Si, moi, je lui parle à peine de Jean, elle me parle beaucoup de son oncle Jean Gabin. Deux personnages bien distincts qui ne parviennent pas en surimpression à n'en former qu'un seul! Son oncle très à cheval sur quelques principes moraux essentiels, c'est le Jean qui deviendra le pater familias, le gentleman farmer, encore qu'il préférât le titre de paysan, de la ferme normande. Le mien, mais est-ce le mien? c'est un homme sentimental comme un bouquet de violettes, gai et tendre. Nous ne parlons pas du même homme mais nous en parlons souvent.

Il y a d'ailleurs des aspects de Jean que je ne connaîtrai jamais, comme pour Raimu, j'avais été prévenue : « Méfie-toi, la patience n'est pas son fort. Personne ne s'y attend et c'est le coup de gueule violent, imprévisible. » Plus tard, on me le décrira toujours bougon, taciturne. C'est possible. Plus jeune, il était facilement bourru, tout d'une pièce, entier dans ses jugements, ses amitiés. Il est vrai qu'il ne supportait pas les casse-pieds ou les imbéciles, et l'œil goguenard, la parole brève, il les rabrouait sans grand ménagement. Je crois que les journalistes l'agaçaient. Quant aux curieux venus au studio « pour voir », ils l'énervaient particulièrement : « Je suis là pour faire mon métier, s'ils veulent voir ma gueule ils n'ont qu'à aller au cinéma! Ils n'oseraient pas emmerder le chef à ses fourneaux, qu'ils me laissent faire ma cuisine tranquille!

Est-ce ce soir-là que Nicole, sur ma demande, répond au téléphone? Elle repose l'écouteur sur ma table de chevet.

– C'est pour toi!

Ce ne pouvait être que lui.

– Mique, je suis en permission. Grémillon l'a demandée et obtenue pour que je puisse terminer « Remorques »[1], j'en ai pour un moment...

Un moment dont j'attends beaucoup. Je m'en suis fait, malgré moi, une certaine idée, et tout reprend, le film et nos soirées.

Je retrouve les décors de « Remorques », la chambre de Brest d'où je partirai pour ne plus revenir, la villa vide où nous nous aimerons, le poste de pilotage derrière la vitre duquel je le regarderai pour le première fois – une admirable photo : les cheveux mouillés, les gouttes de pluie comme des larmes... vue et revue cent fois. Tout recommence n'est-ce pas? Il n'y a pas eu de coupure, le présent en se ressoudant au passé proche va effacer ce temps morne où j'ai attendu. Quoi? Dans ce climat bizarre qui annonce la débâcle, les choses semblent différentes. Jamais nous ne sommes autant sortis que durant ces mois qui ont précédé juin 40. Une frénésie de bonheur, comme s'il pouvait s'emmagasiner, se mettre en réserve. J'en garde un souvenir d'images saccadées de film qui se déroule à un rythme tellement accéléré que l'on pense : « Ce n'est pas possible, il va casser! »

C'est dans cette curieuse atmosphère à la fois tendre et inconsciente que Grémillon termine son film : « Ça y est, les enfants, il est en boîte! » Ce que nous ignorons c'est qu'il n'est pas près d'en sortir.

Dans ce tourbillon comment faire le point entre Jean et moi? Le seul succès de la guerre, c'est la marine française qui nous l'offre : Narvik. Jean ne dit rien

1. Le film a été projeté en 1941 en pleine occupation après avoir eu des difficultés avec la censure allemande.

mais je suis persuadée qu'il aurait voulu y être : « Les Marsouins[1] ils les ont eus les Fridolins[2]. Tu sais où c'est Narvik? Là-haut – il me montre un point très haut en Norvège, sur la carte que tous les Français ont épinglée à leur mur, même moi – c'est là dans ce fjord que les Anglais le 10 octobre et le 13 avril leur ont coulé dix torpilleurs, et nous, avec eux, on les a foutus à la baille et on a repris la ville... »

Partie ainsi une conversation dérive difficilement vers l'amour... Insensiblement, j'acquiers la certitude qu'entre nous il n'y a pas d'avenir, que les choses vont se défaire comme elles se sont faites, un soir! Notre rencontre a perpétuellement été placée sous le signe de la séparation, des absences de plusieurs mois. Combien de temps avons-nous eu à nous? Quatre mois morcelés! Et, il m'arrive de penser que si nous étions un peu plus ouverts l'un et l'autre nous trouverions sans doute les mots qui unissent...

– Mique! Tu connais la nouvelle! Ces salauds viennent d'envahir la Belgique.

Ce n'est plus le moment de rêver mais peut-être celui de se rapprocher.

Très vite, les premiers réfugiés belges arrivent, préfigurant l'exode. Que c'est petit la France quand l'envahisseur marche dessus, que roulent les Panzerdivisions!

– Ecoute, me conseille Jean, pourquoi rester ici? Va attendre les événements dans ta villa de La Baule. Embarque ta famille, elle sera à l'abri et toi aussi...

Il a raison. Un peu malgré moi, je suis devenue le chef de famille et je dois en effet les mettre à l'abri.

J'ai envie de lui dire : « Et toi? Que vas-tu faire

1. Nom donné familièrement aux compagnies de débarquement de la marine.
2. Les Allemands.

Partons ensemble. » C'est à lui de proposer, pas à moi. Je me tais. Lui aussi. Assez pauvrement il tente un début d'explication :

– Tu comprends, moi je ne suis pas démobilisé, il faut que je me tienne à la disposition des autorités militaires, ce qui m'oblige à rester ici, et puis j'ai aussi quelques affaires à régler.

Il ne m'en dit pas davantage, mais j'ai compris. Il n'est qu'en instance de divorce, il ne peut pas abandonner sa femme; dont il doit également assurer la protection.

Peut-être y a-t-il des cas où la guerre favorise l'amour, mais ce n'est pas le nôtre. Elle nous sépare et ce n'était pas le moment : ce tournant que tous les couples connaissent, nous allons mal le négocier. Il nous faudrait un peu de temps, de solitude, prendre conscience de ce que nous sommes l'un pour l'autre, pour transformer un coup de passion en amour.

Les blindés allemands grignotent le nord de la carte de France et je me prépare à partir, tout est prêt, je téléphone à Jean : « Tu comprends, je vais les mettre à l'abri, ensuite je reviendrai. » Il me fait mille recommandations pour le voyage, il parle beaucoup et j'attends qu'au détour d'une phrase il me dise : « Et puis, il vaut mieux que je vienne avec toi! Attends-moi, j'arrive! » Nous n'en avons jamais parlé, mais peut-être a-t-il attendu que je le lui demande. Il respectait trop ma liberté. Nous ne nous disons pas au revoir, mais « à bientôt »! Ses derniers mots : « Mique, fais bien attention à toi! » retiennent une fraction de seconde le geste de ma main qui va raccrocher. Cette phrase était-elle chargée d'un autre message? Je ne le saurai jamais car j'achève mon geste. Une nouvelle fois des événements extérieurs à notre volonté nous séparent. Quand le reverrai-je? et le reverrai-je? La guerre est là, imprévisible, cruelle...

La villa meublée louée à La Baule manque de beaucoup de choses. La première nuit est pénible, les murs ruissellent d'humidité; dérangées dans leur solitude, les souris, qui n'ont pas eu de compagnie depuis longtemps, courent sur le lit de mémé Roussel.

Dès le lendemain toutes les femmes se mettent à l'ouvrage et elles sont nombreuses! Ma mère, mes grand-mères, ma sœur rangent, nettoient, installent. Réflexe de la guerre de 14, maman entasse les provisions. C'est ça qui doit faire plaisir aux petites souris!

Nous sommes là pour combien de temps? Je renonce à remonter sur Paris, l'exode déferle, mes oncles et tantes, cousins, cousines sont arrivés, Tanine m'a rejointe, d'autres amis, la maison est pleine, on enjambe les matelas.

Les récits des routes de l'exode sont affreux, colonnes de réfugiés mitraillées, bombardées... La France glisse sur elle-même... et nous avec. « C'est sur la Loire que l'on résistera, que le front se reformera, qu'on les stoppera! » La panique s'étend comme une tache d'huile, elle m'atteint, et comme les autres je perds la tête. Il faut passer la Loire! Une voiture pour dix, pas d'essence! Il faut trouver quelque chose. Et je le trouve! Je vais acheter cinq de ces petites voitures à pédales, qu'on louait l'été dernier sur la plage pour rouler sur le sable mouillé...

Dans mon élan, j'en parle à ma mère : « Ma pauvre petite, jamais tes grand-mères ne pourront pédaler! » Le comique de la situation m'apparaît, cinq petites voitures à pédales fuyant à toutes jambes devant les blindés allemands, une vraie scène de comédie.

Nous partons quand même, passons la Loire et débarquons avec baluchons, couvertures, valises et parapluies à Saint-Brévin juste pour entendre les sirènes déchirer l'air. Très bas, en rase-mottes, passent les Messerschmitt aux sinistres croix noires. Aplatie le nez dans la poussière toute la famille Roussel attend que ça passe!...

Une maisonnette, presque une masure abandonnée nous offre son abri, plutôt dérisoire. Abrutis, hébétés de fatigue, nous nous écroulons!

Au matin le soleil se lève dans toute sa gloire! Jamais

l'été n'a été plus beau. J'ouvre la fenêtre, la petite rue est tranquille. Une main tire un volet, le claque; comme si elles répondaient à un appel, d'autres mains apparaissent, ferment les volets, toute la rue clôt ses paupières. Je reste là, sans comprendre, tout est si calme, si paisible...

– Hé toi, là-haut, me crie une voix d'homme, ferme tes volets. Tu ne vois pas qu'« ils » arrivent!

J'obéis précipitamment mais je reste aux aguets derrière les persiennes closes. A travers la fente, je n'aperçois plus qu'un morceau de rue désert, blanc de soleil. Dans le silence naît le bruit d'une motocyclette; sur la machine, un homme dont je ne vois que le casque rond, surmontant une sorte de vaste imperméable informe d'un vert terne, alors que je m'attends à un géant blond et féroce.

Passent d'autres motos, une curieuse petite voiture carrée, puis le silence renaît provisoirement.

Un étrange sentiment m'envahit, celui de l'humiliation!... Des millions de Français vont le partager avec moi.

C'est ce jour-là que, silencieux, groupés devant la T.S.F., nous entendons la voix usée du maréchal Pétain nous annoncer à la fois l'armistice et le don à la France de sa personne!

A la « Marseillaise » la plus sinistre et la plus mal venue de notre histoire succède un silence qui nous serre la gorge.

Papa se lève et d'une voix posée laisse tomber son verdict :

– Quand on est le Vainqueur de Verdun on n'a pas le droit...

Il répète : « pas le droit... » et des larmes coulent sur son visage, se perdent dans sa moustache.

C'est fini. Le lendemain nous sommes de retour à La Baule.

9

VERS LA TERRE PROMISE

– Michèle, n'aimerais-tu pas partir pour Hollywood?

Autant demander à un paralytique s'il a envie de marcher par un beau matin d'automne comme celui-ci? En un temps éclair mon esprit fait le tour de la question; laissant de côté la magie du mot Hollywood, il s'attarde sur la réalité d'un départ. Pas brillante, la réalité : la France coupée en deux, mes parents de l'autre côté, à La Baule, en zone occupée, moi ici, à Cannes. Appelée par un télégramme de Marc Allégret concernant un projet de film, j'y suis depuis trois semaines. Seulement, passer la zone c'est facile, traverser l'Atlantique prend un air de grand départ inquiétant.

Que la pensée va vite!... Je lève les yeux vers Denise, elle termine à peine sa phrase, songeuse elle m'examine, je lui livre le résultat de ma réflexion :

– Ce n'est pas le moment.

– Tu fais erreur, il n'y en aura jamais de meilleur et de plus opportun... Les Américains m'ont demandé si tu étais disposée à honorer ton contrat. Actuellement tu peux encore partir. Demain, tout risque d'être différent : les Allemands s'organisent, à Paris ils ont rouvert les studios, ce seront eux les nouveaux producteurs. Ils vont essayer de faire venir le plus grand nombre d'artistes, de metteurs en scène. Déjà certains passent la ligne : ils veulent voir. N'oublie pas que tu as travaillé pour la U.F.A. avant la guerre, ils vont sûrement essayer de te reprendre.

En ce qui les concerne ma décision est immédiate :

– Les choses sont différentes maintenant. Je ne tournerai pas pour les occupants.

– Parfait, réfléchis bien, refuser leurs offres sera certainement une position très inconfortable. En plus, dis-toi que tu resteras sans travail, peut-être longtemps.

– J'en trouverai en zone libre. Marc a un excellent projet, et s'il parvient à monter cette affaire...

Denise secoue la tête négativement.

– Il ne se fera pas beaucoup de films de ce côté. Plus que jamais ce sera Paris le centre. Laboratoires, studios, matériel, tout est là. Tu vas être obligée de faire un choix. Tu as une décision à prendre.

De la terrasse du Grand Hôtel où nous sommes assises, la Croisette sous le soleil fait un peu faux. Un décor paravent derrière lequel on s'abrite à la manière des autruches. Depuis quelques semaines je vis ici en marge de la catastrophe. Nous formons une petite bande de filles et de garçons de mon âge : Michel Auclair, Louis Jourdan, Danielle Darrieux, Micheline Presles. Octobre prolongeant l'été, redevenus insouciants nous vivons au rythme de ces vacances insolites : bains, tennis, balades à vélo, et le soir dans les couloirs de l'hôtel nous faisons des farces de collégiens déchaînés, riant, criant, dansant, nous improvisons des opéras chantant les actes de notre vie. Imaginant « Les Parapluies de Cherbourg » bien avant qu'ils n'existent. Ni de la provocation ni de l'inconscience : un besoin d'effacer, de se laver de la saleté de la défaite, du monde de nos aînés. Le présent nous aidait à oublier notre peur d'être sans lendemain. Et c'était justement de ce lendemain que Denise me parlait, de lui qu'il me fallait décider.

La voix de Micheline Presles me fait sursauter :

– Michèle, tu viens avec nous, on va se baigner?

– Je vous rejoins dans cinq minutes.

C'est pendant ces cinq minutes que brusquement j'ai pris ma décision : partir, d'accord, mais comment?

– Je vais prévenir la R.K.O. Ils organiseront ton voyage.

– Et mon passeport? Et mon visa?

– Tu les obtiendras à la Préfecture et au Consulat américain de Nice.

– Bien, mais je ne partirai pas sans avoir vu mes parents, leur demander ce qu'ils en pensent.

– Ecris-leur.

– Sur une carte interzones? Avec des petites croix pour les réponses! Tu sais, les autorités n'ont pas prévu les départs pour l'Amérique! Je préférerais y aller.

– Et si tu ne pouvais pas repasser la ligne? Fais-leur plutôt parvenir une lettre, par quelqu'un ce n'est pas difficile.

Ce ne l'était pas encore. J'ai donc écrit à mon père, et dans un temps extrêmement court il s'est arrangé pour que j'aie leur réponse : tous deux approuvaient totalement ce départ, s'en réjouissaient, m'assuraient de leur tendresse et, déjà, me souhaitaient bon voyage! Je les imaginais autour de la table, sous la suspension, cherchant à évoquer l'Amérique que j'allais connaître. Si Denise n'avait pas fait le nécessaire, serais-je partie?

« Ils n'attendent pas après toi, ces Américains », me disais-je, ils ont à leur portée les créatures les plus éblouissantes du monde, des talents incomparables, que j'imaginais plus nombreux encore qu'ils ne l'étaient. Les échecs étaient également impressionnants, on ne citait, comme Français ayant réussi, que Claudette Colbert, Charles Boyer et Maurice Chevalier. A plusieurs reprises les camarades m'avaient amicalement – l'était-ce vraiment? – mise en garde : « Tu comprends, dès que les firmes américaines voient apparaître en Europe un jeune talent susceptible de concurrencer leurs artistes, elles sautent dessus contrat en main. Qu'est-ce que ça leur coûte? Quelques dollars! Une fois là-bas, mis en concurrence avec leurs vedettes, connues, aimées de leur public, la lutte est inégale. Le contrat terminé on ne renouvelle pas. Après un départ triomphal, un retour sans éclat, à demi oublié, il doit tout recommencer. Alors, moi, l'Amérique, ils peuvent me faire un pont d'or, je n'irai pas! »

Je ne tarderai pas à me rendre compte que les Américains modifient en effet les comédiennes européennes à leur goût pour faire d'elles des stars « made in USA », mais l'autre partie du raisonnement est fausse : ce n'est pas pour les soustraire au marché international qu'ils les prennent sous contrat. C'est l'ambition de réussir non l'esprit de concurrence qui les anime.

Ces pensées pour inquiétantes qu'elles soient ne ralentissent pas mes préparatifs de départ. Venue pour quelques jours sur la Côte, j'ai laissé mes affaires à La Baule et à Paris, alors je commande chez Heim, sur la Croisette, un manteau de voyage et deux ensembles turquoise et vert amande.

Au fur et à mesure que le jour de mon départ approche j'appréhende ma solitude. Je vais partir pour combien de temps? Et pour cet au revoir personne de ceux que j'aime ne sera là!

Je fais quelques lettres aux amis, à Tanine, Suzanne. Celles-ci savent combien je regrette qu'elles ne soient pas ici. J'imagine leur excitation, leurs questions et recommandations, leurs éclats de rire et leur émotion, toute cette fièvre chaleureuse – dont j'aurais tant besoin – si elles étaient auprès de moi pour préparer ce départ. J'écris également à Micheline Bonnet. Aujourd'hui je dois être honnête avec moi-même, ce jour-là je ne l'étais pas : sans nouvelles de Jean, ne voulant pas lui écrire, je choisis sans me l'avouer l'intermédiaire que lui-même avait employé, et me persuade que c'est en toute innocence, que sous la plume m'est venue cette petite phrase : « Je suis sans nouvelles de Jean, si tu le vois dis-lui au revoir de ma part! »

Je crois, jusqu'à la dernière minute, avoir espéré que quelque chose interviendrait et m'empêcherait de m'en aller. Quitter la France est pratiquement impossible, même les départs pour l'Afrique du Nord sont surveillés, alors? La ténacité de Denise Tual et l'efficacité de la firme américaine surmontent toutes les difficultés, mon programme est établi :

– Tu passeras la frontière espagnole par Port-Vendres. A partir de Barcelone le directeur de la R.K.O. pour l'Europe se joindra à toi, il regagne les Etats-Unis. Vous traverserez alors une partie de l'Espagne et embarquerez au Portugal... New York, puis Hollywood...

Les points de suspension qui suivent sont porteurs de toutes les espérances...

Les dés sont jetés! Mélancoliquement je dépose mes ensembles neufs dans du papier de soie – comme ils auraient été jolis sous le soleil de la Côte! – et m'apprête à fermer ma première valise lorsque sonne le téléphone :

– Michèle, c'est Jean.

Trois simples mots, mais ils signifient : « Si tu as besoin de moi, je suis là. »

– « La grosse » m'a dit que tu partais pour « Olivode ». Tu dois être contente, tu vas la voir la Greta!

Son ton est moqueur. Je ris, un peu déconcertée. Il poursuit :

– T'inquiète pas, t'as raison.

– C'est vrai?

– Ben oui, les Fridolins vont vouloir qu'on tourne pour eux. Ils ont essayé de me contacter à Paris. Alors, je ne suis peut-être pas loin de faire comme toi.

Qu'il m'approuve est si important que j'ai envie de l'embrasser.

– Ecoute, je dois justement descendre sur la Côte...

Son « justement » est très doux, très chaleureux.

– J'ai essayé de te joindre à La Baule mais tes parents m'ont dit que tu étais partie dans le Midi. J'ai eu beaucoup de mal à trouver ton hôtel. Si tu veux, je viens te voir... Quand pars-tu?

– Dans trois jours...

– Eh bien, pour un peu je te loupais, tu te tirais sans crier gare!

Oh! que si, j'avais crié et il le savait bien.

Le lendemain il était à Cannes. Il nous restait deux jours avant le départ. Un temps trop court ou trop long.

Deux jours plus tard, je suis avec lui sur le quai de la gare Saint-Charles, sinistre avec ses verrières peintes en bleu, grouillante, sonore et sale. Sans sa présence, au milieu de cette agitation, ce bruit, je me sentirais perdue. Il émane de lui une force tranquille, apaisante, que peut-il m'arriver quand il est là?

Partir pour Hollywood devrait me rendre joyeuse et je ne parviens pas à l'être. Je ne peux m'empêcher de ressentir ce départ comme une sorte d'exil. Il m'est facile d'imaginer ce qu'il aurait été en temps normal : la famille, les amis, la presse, les photographes, les fleurs, les mains qui s'agitent. Une image classique comme une photo de mariage, et... nous sommes tous les deux, seuls. Il m'a donné des journaux, des bonbons, a vérifié mes valises dans le filet. Maintenant il est sur le quai, tête levée, moi à la fenêtre penchée vers lui, je le regarde, je souris... Une scène de cinéma, mais le dialogue est de nous et nous la jouons la gorge serrée... Personne ne saura que nous avons les larmes aux yeux...

Jean sur ce quai de gare restera, pour longtemps, ma dernière image de la France... et de lui.

Nous nous reverrons, mais ce ne sera plus jamais pareil. C'est ce jour-là que quelque chose s'est terminé. Je n'ai jamais rompu avec Jean, nous nous sommes quittés... Est-ce pour cela que j'ai envie de transcrire ici ce que j'ai écrit sur mon carnet le 15 septembre 76?

« *Lundi matin* au réveil.

« – Madame Morgan, « France-Soir » au téléphone. J'ai une mauvaise nouvelle à vous annoncer : Jean Gabin est mort.

C'est tellement imprévisible que je suis restée muette, sans réaction. La peine, je le savais, ne viendrait qu'ensuite. En même temps je sentais que le journaliste attendait un mot de ma part, une réaction, il la souhaitait dramatique. Seul le silence répondait à son attente. Que peut-on dire dans ce cas-là qui ne soit pas platitudes, banalités?... Il est parti trop tôt, bien trop tôt, il n'a pas eu le temps d'effacer cette petite part de regret qui était en lui, avec laquelle il avait toujours vécu. Cette insatisfaction, cette mélancolie permanente qui l'habitait : ne pas avoir vécu à fond, ressenti totalement la vie. Que lui avait-il manqué? Il avait tout; il adorait sa femme, ses enfants, ses terres... ses films, il a eu quelques amitiés, quelques aventures de jeunesse. En a-t-il ressenti vraiment une sensation de plénitude? une joie véritable?

« Je revois ses belles mains, ses cils blonds soyeux, cette façon qu'il avait de sourire et cette manière de jouer la comédie sans comédie... Je me souviens...

« *Mardi soir.* En hommage à Jean Gabin, on passe : « Quai des Brumes » à la télé, que de souvenirs! Je le revois avec mes yeux d'adulte : je ne savais pas encore grand-chose de mon métier, mais Jean : le ton est impressionnant de justesse, le geste naturel, la voix prenante. Je le regarde et je pense que dans quelques heures rien ne restera de lui, ou si peu...

« Quelques jours sont passés, je suis au lit avec la grippe. Sur le petit écran je viens de regarder la cérémonie en mer. J'ai vu s'éloigner le bateau. Aimait-il la mer au point de se fondre en elle?

« Un marin dispersera les cendres.

« Adieu, Jean. »

En passant la frontière espagnole, j'ai le sentiment désagréable de quitter mon pays pour longtemps, de le quitter un peu comme l'on déserte; peut-être n'aurais-je pas dû écouter le chant de la sirène américaine? Celle qui m'attend ici ne correspond en rien à l'image traditionnelle que l'on s'en fait. Un gentil garçon, brun, l'air espagnol, à l'accent américain. Avec lui, le réseau ferroviaire étant inutilisable, je traverse en voiture une partie de l'Espagne, de la frontière à Barcelone. C'est mon premier contact avec les réalités de la guerre. Sur ces terres rouges, qui par endroits béent comme des plaies, les marques en sont, me semble-t-il, encore plus visibles. Ces ruines amoncelées ces destructions me bouleversent : sur quels cadavres se sont-elles écrasées? Combien de jours faudra-t-il à cette malheureuse Espagne pour se relever? Ce pays était proche du mien et je n'en avais rien vu. J'allais au cours Simon, je devenais une actrice alors qu'ici se préparait le conflit qui allait nous abattre. Cette Espagne, victime du cataclysme, je l'avais méconnue. Quel décalage existait entre moi et le monde!

A Barcelone m'attend M. Nicolson, le compagnon de mon voyage. Je n'ai rien à en dire, bienveillant comme savent l'être les Américains, chaleureux, comme il le doit, à lui, et aux autres. Fleurs et sourires ne me font pas retrouver le mien.

Lisbonne avec ses édifices intacts, le soir ses lumières brillantes, sa vie de temps de paix, m'étonne, pour un peu je serais choquée.

Le bateau sur lequel nous embarquons s'appelle l'« Exhocorda », débordant de gens qui pour tout bagage n'ont que le passé qu'ils fuient, il eut mérité de s'appeler l'« Exodus ». Nous sommes bien loin du voyage cliché de la star!

On dirait que le bateau s'est vidé sur les ponts, avec des yeux qui brûlent nous regardons cette côte qui s'éloigne. Je me sens liée à cette masse de gens, semblable à eux, même si pour moi ce n'est pas tout à fait pareil, moins dramatique, comme eux, je suis une émigrée.

Quand referai-je le chemin dans l'autre sens? Quand reviendrai-je?

Assises sur nos couchettes superposées, nous sommes quatre femmes dans cette étroite cabine, un privilège. Mes compagnes : une Française, deux juives allemandes. Après un temps de silence la parole vient toute seule. Parler de soi, de son passé, c'est une manière de se rattacher à quelque chose, de ne pas se sentir déracinées. L'une d'entre elles résume leur pensée : « Sauver sa peau c'est bien! Mais après il faut vivre. »

Je me retrouve sur le pont ou dans la salle à manger, qui a la gaieté d'un réfectoire, en présence de monsieur Nicolson. « Appelez-moi Harry! » m'a-t-il dit à la première poignée de main. Harry c'est l'Américain type, sourire-ultra-blanc, peau saine et bien rasée, légèrement rondouillard, sa bonne humeur et sa bonne conscience sont immuables. Mon air absent qui donne dans la mélancolie l'étonne. Malgré son séjour en France, où il était en poste, il ne comprend pas pourquoi, du soir au matin, je ne délire pas de bonheur. Il est tellement éloigné de mes soucis que, me parlant de Paris occupé, en me tapotant la main, il me dit : « Too bad. » J'ai trouvé cette oraison funèbre un peu brève.

Elle est longue cette traversée. Pour éviter mines et sous-marins nous n'avons pas suivi la route habituelle, et avons dû pas mal louvoyer. Aussi, lorsque dix jours plus tard, on nous annonce que New York est en vue, c'est la ruée de la foule contre les bastingages. L'excitation du débarquement proche change l'humeur morose du navire, on rit, on pleure. On salue de grands cris la statue de la Liberté, jamais elle ne nous semblera plus symbolique.

New York ce n'est pas Hollywood, n'empêche que,

pour moi, tout va commencer ici dans la suite de mon hôtel. J'y suis passée, sans transition, des tracasseries policières, douanières, du pointilleux et puéril questionnaire de « l'Immigration Office » auquel je dois déclarer avec le plus grand sérieux, que la jeune femme blonde en tailleur turquoise que je suis ne vient pas assassiner le Président des U.S.A.! Sans même avoir eu le temps de m'en rendre compte, les fortes mains d'un photographe rouquin, inondées de taches de rousseur, me juchent sur le sommet de ma malle-cabine entrouverte, tandis qu'une bonne quinzaine de journalistes informés par les services de presse de la R.K.O. de l'arrivée de Michèle Morgan, la vedette de « Port of Shadows »[1] – ils connaissent! – me bombardent de questions dont je ne saisis qu'une partie. L'anglais des cousins de Londres n'a rien à voir avec l'Américain nasillard des journalistes.

– What about your romance with Jean Gabin?

La question m'arrive à bout portant. On est bien informé. Je n'ai pas le temps de répondre, l'œil au viseur, l'homme roux me commande :

– Croisez les jambes!

D'une main autoritaire il repousse ma jupe sur mes cuisses, pour moi à la limite de la décence. Puis apprécie : « O.K. »

– Dites cheese!

Qu'est-ce que le fromage vient faire ici?

Il s'énerve et répète :

– Dites cheese for the smile, pour le sourire!

Subjuguée je lui obéis, il me gratifie d'un second O.K., et s'administre une plaquette de chewing-gum!

Pas possible, je rêve, j'ai vu ça au cinéma! Non, l'Amérique c'est aussi cela, elle est aussi vraie que ses films! Les choses qui sont en plus c'est après qu'on les voit.

Cheese, une petite astuce qu'aujourd'hui tout le

1. Traduction anglaise de « Quai des Brumes » projeté aux U.S.A. Le film y avait recueilli un grand succès et une presse chaleureuse.

monde connaît, mais bien étonnante à qui débarque en 1941. D'ailleurs c'est aux photographes américains et à leurs trucs que je dois de savoir poser. Ils en ont pour tout. Pour mettre en valeur le cou, le buste, les jambes, la bouche « Mouillez vos lèvres! » C'est eux qui l'ont inventé. Il faudrait vraiment être disgraciée de la nature pour qu'ils ne vous transforment pas en pin-up!

Ma première journée, je ne l'oublierai jamais, en seize heures, j'ai vécu le rêve de mes dix ans. Au programme : conférence de presse, cocktail Michèle Morgan, et le soir apothéose, invitation chez Ginger Rogers – nous appartenons toutes les deux à la même compagnie, la R.K.O. – elle donne les « parties » les plus courues du Tout-Hollywood.

Si New York est une ville verticale – ce n'est pas de moi mais de Jean Cocteau – Hollywood est une ville horizontale, couchée au bord de la mer. En fait, ce n'est pas une ville, c'est un quartier, mais quel quartier! Il s'allonge de Los Angeles à Santa Monica. L'air y sent l'ozone et l'orangeraie. Je le respire dès l'aéroport où je fais une arrivée conforme à la tradition des actualités : je descends la passerelle de l'avion avec un grand « cheese », agitant la main en l'air. Surprise! Julien Duvivier est là. J'en suis tout émue, car je le sais d'un caractère plutôt difficile qu'accueillant. Lui et Mr. Brown, le chef des relations publiques de la R.K.O., me protègent des journalistes, les refoulent en leur affirmant : « Miss Morgan donnera une conférence de presse à 5 heures. »

Une épreuve dont la pensée me terrifie. Le chauffeur de la limousine conduit assez lentement, d'Hollywood Boulevard à Sunset Boulevard, pour que Miss Morgan puisse voir...

Une enchantement, la splendeur de ces villas blanches au milieu de leurs jardins bien peignés, débordants de fleurs sur des trottoirs sans passants. Un rêve, je roule dans mon rêve... J'admire et l'exprime sans restrictions. Sinistre, Julien Duvivier tempère mon élan :

– Cela fait cette impression quand on arrive, mais au bout de quelques mois, on croit vivre dans un cimetière.

Plus tard, j'en comprendrai toute la vérité.

Dans le hall de l'hôtel Roosevelt, où je suis descendue, Mr. Brown me donne rendez-vous à 5 heures, pour la conférence de presse : « Very important for you, miss Morgan! » Je n'en doute pas, mais l'idée de me retrouver montrant mes « gambettes » comme Mistinguett, essuyant un feu roulant de questions et bombardant de « cheese » charmeurs les journalistes, me démoralise. Je dois avoir l'air plutôt inquiète. Mâchonnant son cigare – il doit dormir avec – Mr. Brown me rassure à sa façon, et j'entends avec stupéfaction que pour le lancement, ils sont les meilleurs du monde! Je n'ai pas à m'inquiéter, leur Office de publicité dirigé par Boris, un Russe qui parle français, un Européen n'est-ce pas! s'est occupé de moi en profondeur! Il possède un dossier complet me concernant, mes goûts, ma famille si typique – pas possible, ils doivent voir mon père avec un béret basque vissé sur la tête et une baguette de pain sous le bras, classique image du Français! Quant à ma vie, Boris la connaît dans ses moindres détails. Agréable perspective. La conclusion me suffoque au point que je ne peux même plus exploser d'indignation.

– Boris saura mieux exploiter votre vie que vous!

Et ça ne s'arrête pas là. Il m'assure qu'ils savent ce qui est bon pour moi et que mon ange gardien sur la voie du succès sera la propre assistante de Boris, l'omnipotente miss Adele Palmer. Cette très remarquable personne a « pensé » ma personnalité, elle sait comment la présenter au public américain. Cette façon de dire « Soyez belle, on pense pour vous! » me stupéfie.

Une sorte de rage intérieure m'habite, j'ai envie de lui crier : « Je n'ai pas besoin que l'on exploite ma vie, ni que l'on « pense » ma personnalité. Je me refuse a devenir un produit fabriqué. Je veux rester moi. Je plairai comme ça ou je m'en irai!.. » Où? Cette très courte interrogation me dégrise.

C'est dans cet esprit des plus coopératifs que je me prépare à recevoir miss Pygmalion.

Trois heures plus tard, je suis prête à m'accrocher à elle comme un naufragé à sa bouée.

Adele Palmer, des cheveux très blancs, très courts, un visage jeune, un sourire à vous rendre toute joyeuse un soir de cafard – j'aurai à le vérifier – un petit nez retroussé et une débordante activité d'abeille. A peine arrivée, tout en me souhaitant la bienvenue en termes « personnalisés », et ça fait du bien! elle règle ma climatisation, contrôle le fonctionnement de mon distributeur d'eau potable glacée, vérifie si ma Bible fournie par l'hôtel se trouve bien dans le tiroir de ma table de chevet, arrange les fleurs et pour finir me tend un mystérieux petit pot :

– Je vous ai apporté un masque de beauté pour reposer votre visage. S'il vous convient je vous dirai oû l'acheter, je connais toutes les adresses utiles d'Hollywood.

Impossible de lui dire que je ne me sers d'aucun produit, une crème légère la plus naturelle possible pour me protéger des intempéries, un peu de poudre, et surtout jamais de fond de teint à la ville. Mon soin le plus important auquel je m'astreins deux fois par jour quoi qu'il arrive : nettoyer ma peau soigneusement.

Avec l'autorité d'une nurse elle tire les doubles rideaux de mes fenêtres, donne au portier, par téléphone, des instructions draconiennes : « Miss Morgan ne doit être dérangée sous aucun prétexte avant une heure. » Puis tourne vers moi un œil innocent :

– Voilà, il faut vous allonger dans le noir, boire un verre d'eau et faire le vide en vous, and relax, Michele, take it easy! Everything will be all right!

All right, si on veut!

Eh bien, si, lorsque je me relève, l'efficacité d'Adele Palmer m'est devenue indispensable.

C'est dans la voiture, véritable salon roulant, qui nous conduit à la R.K.O., que Miss Palmer m'explique ma personnalité.

– Pour nous Américains, vous êtes « the typical French girl ». Sentimentale mais du tempérament, timide mais pas bécasse, vous aimez le parfum, les hommes intelligents, le vin de Bourgogne et le fromage...

– Encore le fromage!

– Vous l'aimez, n'est-ce pas? C'est très français. (Elle se rassure :) D'ailleurs c'est dans votre dossier!

Professionnel, son regard s'attarde sur moi, me détaille, et je vois se dessiner dans ses yeux l'image que je lui offre, elle est satisfaisante : cheveux sagement coiffés, robe bien coupée, mais « si simple, tellement peu star ». Je dois correspondre au portrait-robot de la petite Française.

– Parfait. Vous êtes comme ils veulent vous voir.

Si le langage répond au plumage je suis sauvée.

– Adele, que vont-« ils » me demander?

– Soyez sans crainte, vous avez l'air si convenable qu'ils n'oseront pas être indiscrets.

– Mais s'« ils » osent?

– Répondez à tout en leur parlant de la Californie. Nous aimons beaucoup qu'on nous aime!

L'épreuve débute curieusement : un véritable démenti à miss Adele.

– Vous n'avez pas l'air d'une Française.

Sérieusement ils en discutent : « Plutôt le type suédois ou norvégien », affirment les uns. « Non, tranchent les autres, germanique, l'ascendance est certaine... » Est-ce que je suis bien sûre que dans mes grands parents...? Mes cousines de Londres ne les satisfont pas et grand-mère wallonne les laisse indifférents.

En tout cas je n'ai pas du tout le canon de la Parisienne défini très rigoureusement par eux, petit nez retroussé, brune, rondelette et agitée...

– Qu'est-ce que vous aimez, miss Morgan?

– Le parfum, les hommes intelligents, le fromage et le vin de... Californie!

C'est gagné! Applaudissements discrets, rires de sympathie accueillent cette importante déclaration.

Je ne suis plus miss Morgan, je suis Michèle! Et miss Palmer est aux anges : les bonnes vieilles recettes bien appliquées c'est toujours payant.

Maintenant qu'il est bien établi que je suis française, mon accent, lui, est sans équivoque, l'œil est devenu coquin, le sourire engageant du genre : « Avec elle on peut oser! » Cette réputation des femmes françaises aux Etats-Unis, qui m'a toujours été désagréable, ne cessera de m'exaspérer durant tout mon séjour.

Michèle!... Michèle!... Les questions partent de tous les côtés; ce que les journalistes attendent de moi ce sont des potins sur ma vie privée, qu'ils appellent « gossips » et leur leitmotiv : Jean Gabin.

Moi aussi j'ai mon idée et j'y tiens, je me suis programmé cette conférence différemment : leur parler de mon pays, de Paris occupé. Il faut qu'ils m'écoutent.

A Hollywood et en général sur la « West Coast » la guerre en Europe paraît très loin. « Tu verras, ma petite fille, quand les Américains s'y mettront!... » me disait papa. Oui mais pour cela il faudrait qu'ils en entendent les échos et pour eux elle est encore à des années-lumière de distance...

10

SUNSET BOULEVARD

A ma première party j'entre de plain-pied dans le Hollywood des trente années qui furent les plus prestigieuses du star system. Il y a soixante-douze heures j'étais en mer sur un bateau d'émigrants qui louvoyait entre les mines, maintenant je descends d'une voiture de la R.K.O pour « faire mon entrée dans le monde », celui qui se presse dans la villa de Ginger Rogers sur une des fabuleuses collines de Beverly Hills. Quel choc!

Je crois marcher dans une superproduction américaine. Tout y est, la villa style néo-mexicain, la nuit de velours bleu étoilé, et dans un coin du parc ratissé, le croissant d'argent de la lune miroite dans la piscine. Les voitures, leur bruit de papier de soie sur le sable, les projecteurs qui transforment un bouquet d'arbres en forêt enchantée... en font une « nuit plus belle que le jour... » cela se chante...

Ginger Rogers a glissé son corps de sirène dans un fourreau de lamé, pour accueillir à l'entrée ses invités. L'affiche est complète, Olivia de Havilland, Orson Welles, Ronald Colman, Mickey Rooney, Ava Gardner, Humphrey Bogart, Clark Gable, Gary Cooper, Tyrone Power... et bien d'autres à découvrir dans les salons. Volontiers je me contenterais de les regarder.

Je suis comblée et m'en irais de bon cœur sur la

pointe des pieds remettant à demain d'entrer dans la réalité. Mon introducteur est Cary Grant : « *Hello! My name is Cary Grant!* » Que croit-il? en France on va au cinéma, et avec mon plus beau sourire je lui réponds : « Michèle Morgan! » Un bon point pour lui, il m'évite le « *You are French!* » qui a ponctué chaque présentation; une sorte de « Comment peut-on être Persan... » Il me tend une main fort belle et m'entraîne à travers une foule qui caquette en américain les mêmes phrases que l'on entend en France dans le même genre d'assemblée. « Mon film est au montage. » « Nous venons de sortir à New York, Dallas, Chicago, une presse excellente. » « Il a eu le toupet de me proposer une " panne ", je lui ai dit : moi... » Quel dommage que je comprenne l'anglais!

– Venez, Michèle (C'est Ginger qui me reprend à Cary Grant) *come with me, I want you to know my mother.*

Elle m'entraîne au sous-sol où se trouve le bar, une des curiosités de sa maison. Un bar véritable, une reconstitution parfaite. Surprise : la maman de Ginger, une jeune femme, une sœur très ressemblante, à peine aînée! se trouve devant un énorme appareil nickelé : les grandes orgues de la crème glacée dont Mrs. Rogers extrait, avec dextérité, des litres de glace à la pistache, vanille, banane, abricot, chocolat... et de chantilly. Un doigt sur son clavier elle s'inquiète gentiment :

– Alors, miss Morgan, vous êtes venue tourner en Amérique? Voulez-vous un milk-shake?

Je ne sais pas comment on pourrait refuser, et j'hérite d'un Himalaya de chocolat-abricot couronné d'un mont Blanc de chantilly. Comme j'ai eu grand-peine à terminer un jambon à l'ananas, « le meilleur de tout le cinéma américain », je chipote cette gigantesque glace sous les yeux identiquement bleus des dames Rogers.

La seconde merveille des lieux après le bar, c'est la salle de bains. Inoubliable chose en marbre rose, baignoire-piscine, à côté, les superproductions ont l'air d'avoir été tournées à l'économie. La pièce sert de cadre à une impressionnante collection de parfums français, un peu comme une chapelle construite autour du maître-autel. Incroyable! Cela va du flacon géant d' « Arpège » de Lanvin à un infiniment petit « N° 5 » de Chanel. Sans oublier « Vol de Nuit » et « Soir de Paris ». Du magnum à la bouteille échantillon... Toutes les gammes de l'ambre le plus chaud au plus léger miroitent dans la douceur des éclairages indirects. « Une collection fort à la mode », me dit-on, c'est à Tijuana, à la frontière du Mexique, que se fait le commerce de ces essences rares.

Les salles de bains jouent un grand rôle dans les « parties », elles remplacent le boudoir des marquises, les femmes s'y recoiffent, font un raccord de maquillage; les voyant se repoudrer j'en fais autant. Derrière moi, dans la glace, une apparition : une femme, très belle, Joan Crawford, vêtue d'une robe longue, un drapé de crêpe blanc digne de Grès[1]. Ses cheveux, ses longs cils noirs, ses yeux bleu marine et surtout sa bouche — dont à dix ans j'ai tant imité le dessin, un peu prématurément — d'un rouge que la blancheur du visage rend plus sombre, en font une apparition mythique. A quoi bon se retourner, elle ne sera jamais aussi fabuleuse que son reflet dans cette glace!

D'ailleurs ce soir c'est leur reflet que j'aime. Je n'ai nulle envie qu'ils aient des préoccupations, des soucis quotidiens, qu'ils soient semblables à moi et aux autres. Comme Alice je visite mon pays des Merveilles, surtout qu'on ne me réveille pas!

Maintenant je traverse la galerie des miroirs mais il n'est pas nécessaire que je passe derrière pour entrer dans d'autres féeries, les portes de glaces s'ouvrent pour moi. Il y a là des centaines de blouses, de chemisiers, de robes, de manteaux, de chaussures, de sacs, des dizaines de manteaux de fourrure, des chemises de nuit, des déshabillés, des régiments de liseuses, des bataillons de mules. Une vie ne suffirait pas à épuiser

1. Couturière de l'époque célèbre pour ses incomparables drapés.

une telle abondance, et si je pense que d'une année à l'autre cette garde-robe se démode, j'ai le vertige, celui que donne la multiplication des grains de blé!...

Est-il bien utile de transformer sa maison en magasin de nouveautés? Ces monstrueux vestiaires correspondaient à une certaine idée de la « star » qui se devait d'être hors proportions. Ces garde-robes fastueuses n'en étaient qu'un des aspects.

Cette maison que je « visitais » un peu comme un lieu historique, celui du cinéma, je l'aurais regardée d'un autre œil si j'avais su quel rôle elle jouerait dans ma vie. La réflexion chère à Jean Cocteau : « Si ces mystères nous dépassent, feignons d'en être les organisateurs » ce soir allait s'appliquer à moi, à cette seule différence que je n'avais nullement l'impression d'organiser quoi que ce soit en répondant aux questions de Ginger. Elle avait vu « Port of Shadows » et voulait en savoir un peu plus sur Jean Gabin.

– Au naturel comment est-il?

– Le naturel de Jean c'est de l'être.

La réponse la fait rire. Elle insiste.

– A-t-il autant de charme qu'à l'écran?

– Mais beaucoup plus, voyons.

Et je trouve toutes sortes de mots pour vanter un homme de chez nous, où le chauvinisme ne se niche-t-il pas? Mais il est vrai que malgré leur beauté pas un seul ce soir n'a le charme de Jean. Peut-être parce qu'ils ne savent pas se pencher vers vous comme le fait un Français!

Ce que je ne dis pas à Ginger, il y a des limites qu'on ne saurait franchir, c'est la curiosité admirative de Jean à son égard. M'avait-il assez agacée avec des propos de ce genre : « Ah Ginger! Elle me plaît cette fille-là, j'aimerais bien la connaître! » Je prends congé de mon hôtesse bien avant que ne se termine sa réception.

Revenue en France, on me demandera souvent, avec clin d'œil à l'appui : « Dites-moi, les soirées, là-bas, vous avez dû en voir de toutes les couleurs? » Navrée, mais je n'ai rien vu qui mérite des récits croustillants, peut-être parce que je les ai toujours quittées bien avant la fin lorsque personne n'avait encore bu! Peut-être aussi prête-t-on beaucoup aux « artistes »...

Il me restait un dernier pas à faire dans mes rêves, le « Chinese Theater » un soir de gala. Voir défiler les stars dans leurs habits de fêtes, sur le tapis rouge, sous le dais qui s'avance sur le trottoir de Sunset Boulevard, quelle vision! et pourquoi me la refuser? Serrée dans la foule des admirateurs, entre une teen-ager et une grand-mère aux cheveux bleutés nimbés d'une voilette pailletée, pressée par une foule où dominaient les jeunes, j'ai regardé passer ceux que j'avais toujours été sûre de rencontrer un jour, mais enfin, ces certitudes-là on est tout de même plus heureuse lorsqu'elles ne sont pas que sensations, qu'elles deviennent réalités.

Ce n'étaient pas eux qui défilaient au milieu de cette double haie de visages souriants, curieux, admiratifs, mais moi... J'anticipais d'une bonne année. Avant d'y parvenir, il ne me restait plus qu'à vivre le quotidien.

Mes premiers pas dans les studios de la R.K.O., que Boris me fait visiter, m'ont laissé une curieuse impression. Bien sûr, je suis écrasée, époustouflée par leur gigantisme et leur perfection – à l'heure actuelle le choc qu'ils vous laissent est toujours aussi important. Comment n'être pas impressionnés, nous qui avons l'habitude de galoper de Billancourt à Epinay, par ces villes usines? Les « sets »[1] de dimensions considérables, les auditoriums, les salle de montage, de projection, les laboratoires, et surtout les « Back-Lots »[2] avec leurs décors permanents : rues de New York, village de westerns, quartier mexicain ou forum romain.

Après l'entrée en guerre de l'Amérique, j'y verrai sou-

1. Plateaux.
2. Terrain vague pris dans l'enceinte des studios sur lequel on édifie d'immenses complexes.

vent d'étonnants villages français pas très ressemblants et pourtant reconnaissables! une sorte de synthèse du folklore européen!

La curieuse impression que je ressens ne me vient pas de cette démesure à laquelle je m'attendais. Je ne m'étonne pas qu'il y ait cafétérias, restaurants pour chaque catégorie, ce qui n'empêche pas les administratifs de prendre leurs repas avec les techniciens ou les machinistes, ni qu'il faille une voiture pour circuler dans les « rues » des studios. Ce sont les relations humaines qui me déconcertent. S'il est vrai dans ce pays vraiment démocratique que le balayeur peut éventuellement saluer le P.D.G. d'un jovial « *Hello Harry!* ou *John!* » les distances n'en restent pas moins infranchissables. Les « *Hello, miss Morgan!* » les « *How are you?* » les mains qui se tendent sont un peu machinales. Cet univers parfaitement conçu pour être efficace, pour produire « les meilleurs films du monde », me glace.

A la limite, j'ai l'impression que je suis transparente pour tous ces gens qui me croisent, que l'on me présente, et auxquels je me sens plutôt présentée. Au-delà de moi il y a leur problème du jour, leur préoccupation du moment, ils n'ont pas le temps, dans l'enceinte du studio, d'être humains! Ils sont payés pour d'autres efficacités. Si un instant je retiens leur intérêt il ne peut qu'être strictement professionnel. Cependant, paradoxe de l'Amérique, ils sont gentils, tous arrêtant de mâcher leur chewing-gum me sourient largement.

Parcourant cette gigantesque usine ou rien n'est à mon échelle, si petitement humaine, j'ai le sentiment de n'être plus, à l'intérieur de cette superbe, de cette parfaite mécanique, qu'un petit rouage auquel on n'a pas encore trouvé sa place. Michèle Morgan : une jeune comédienne française, connue sur le marché européen, moins intéressante depuis qu'il y a la guerre et que l'on ne dispose plus, pour elle, que du marché américain. C'est la première fois que j'ai vraiment l'impression, comme je l'avais sagement pensé, que l'on n'attendait pas après moi!

Au terme de ma visite, Boris, en me baisant la main, il est russe n'est-ce pas! m'abandonne dans l'antre d'un monsieur aussi occupé qu'il est important. Donnant audience derrière son magnifique bureau de bois précieux et de chromes, sur lequel règnent des téléphones en batterie, ce personnage, sorti d'un de ses films, me déclare, paternel et autoritaire :

– Nous allons nous occuper de vous. Un bon script et un bon metteur en scène voilà ce qu'il vous faut.

La justesse originale de ses vues l'emplit d'aise, du premier coup il a mis dans le mille! Il croque une pastille pour l'estomac et avale un gobelet d'eau glacée.

Paralysée, assise sur le bord de mon fauteuil, j'ai l'impression d'être en consultation chez un grand médecin au verdict sans appel. Jovial, dynamique, il m'explique :

– Vous pouvez nous faire confiance. (Comment pourrais-je faire autrement?) Nous saurons utiliser votre physique, votre accent. Pour vous, il faut un sujet bien français.

C'est le langage même de l'efficacité, bienveillante certes, mais totalement étrangère à ce que je puis être ou penser.

J'ose, tout de même, demander :

– Pensez-vous me faire tourner bientôt?

– Certainement (il croque une pastille), certainement... Mais d'abord il est indispensable de susciter de la part du public américain un intérêt pour votre personnalité, lui donner envie de vous voir à l'écran. Pour cela il nous faut une grosse campagne de publicité. (Il avale un verre d'eau, respire.) Il faut aussi améliorer votre anglais...

C'est toujours à la fin qu'on décoche la flèche du Parthe. Il m'explique, se contredisant, que c'est surtout mon accent français qui le gêne. Drôle, charmant – il va même jusqu'à séduisant –, dans une réunion mondaine, dans l'intimité, il rendrait comique n'importe quel rôle même le plus dramatique. Est-ce que je comprends? Fort bien. Popesco peut jouer « Tovaritch » mais pas Racine! et pour eux mon accent c'est un peu ça.

Ce qui aggrave mon cas, je l'ignorais alors, c'est que la tradition scénique anglo-saxonne attribue cet accent au personnage de Napoléon (cf. Charles Boyer : *I am Napoleon Bonaparte and you are Marie Walewska)* mais surtout au comique. Adolphe Menjou qui l'emprunte volontairement – son anglais est parfait – pour caricaturer les bellâtres français, œillet blanc à la boutonnière, ou composer des maîtres d'hôtel (latins) débrouillards dès qu'apparaît un billet de cinq dollars.

Mon enthousiasme est un peu ébréché. Améliorer mon anglais avant de pouvoir tourner cela représente combien de leçons, et se traduit par combien de mois?

Les soirées se suivent... hier je rêvais devant le « Chinese Theater », aujourd'hui je pense que ce n'est pas demain que je défilerai sous le dais glorieux, que j'imprimerai mes mains et mes pieds dans le ciment de Sunset Boulevard.

– Nous vous choisirons le meilleur professeur, un spécialiste...

Cette première année passée en Amérique se fond maintenant dans celles qui suivirent, Hollywood est devenu un tout, une fraction importante de ma vie. Si j'isole cette année 1940 de son contexte, elle fut assez pénible et peut se résumer en deux mots : travail et solitude, malgré un environnement de soleil, de palmiers, de piscines bleues, un monde de cartes postales en technicolor, dans lequel par moments, je plonge et m'engourdis. Ces temps de paresse, d'oubli, sont une drogue plus dangereuse qu'on ne croit; nombreux ceux ou celles qui s'y sont laissé prendre. J'ai trop les pieds sur terre pour m'abandonner de cette façon, je crois que l'éducation de cette bourgeoisie moyenne à laquelle j'appartiens m'a été fort utile, et tout en reconnaissant qu'une bonne partie des libertés que la jeunesse d'aujourd'hui possède était indispensable, je ne regrette pas de n'en avoir pas profité; j'irais même jusqu'à dire que si j'avais été élevée comme elle l'est, sans garde-fou, je n'aurais peut-être pas réagi comme je l'ai fait et ne serais pas parvenue à atteindre mon but.

Dès le début de mon séjour la réalité s'est imposée à moi : la R.K.O. ne me fera pas tourner avant que je n'aie perdu mon accent. Ma vie alors s'organise autour de ce but, *a priori* cela me parut simple, ce ne le fut pas autant que je le pensais. Le jour où, à dix heures du matin, le Dr. Michneck est entré, dans le living de l'appartement meublé que m'avait procuré la précieuse miss Palmer, sa venue annonçait un enchaînement de faits au mécanisme aussi précis que celui des tragédies de Racine.

Le Dr. Michneck n'est pas très grand par la taille mais quel savoir! Polyglotte comme il se doit étant russe d'origine, il a enseigné à l'Université de Columbia d'où lui vient ce joli titre de Docteur. Sa renommée dans le monde du cinéma il la doit à sa spécialité : gommer les accents des acteurs étrangers, et il en vient du monde entier!

Mon moral remonte d'un cran lorsqu'il m'apprend qu'il a reçu l'ordre de me faire passer en priorité et qu'il conclut : « Avec moi vous parlerez l'anglais comme une Anglaise qui vit en Amérique. »

Le matin même il me fait découvrir mon principal ennemi : l'accent tonique. C'est une révélation! sans sa parfaite possession, impossible d'être comprise dans l'Arkansas ou le Minnesota. Il est facile de disserter savamment sur cet accent, c'est une autre affaire que de le posséder; appuyer sur une syllabe plutôt que sur une autre me paraît si peu évident que cela me devient vite un véritable casse-tête chinois : je dois prononcer PINE apple et non Pine APPLE, BaNAnas et non Bana-

NAS, sans autre raison que l'usage. Lorsque depuis votre plus tendre enfance votre oreille n'a pas été initiée à ces mystères, comment s'y retrouver?

Pour me détendre le Dr. Michneck me fait lire à haute voix du Shakespeare, eh oui, nous en sommes là, et fréquenter les meilleurs auteurs américains. Encore quelques mois et je vais devenir imbattable sur la littérature contemporaine! Ce vernis que l'on acquiert à la fréquentation des bons auteurs est un des aspects positifs de notre métier.

Les jours succèdent aux jours, les leçons aux leçons, et je demeure assez euphorique quant à mes progrès jusqu'à l'épisode Hitchcock.

Un matin du mois de novembre Mr. Hamstead me convoque au studio. Mr. Hamstead est un des producers de la R.K.O. qui s'intéresse à moi. Intérêt des plus flatteurs. Ginger Rogers vient de tourner pour lui « Kitty Foyle » dont on parle beaucoup.

– Miss Morgan, une très bonne nouvelle pour vous : un essai avec Alfred Hitchcock.

Cette fois-ci la chance sonne à ma porte, Hitchcock a un palmarès glorieux, plus de vingt films, une liste impressionnante de stars, de nombreux succès. Comme je le fis en France je vais débuter avec un des meilleurs. Mr. Hamstead poursuit :

– Il prépare un film, « Suspicion », dont la vedette masculine sera Cary Grant, nous aimerions beaucoup vous donner le premier rôle féminin.

Et moi donc! L'avenir se pare des couleurs les plus vives, vite éteintes.

– Il y a cependant une petite difficulté, pour le rôle. Hitchcock souhaite une artiste anglaise... Vous allez quand même faire un essai, le Dr. Michneck assure qu'il vous fera parler avec le plus parfait des accents britanniques. Voici le texte. Vous avez une semaine pour le travailler.

Une semaine de suspense, une alternance d'espoir : « Parfait, m'encourage mon professeur, nous y sommes! », de déceptions : « Ce n'est pas encore tout à fait cela, reprenons! » Et on reprend, et je m'épuise et je m'angoisse.

Débuter par un grand film me paraît primordial, non seulement je serai bien dirigée, bien entourée, mais encore la promotion en sera importante, d'un coup je peux être lancée dans ce firmament où, je le sais déjà, les places sont chères. Pour moi pas d'autre possibilité : je dois réussir.

C'est assez tendue que j'affronte l'épreuve du bout d'essai; que ce soit en Amérique ou en France le cérémonial en est identique : maquillage, plateau, lumière, pan de décor et trac. Hitchcock, petit, rondouillard, l'œil étonnamment perçant, a une manière à la fois charmante et ironique de vous accueillir, de vous donner ses ordres qui à elle seule vous met dans l'ambiance de ce suspense, dont il est déjà le roi.

« Action! » la caméra ronronne, c'est parti!... Dès les premiers mots je me sens mal à l'aise. Il y a deux Michèle, celle qui joue et celle qui l'écoute. Si mon oreille n'est pas satisfaite, que mon accent m'étonne – plus tout à fait français, déjà américain, mais pas du tout « british » – que va en dire Hitchcock?

« *Cut!* » commande-t-il. « *Cut it* », lui répond en écho l'opérateur. « *Thank you, miss Morgan* », me dit Hitchcock. C'est courtois et énigmatique. Pas pour longtemps, dès le lendemain le verdict est tombé : « Anglais insuffisant! » C'est Joan Fontaine qui jouera le rôle de l'Anglaise qu'un peu hâtivement on m'avait fait postuler.

Mes débuts en Amérique, contrairement à ce qu'un instant j'avais espéré, ne vont ressembler en rien à ce qu'ils avaient été en France. Cet insuccès annonce une longue série de mésaventures.

C'est le moment de me souvenir de cette phrase de Saint-Exupéry : « Les échecs fortifient les forts! »

Le lendemain, examen sévère de la situation. Le Dr. Michneck hoche la tête : « Moins vous parlerez français, plus vite vous parlerez anglais! » C'est une manière diplomatique de me conseiller : « Coupez toutes relations avec la colonie française. »

– Vivez, me dit-il, mangez, instruisez-vous, informez-vous : journaux, radio, amusez-vous, en américain, avec des Américains!

Le soir même j'apprends à répondre à mes amis français « que je suis désolée mais que je ne suis pas libre! » Jamais je n'aurai autant de migraines, de rendez-vous importants, d'obligations professionnelles... Jamais, non plus, je ne serai aussi seule.

Le Dr. Michneck n'a pas osé me le dire, il ne l'a que suggéré : parmi les distractions qui seront excellentes pour mon accent le *boy friend* occupe une place privilégiée. Flirter aiguise l'esprit.

Mes rapports avec les hommes américains sont un peu hésitants, je les trouve beaux, plutôt séduisants et cependant entre nous il ne se passe pas grand-chose. Est-ce eux ou moi qui manquons de vocabulaire? nos conversations tournent très vite court.

Je ne sais plus qui un matin me téléphone : « Cela vous amuserait de connaître Robert Taylor? » Robert Taylor, l'homme idéal, l'inaccessible de mes seize ans, l'Armand Duval de « La Dame aux Camélias » dont j'épinglais les photos au-dessus de mon lit, on me proposait de dîner ce soir même avec lui.

Dans le living, un verre de champagne de Californie à la main, j'attends son « entrée », toute prête à avoir la tremblote, et je l'ai lorsqu'il s'encadre dans la porte. Ce n'est pas honnête d'être aussi beau. On me le présente et son sourire me trouble. Je crois que je suis allée jusqu'à piquer un fard. Il est mieux qu'à l'écran : des yeux admirables, tendres, compréhensifs, un nez parfait, une bouche à rêver, des épaules, une taille... la PERFECTION!

Nous échangeons quelques formules de politesse, la voix ne me déçoit pas. Délicate attention, je suis assise à côté de lui. Pour peu que sa conversation soit à son image, je suis perdue, je le sens...

C'est dans un silence presque parfait que nous avalons notre *oyster cocktail*. Le rôti lui permet de me demander si j'aime la viande de bœuf. Je balbutie un oui, profond comme un aveu. Ravi, il reconstitue l'arbre généalogique de mon beefsteak, car, m'explique-t-il, il est très compétent sur tout ce qui touche aux bovins et son élevage est célèbre dans toute l'Amérique.

– Vous vous y connaissez en bétail? me demande-t-il, l'œil charmeur.

Je maudis cette lacune dans mon instruction et improvise un peu n'importe quoi : « En Normandie, nous avons des bœufs qui pèsent dans les 1500 kilos... » Il éclate d'un rire méprisant :

– Chez nous, c'est le poids d'un veau!

Je ne peux apprécier la part de chauvinisme et enchaîne, pour lui plaire, sur les qualités comparées du plat de côtes, et de la macreuse, du rumsteack et de l'entrecôte – un bel effort de vocabulaire. Il paraît me trouver fascinante, je m'épanouis, pensant que forcément, nous allons changer de sujet. A chaque détour de phrase j'espère entendre enfin un petit mot sur ses goûts, sur les miens, sur sa profession qui n'est pas celle de bouvier, mais la même que la mienne; une question sur mes films, pourquoi pas? Cela peut être aussi un sujet de conversation! Pas pour lui. Au gâteau à la noix de coco, il n'a toujours pas épuisé son sujet : les bovidés. Sans doute est-il inépuisable car, au café, il me raconte avec beaucoup de sentiment le vêlement d'une de ses vaches. C'en est trop, les larmes me montent aux yeux et j'étouffe d'un fou rire rentré.

Dieu qu'il était beau, Robert Taylor!

Peter est moins beau, pas célèbre du tout, un jeune technicien de la Metro-Goldwyn-Mayer. Mais que sa conversation me semble intéressante : il me pose des questions sur moi et même sur ce pays lointain, tellement original, la France. Je l'ai rencontré dans une de ces « parties » dont miss Palmer a dit : « O.K. it's good for you! » phrase qu'à l'époque on pouvait prononcer sans référence à Guiness beer. Nous bavardons depuis un moment lorsqu'il me dit : « Je serais très heureux si vous me donniez un « date ».[1]

Je m'étonne : un « date »?

– Oui, pour dîner avec vous.

Pourquoi pas? Enfin un divertissement qui n'aura pas été approuvé ou sanctionné par miss Adele d'un : « Non! je ne vous conseille pas! » dédaigneux. En dehors de ces alternatives mon carnet de rendez-vous est un désert dans lequel je m'ennuie...

Dîner agréable, soirée plaisante. Peter ne danse pas mal du tout, et c'est assez tardivement qu'il me raccompagne. Sur le pas de la porte de mon immeuble Peter ne se décide pas à me quitter. Il n'attend certainement pas que je lui propose « le dernier verre chez moi »; rien dans mon attitude n'a pu le lui faire espérer, j'ai été suffisamment mise en garde : ici ce verre ne peut jamais être innocent, il signifie que l'on va finir la nuit ensemble. Renvoyer le monsieur en le remerciant de sa visite serait considéré comme aussi grave qu'une convention non respectée. Mes chaussures me font mal, je suis sûre d'avoir le bout du nez qui brille, j'ai envie d'un bon bain, rêve de mon lit et comme je ne vois pas du tout ce qu'il peut attendre, je lui tends la main : « Bonsoir, Peter, très heureuse de cette soirée passée avec vous! »

Surprise... il s'approche de moi et me demande l'air « tendre d'un gamin » de le « kiss good night! » Pas question. Mon « non » assez sec doit lui déplaire, il me quitte en faisant claquer rageusement la portière de sa voiture. Quelque chose m'échappe, mais j'ai trop sommeil pour m'en préoccuper.

Le lendemain c'est oublié et une semaine plus tard, avec la même innocence, j'accorde un « date » à un certain Will. Il s'occupe de publicité et colporte avec

1. Aux U.S.A. « date » signifie à la fois un rendez-vous pour sortir avec un garçon et un engagement vis-à-vis de celui-ci.

humour tous les potins d'Hollywood, une vraie commère ce garçon, la soirée va être agréable. Elle l'est, je m'amuse beaucoup et continue à rire dans la décapotable qui glisse poétiquement dans la nuit bleue. La conclusion de cette soirée : « Kiss me! » Je ne « kiss » pas, et Will furieux claque lui aussi sa portière.

« Aux Etats-Unis, quand on sort avec un monsieur, doit-on terminer la nuit dans ses bras? » est la question que je pose à miss Palmer. Laquelle, en s'amusant beaucoup, m'explique les règles du jeu : « Accepter un date signifie, même si l'on n'a pas le désir d'aller plus loin, que l'on accepte d'accorder un « kiss good night » en quittant. Une manière de le remercier, la moindre des choses!

Tant pis, je n'embrasse ni par politesse si sur commande...

Comment ces garçons auraient-ils pu comprendre qu'auprès d'eux, sans même très bien m'en rendre compte, je cherchais d'abord quelqu'un avec qui communiquer, qui s'intéresse à ce qui pourrait m'arriver de bon ou de mauvais, qui me donne l'impression que dans ce pays aussi j'existais pour quelqu'un?

J'ai connu à Hollywood la plus longue et la plus éprouvante période de solitude de ma vie. Ne plus parler sa langue natale avec personne cela signifie se couper de ses racines. On ne s'imagine pas à quel point la complicité des contes, des chansons de l'enfance et de l'éducation peut vous manquer. C'est énorme d'avoir en commun une histoire, des paysages, des grands hommes, une gastronomie et des habitudes de vie...

Qu'il est loin mon pays! Ici la guerre n'occupe que peu de place dans les colonnes des journaux et les nouvelles qui m'en parviennent sont désespérantes : l'Allemagne est victorieuse, Londres est bombardé, Rommel est maître du désert, les Balkans sont occupés, la Grèce... Partout les bottes nazies écrasent la liberté. Le droit de vivre n'est laissé qu'à ceux qui s'inclinent, mieux, qui collaborent. Ces nouvelles sont d'autant plus désespérantes que je manque de tout moyen d'appréciation. Elles me parviennent brutes, rien ne peut les nuancer, les adoucir. Mes parents, comment la vivent-ils cette guerre? Je ne reçois de leurs nouvelles que par la Croix-Rouge suédoise ou le consulat et lorsque me parvient une lettre, écrite il y a des mois, elle ne me dit rien de leurs misères, leurs privations. Tout va aussi bien que possible, ils se débrouillent. Denise Tual est une amie efficace, elle les aide. Mais moi est-ce que je suis heureuse? Ai-je déjà tourné? Comme ils sont contents d'imaginer que je ne manque de rien! A en pleurer, et j'en pleure. Et presque chaque jour, je vais à la petite chapelle catholique que j'ai découverte mettre des cierges pour eux, pour moi, pour que cette guerre soit finie, pour nous retrouver vite, très vite.

Je leur poste des colis que je bourre de toutes sortes de choses, et que j'achemine par la Croix-Rouge suédoise, sans savoir s'ils les ouvriront jamais. Ne rien pouvoir pour eux, quelle épreuve, et dans mes plus mauvais jours je me reproche de les avoir laissés...

A qui confier cela? et cela se confie-t-il?

Mon refuge c'est le travail, et c'est auprès des femmes qui s'occupent de moi, miss Palmer, qui bien vite m'est devenue indispensable, et Nina Moïse mon professeur d'art dramatique, que je trouve les oreilles les plus attentives et les cœurs les plus ouverts. Sans elles je ne sais pas comment j'aurais supporté ces premières années d'exil. Que la curiosité des autres vous est précieuse, comme elle vous aide à vivre lorsque l'on se trouve à plus de dix mille kilomètres de chez soi!

Nina Moïse est une femme intelligente, cultivée, passionnée de son métier. Notre premier contact me surprit plutôt désagréablement : je lui passe, comme je l'aurais fait pour René Simon, un de mes « morceaux choisis », décontractée, assez sûre de moi, j'attends sa réaction et j'entends un « Tss, tss » réprobateur.

– Ce n'est pas ça!... Miss Morgan, votre voix, n'est pas posée.

Pas posée, après neuf films et René Simon!

— Asseyez-vous à côté de moi, darling, et écoutez-moi, vous avez la voix fluette d'une petite jeune fille qui va à sa première party. Pas du tout en accord avec votre physique.

Elle avait raison, et je lui dois bien davantage : c'est elle qui m'a appris à jouer dans le rythme de la comédie américaine. Un enseignement qui m'a souvent été utile.

Décembre 1940, le matin de la Saint-Sylvestre. Il fait beau. Derrière ma vitre ce paysage devenu familier m'est étranger, je ne peux y accrocher aucun souvenir. Paris doit être gris, il neige, peut-être fait-il froid? Je pense à notre petit appartement de Neuilly d'où nous apercevions le haut de la tour Eiffel. La nuit elle servait de support à la publicité de Citroën. Mes frères et moi — ma sœur n'était pas encore née — nous nous disputions la possession d'une chaise pour grimper dessus, et voir les « illuminations ».

C'est un jour où il faut se garder de trop penser, où il convient de repousser les souvenirs : vivre les petites choses agréables du présent, s'attacher à lui, l'avenir est aussi dangereux que le passé.

En Amérique on ne vous laisse seul ni pour Christmas ni pour le nouvel an. A Hollywood les parties ne manquent pas, j'ai reçu beaucoup d'invitations. Ralph Blum, mon imprésario — il est associé à Charlie Feldman, mais c'est avec lui et sa femme Carmel que se sont noués des liens d'amitié —, m'a décidée à les accompagner à la soirée de Jack Benny[1].

— Vous connaissez, Michèle?

— Naturellement, c'est une vedette de la radio et il vient de tourner dans « Buck Benny right again ».

— Vous verrez, il reçoit magnifiquement.

— Mais on raconte qu'il est terriblement radin!

Ralph rit.

1. Il obtint un succès considérable en 1942 aux côtés de Carole Lombard dans ce chef-d'œuvre du cinéma comique : « To be or not to be ».

– Soyez sans crainte, vous aurez un peu plus qu'un hamburger! Son avarice, je le soupçonne de l'utiliser comme gag publicitaire, et même de l'avoir inventée...

Une réception de milliardaire aux antipodes des réveillons de mon enfance! Le Tout-Hollywood est là. On boit, on danse, Robert Taylor me sourit, et je ne fonds plus. Cary Grant me tend un verre et je suis déprimée. Pourquoi cette impression d'être mal dans ma peau? Cela doit se voir; en dansant, Carmel me fait l'amitié d'un sourire à me donner chaud au cœur. Je n'ai que terriblement froid, et suis la proie d'un phénomène étrange : une grande lassitude des membres, une angoisse diffuse, la pénible sensation qu'il se passe quelque chose ailleurs... quelque chose que je devrais savoir. Comme si l'on m'envoyait un message que je serais incapable de déchiffrer... Quoi? L'angoisse devient insupportable, je m'arrache brusquement des bras de mon danseur, « *Excuse-me* », et je me réfugie dans la salle de bains, en proie à une crise de sanglots d'une violence insurmontable.

On doit croire que je n'ai pas le vin gai alors que je n'ai rien bu. Que l'on croie ce que l'on voudra, je m'en fiche! Je suis tout entière la proie de ce malaise venu de je ne sais où et qui me fait sangloter.

Il ne doit pas être tout à fait une heure quand Carmel désolée me raccompagne chez moi. Je pleurerai toute la nuit. Au matin la tempête est passée, le soleil est là, immuable.

Trois mois plus tard me parviendra une lettre de maman : « Ma petite fille, j'ai à t'apprendre une mauvaise nouvelle. Ta petite grand-mère Roussel est morte. Cela s'est passé la nuit de la Saint-Sylvestre entre trois et quatre heures du matin... »

Entre 3 et 4 heures du matin! Si l'on tient compte du décalage horaire, il était environ 10 heures du soir en Californie.

Etre Française, célibataire de surcroît, est ici une position très inconfortable, les femmes vous redoutent. Et, grâce à votre réputation de « petite femme de

Paris », les hommes vous tendent des pièges parfois plus subtils et plus fascinants que le « *kiss me* » de mes soirées creuses.

Mon magnifique isolement n'est pas aussi parfait que je le dis. Je vois assez souvent Madeleine Lebeau; pour elle, en dehors de l'amitié que je lui porte, j'ai une excuse : elle est en train de divorcer d'avec Dalio. En fin d'après-midi elle me téléphone : « Un de mes amis célibataires me demande de l'accompagner à une soirée, veux-tu te joindre à nous? »

– Chez qui allons-nous?

– Je ne sais pas, j'ai oublié de le lui demander, ce doit être une grande party, comme d'habitude.

Erreur, dès l'arrivée rien ne me paraît être comme d'habitude. Aucun mouvement de voitures, nous rangeons la nôtre dans un parc vide; le cérémonieux valet – en livrée – nous introduit dans un salon désert. Ce n'est pas normal ou alors nous sommes arrivées très en avance. Intriguée je regarde Madeleine, son œil qui s'amuse me fait penser que, plus avertie que moi, elle a compris la situation : musique douce, éclairages mystérieux, coussins voluptueux profonds comme des divans, tout y est! A nous les petites Françaises!

La situation est nouvelle, je n'ai jamais eu à y faire face. Jouer les idiotes et refuser ensuite ou comprendre et partir? En plein dilemme, le maître des lieux fait une entrée du genre chaleureux et charmeur. Elégant, la tempe séductrice, il me tend le cocktail et l'amande salée de bienvenue. Mon merci se fait aussi glacial que possible. Dois-je y ajouter que je croyais venir à une réception et non à une soirée intime? Madeleine me paraît en avoir pris son parti. Moi pas. J'écume intérieurement. Voilà bien la réputation des Françaises et l'estime dans laquelle on nous tient. La colère me fait perdre toute timidité, et je m'apprête à dire ce que je pense de l'insolence de cette invitation, lorsque la porte s'ouvre sur un petit homme d'une cinquantaine d'années, la boucle brune est argentée, et le sourire lui enlève vingt années. Charlie Chaplin!

Inattendu, mais d'être invitée en son honneur n'est pas plus rassurant. Séducteur réputé, ses amours sont quotidiennement commentées par la presse. Ce matin encore dans *Los Angeles Times* sa photo s'étalait sur plusieurs colonnes aux côtés d'une comédienne, hier encore inconnue; la très jeune personne, l'accusant sans hésitation d'être le père de son enfant, le poursuivait en reconnaissance de paternité.

Ce n'est pas du tout le genre de presse que j'ambitionne et je doute que Miss Palmer la qualifierait ce soir comme étant « bonne pour moi ».

Digne et réticente je me prépare à être aussi réservée que Chaplin est désinvolte. Son charme, c'est la parole, à table il est éblouissant, après le dîner il est inoubliable. Disparus le smoking de bonne coupe, la chaussette de soie et l'escarpin verni. Il est redevenu « Charlot » le petit homme à la badine, le tendre petit ingénu, pitoyable aux hommes, même aux méchants.

Alors se déroule un festival : de la danse des petits pains au dompteur de puces. Seul le séducteur – qui nous vaudra « Monsieur Verdoux » – est absent. Un dernier regard, un dernier geste, et le silence se transforme en gêne légère. Je pense : nous y voilà! Furtivement, ces messieurs se consultent du regard : c'est raté! Vont-ils faire contre mauvaise fortune belle mine? ou tenter quand même leur chance? Je reste sur la réserve : la *French girl* ne se laissera pas croquer par le gentil monsieur même génial!

Avec une nuance d'ironie dans le bleu marine de l'œil Chaplin reprend son numéro improvisé. La soirée a définitivement changé de direction, il nous raconte son histoire, devenue classique, du billet de cinq livres.

Londres, vers minuit, un soir de brume. Big Ben vient de les égrener. Quelques messieurs importants, des richards! sortent de leur club. Ils ont bu pas mal et sont de belle humeur. L'un d'entre eux renvoie sa Rolls, ses amis s'étonnent :

– Mais vous habitez loin...

– Je vais faire quelques pas à pied, un peu d'air frais me fera du bien, ensuite je prendrai un taxi.

Machinalement il tâte ses poches.

– Absurde, je n'ai pas d'argent sur moi.

L'un de ses amis lui tend un billet de cinq livres.

– Je vous en prie...

Cigare à la bouche, pelisse boutonnée, il marche d'un bon pas. Belle nuit un peu fraîche. Sur le Waterloo Bridge, au milieu, il aperçoit une silhouette de femme, qui se prépare à enjamber la balustrade, il se précipite, l'attrape par le bras, la retient : « Vous êtes folle! »

– Laissez-moi mourir... monsieur, je ne veux plus vivre.

– A votre âge! Dites-moi. Un chagrin d'amour?

Sous son châle troué, elle hausse les épaules.

– Oh non! mais je n'ai pas de travail. J'ai faim, monsieur!

Il est ému, la pauvre gosse, il va s'en occuper.

– Ecoutez, du travail, je vous en donnerai... je m'occuperai de vous.

Se moque-t-il d'elle? La pauvre fille le regarde à la manière d'un chien qui n'ose pas croire qu'il a trouvé un maître. Bouleversé il la rassure.

– Mais si, tout va s'arranger. Voici mon adresse – il lui tend sa carte – soyez demain à 9 heures à mon bureau. En attendant mangez et dormez... Prenez ces cinq livres, c'est tout ce que j'ai sur moi... Ayez confiance dans l'avenir. A demain...

Elle lui embrasse les mains, il se dégage et part le cœur léger : comme il a bien fait de rentrer à pied!

Le lendemain quand il ouvre son journal, il lit : « Une désespérée se jette dans la Tamise du haut du pont de Waterloo, repêchée, la malheureuse avait cessé de vivre. »

Navrant. Incompréhensible. Pourquoi n'a-t-elle pas eu confiance en lui? Pourquoi n'est-elle pas venue au rendez-vous?

Quelques semaines se passent avant qu'il rencontre

l'ami qui lui a prêté les cinq livres. Il veut les lui rendre. L'autre refuse et, goguenard :

– Le taxi, tu n'as pas eu d'ennuis?

– Non, pourquoi?

– A cause du billet. C'était une blague. Il était faux!

L'humour noir de Charlot, du grand art! Ainsi se terminait joliment cette soirée des dupes qui aurait pu être grinçante.

C'est peu de temps après que Charlie Chaplin rencontra une ravissante jeune femme brune, Oona, qui devait devenir son épouse et la mère de ses neuf enfants.

Quelle malédiction, ai-je pensé, d'aimer les jeunes premiers!

– Miss Morgan, nous sommes producteurs, pouvez-vous nous recevoir?

C'est à peu près ce que m'a dit Robert Hakim, je suppose que son frère Raymond devait avoir l'écouteur, car ils ne se quittent pas et c'est ensemble qu'ils entrent dans mon living.

– Nous sommes deux jeunes producteurs indépendants et nous avons pensé à vous pour un rôle important!

Cela fait un moment que je n'ai pas entendu un aussi agréable préambule.

– Nous allons tourner « Johnny Belinda » et nous croyons que vous pourriez jouer le rôle principal.

Je m'épanouis. Les frères Hakim parlent un français chantant des plus charmeurs, ils n'auront pas de mal à me convaincre.

– Il s'agit d'un rôle de femme d'autant plus passionnant qu'elle est sourde et muette.

– Vous comprenez, poursuit Raymond victorieusement, comme elle est muette, vous n'aurez pas de difficultés avec la langue.

Près d'un an d'un travail acharné, une victoire chèrement remportée sur l'accent tonique et entendre cela!

– Et puis, reprend Robert, vous pouvez tout exprimer merveilleusement avec ces yeux-là!

Encore mes yeux! Je suis outrée, outragée même. Ils le sentent mais n'abandonnent pas et, malgré mon manque d'enthousiasme, me laissent le scénario. J'ai deux jours pour réfléchir.

Avec Hitchcock c'était l'anglais qui comptait, avec eux, maintenant que je le possède, je dois devenir muette! Les propositions auraient dû être inversées. C'est ça la malchance!

C'en est une plus grande encore d'avoir eu la sottise de refuser « Belinda ». Le film fut un chef-d'œuvre, Jane Wyman qui avait eu l'intelligence, elle, d'accepter le rôle, obtint pour lui l'Oscar de la meilleure interprétation féminine.

Je sais, l'erreur est humaine, mais il y en a que l'on se pardonne difficilement!

Jean est à Hollywood et nous nous retrouvons « Chez Oscar », restaurant français, nappes à petits carreaux, bifteck-frites et véritable beaujolais d'importation. Rien à voir avec la pause-sandwich, hamburger, que l'on pratique ici. Non. Attablés, l'un devant l'autre, nous laissons le temps passer. Un temps dont chaque minute nous rapproche. C'est bon ces retrouvailles en terre étrangère. Je ris comme il y a bien longtemps que cela ne m'est arrivé, mes yeux se mouillent aussi; un vrai temps de giboulées! Les réponses de Jean à mes questions, qui partent dans tous les sens, font naître une France qui m'arrive pêle-mêle, drôle et tragique.

– Jean, raconte-moi, Paris, comment est-ce? La zone occupée, le ravitaillement? On tourne? Quoi et avec qui?

– Tu sais, moi, je suis surtout en zone nono. Ce qui se passe à Paris ne me plaît pas. Les collabos, les lois raciales, cette horreur, les queues pour le pain, pour une livre de poireaux, pour tout... le marché noir : tu paies ton costume avec du beurre et tes cigarettes avec une paire de godasses. Tu vois le genre!

Pas très bien. Il emploie tout un vocabulaire nouveau qui me paraît hermétique : « souris grises », « haricots verts », « Ausweis ».

– Et, pour t'achever, tous les jours, à midi, au pas de l'oie, fanfare en tête, les frisés remontent les Champs-Elysées jusqu'au Soldat inconnu; un coup à le faire mourir une deuxième fois!

D'autres images surgissent, c'est devenu ça, Paris? La gorge serrée, j'ai envie de lui dire : Assez! et je dis : Encore... Cette France défigurée dont il me parle, c'est mon pays et je mesure à quel point j'y suis attachée.

– Et toi, ta vie ici, raconte.

J'aimerais bien avoir quelque chose à dire, ça va très vite d'avouer que l'on ne fait rien, alors je biaise un peu, je parle d'Hollywood, de ses potins.

Jean n'est pas dupe, il se renverse sur sa chaise, allume une cigarette et conclut :

– Je vois, toi, en somme, tu es venue à Hollywood pour attendre.

C'est si vrai que – comme une coupable – je baisse le nez. Il s'en aperçoit et gentiment tire une conclusion d'une apaisante philosophie :

– Pour ça, tu es tout de même mieux ici que là-bas!

Une petite plage de silence, je lui renvoie la balle :

– Et toi?

– Moi aussi je suis venu attendre. Comme toi j'avais un contrat à honorer. D'ici je verrai comment les événements vont tourner; qui sait, viendra peut-être un jour où je pourrai aider à foutre les Fridolins dehors?[1] Mais il paraît que tu ne vois plus les Français, que tu les snobes...

Je proteste et lui explique ma technique du bain américain et mes démêlés avec l'accent tonique.

– Chaque fois que je parle français je recule de deux pas!

1. Jean Gabin s'engagera dans les Forces Françaises Libres.

– Dis donc, à ce train-là, après notre déjeuner, tu vas te retrouver à Tombouctou!

Nous rions.

– Je ne sais pas si ton système est bon, moi c'est à l'oreille que je prends l'accent. J'écoute et quand j'ai pigé je leur sers un numéro d'imitation. Tu verras le résultat.

Il fut stupéfiant. Jean avait une « oreille » étonnante de justesse et très rapidement il se débrouillera fort convenablement.

Nous parlons, parlons : le bavardage chaleureux de très bons amis qui se retrouvent après une longue séparation. Nous n'étions plus que cela ou encore cela! Un choix personnel, celui de la bouteille à demi vide ou à demi pleine...

La mine désinvolte, le ton négligent, il se renseigne :

– Tu connais tout le monde maintenant dans ton Olivode et il y a quelqu'un que j'aimerais bien rencontrer...

Aussi hypocrite que lui, je réponds :

– Ah! oui, et qui donc?

– Ginger, tu es amie avec elle?

– Nous nous connaissons...

Pleine de mansuétude, je le rassure :

– Je peux même te dire que tu l'impressionnes beaucoup, elle te trouve très bien.

Intéressé, l'œil bleu pétille. Cher Jean, qui redoute les explorations en terrain mouvant et aime bien savoir où il va mettre les pieds.

Quelques jours plus tard nous nous retrouvons chez moi autour d'une table avec des amis et Ginger. Ce jour-là je ne crois pas que son « oreille » soit très utile à Jean, son anglais est encore hésitant mais, avec Ginger, il se défend fort bien, et je m'amuse de constater avec quelle rapidité son charme agit!

Son idylle avec Ginger Rogers l'occupera quelques mois et nous nous verrons fort peu. Arrivé en février 1941 Jean attendra lui aussi une bonne année avant de tourner « Moon Side » (« Péniche d'amour »). Puis, au hasard d'un de ses déplacements à New York il rencontrera Marlène Dietrich. Le choc de ces deux forces séductrices, de ces deux monstres sacrés, fut explosif. Un coup de tonnerre dans l'Olympe hollywoodien, et que d'éclairs! En contrepoint à cette passion, souvent orageuse, Marlène cuisine pour Jean d'admirables spaghetti et lui confectionne son chef-d'œuvre : le pot-au-feu Marlène.

Hollywood jase et moi je ne reverrai Jean que dans plusieurs années.

Avec ces yeux-là ! A leur palmarès : quarante ans de carrière, soixante films et les plus grands metteurs en scène de Marcel Carné à Claude Lelouch. *(Photo Blechman.)*

Tante Yvonne, grand-mère Payot, papa, grand-père Payot et maman, une paisible famille française de l'entre-deux-guerres, dont Michèle Morgan dit : « Je leur dois une enfance merveilleuse. »

A quinze ans, sur la plage de Dieppe, Simone Roussel rencontrera son destin. Il la conduira à Paris.

Au fond à gauche, dans une sage robe blanche, cousue par maman, Simone, quinze ans, tourne son premier film : une figuration dans « Mademoiselle Mozart ».

Le cours René Simon à l'époque de Simone Roussel. Devant son professeur, ses camarades François Périer (à droite), Gérard Oury (à gauche). Elle y apprend la comédie et y trouvera son nom : Michèle Morgan.

Avant et après la guerre, deux couples célèbres, deux metteurs en scène de renom : Michèle avec Jean Gabin, dans « Quai des brumes », de Marcel Carné (1938) et avec Gérard Philipe, dans « Les grandes manœuvres », de René Clair (1955).

Un vrai décor hollywoodien : la chambre, rose et blanche, de Michèle dans sa maison au-dessus de Beverly Hills. *(Photo J. Miehle. RKO Radio.)*

Michèle et Bill Marshall sont fiancés. Le chemin qui mène à la maison de Michèle s'appelle « la route du ciel ». C'est une impasse ! Leur mariage aussi.

Le baiser de « Fabiola » fit couler beaucoup d'encre; on le rendit responsable de l'amour qui unira Michèle Morgan et Henri Vidal.

« La Symphonie pastorale », mise en scène par Jean Delannoy. Ce film sera l'un des plus importants de la carrière de Michèle Morgan. Il lui vaudra le premier prix d'interprétation féminine au Festival de Cannes en 1945.

Dans « La Belle que voilà ! » pour la première fois, Gérard Oury joue aux côtés de Michèle Morgan. Neuf ans plus tard, il deviendra le troisième homme de sa vie.

« Benjamin » de Michel Deville, un marivaudage où le sentiment a sa place, un rôle qui emploie merveilleusement la femme que Michèle Morgan est devenue.

Pour Michèle, cette photo est celle du bonheur : elle réunit les deux hommes qu'elle aime, Gérard Oury et Mike Marshall son fils.

« Les Oliviers » à Saint-Tropez, c'est pour Michèle Morgan la maison de sa joie de vivre, celle d'un bonheur qui a déjà dix-huit ans. *(Photo Andanson-Sygma.)*

11

« JOAN OF PARIS »

L'avais-je assez attendu ce premier film, m'en étais-je raconté des histoires! Il fut très déconcertant, c'est la première fois — et ce sera la seule — que je jouerai avec mes avantages et encore ils seront faux!

Tout a très bien commencé. Mr. Hamstead m'a remis le script de « Joan of Paris ».

— Lisez-le. C'est un bon sujet écrit pour vous, par un auteur français, Jacques Théry. Vous le connaissez? Nous sommes sûrs que « Joan of Paris » va beaucoup vous plaire; c'est l'histoire d'une jeune fille qui, pour défendre son pays entre dans l'underground, vous appelez cela la Résistance, je crois. Très bon. Très patriotique. Et comme réalisateur nous vous donnons Robert Stevenson.

Il a raison d'employer la formule « nous vous donnons », c'est un véritable cadeau! Robert, Bob Stevenson vient de remporter un énorme succès avec « Back Street ». Quelle est l'actrice qui ne souhaiterait tourner avec lui?

Le nom de mon partenaire est un peu moins prestigieux : Paul Henreid. Inconnu à cette époque, fils du baron von Henreid, ce jeune Autrichien fuyant l'Anschluss s'est réfugié ici. Je trouve assez piquant de lui faire jouer le « personnage du résistant français qui relève la tête sous la botte nazie ». Cet humour échappe totalement à Mr. Hamstead, qui m'explique très sérieusement que dans ce rôle l'accent (viennois) de Paul fera plus vrai – un instant de panique, vont-ils me demander, pour cette production, de reprendre le mien?

Mon euphorie baisse de plusieurs tons après la lecture du script. Cette sorte de Jeanne d'Arc (Joan of Paris) sans bûcher final, ne me paraît pas bien convaincante. Poli par les équipes spécialisées de la production, je ne sais trop ce qu'il reste du sujet de Jacques Théry qui m'avait, à l'issue d'un cocktail, annoncé : « Je travaille pour vous, je vous prépare un rôle à votre taille. » Sans doute n'avait-il pas les bonnes mesures. Tel qu'il est c'est un rôle des plus invraisemblables. Est-ce cela la Résistance? Le mot comme la chose était encore pour nous plein d'obscurité. Je doute que Théry, arrivé à Hollywood en 40, en sache davantage que moi. Je reste perplexe. A part quelques jolies scènes, le niveau psychologique de mon personnage se situe à celui des jeunes filles de Gyp et de Max du Veuzit; quant à mes exploits héroïques ils ont un petit côté boy-scout que ne corrige pas une témérité plus inconsciente que patriotique. Bien entendu, en risquant ma vie, je rencontre l'amour et pleure avec beaucoup de sentiment.

Sont-ce là les éléments d'un bon sujet? On peut en douter. Mais, un peu naïvement, la pensée que ce film, le premier qui parlera de notre lutte pour la liberté, sera projeté dans tous les cinémas des Etats-Unis m'encourage à accepter – je ne vois pas d'ailleurs comment je pourrais faire autrement –, et puis il y a Bob Stevenson. Je l'imagine possédant le don de la transmutation, il changera cette pacotille en chef-d'œuvre!

J'ignorais qu'à cette époque bon nombre de réalisateurs attachés à des « Major Companies » se contentent d'être davantage des exécutants que des créateurs. Ils sont un peu comme des avocats nommés d'office auxquels on confie un dossier sans leur demander s'ils ont quelque attirance pour lui. On leur remet un script parfaitement au point dans ses moindres détails, un « casting » décidé par le studio, qu'ils doivent mettre en images, ce qu'ils font avec plus ou moins de bonheur, plus ou moins d'enthousiasme. Visiblement Bob Stevenson en manquait.

Dès la première seconde je qualifierai nos relations de planétaires, nous poursuivons allégrement nos gravitations personnelles sans espoir de rencontre.

La quarantaine de Stevenson est agréable, il est courtois, calme et je viens de le dire, un peu distant... Les scènes possibles sont peu nombreuses mais j'avais espéré qu'elles seraient mieux exploitées. Je ne demande qu'à donner le maximum, seulement, il exige peu de moi. Pour mon premier film en anglais, j'attends de lui une direction plus ferme. C'est déroutant, à qui demander conseil? Pas à Mr. Hamstead, qui paraît n'être préoccupé que par les modifications à apporter à ma silhouette. Pourtant en me confiant aux maquilleurs, modélistes et autres stylistes il leur a recommandé : « Pas de transformation, elle doit rester comme elle est : typiquement française! »

Dès la première prise de vues il tourne autour de moi et fait la moue. Ma silhouette ne correspond pas à son idéal de la jeune fille française, parisienne et de surcroît résistante, il faut l'avantager! Je ne suis pas assez sexy, je n'ai pas assez de seins! J'ai beau lui expliquer que l'héroïsme ne se mesure pas au tour de poitrine, il éclate de rire mais convoque l'habilleuse qui corrige instantanément ce défaut, avec un soutien-gorge rembourré, tout en m'expliquant, gentiment charitable, que je ne dois pas me frapper pour cela, c'est un vent qui souffle sur les productions, on avantage les bustes de toutes les artistes! « Même celles qui « en ont » beaucoup « n'en ont » jamais trop!

Le lendemain soir, visionnant les premiers rushes, Hamstead fronce le sourcil, qu'il a fort roux, et je n'ai pas le temps de m'en inquiéter qu'il en proclame la raison : « La poitrine de miss Morgan est insuffisante! » On procède à un nouveau rembourrage plus opulent. Le soir, autre coup d'œil critique sur ma gorge : « Ce n'est pas assez! »

Ce gag se répétera à plusieurs reprises si bien que j'ai commencé le film avec une poitrine légèrement arrondie et j'ai terminé avec celle de Jane Russell!

Il était préférable d'en rire! c'est ce que je fis en voyant ma silhouette à géométrie variable le soir de la présentation de « Joan of Paris » au R.K.O. Panta Theater. Le film me sembla assez médiocre et le succès qu'on lui fit me parut incompréhensible; quant à la critique, elle fut miraculeusement bonne.

Plus heureux que moi les spectateurs français n'eurent jamais à voir cette « Jeanne de Paris ».

Août 1969 – En prenant mon bain j'écoute la radio, quand la voix du speaker devenue dramatique capte mon attention : « La nuit dernière l'actrice Sharon Tate, mariée au cinéaste Roman Polanski a été sauvagement assassinée avec plusieurs de ses amis dans sa villa de Beverly Hills... » Les détails du crime sont affreux, invités pendus à la poutre centrale, Sharon égorgée sur le divan... Je demeure paralysée par l'horreur.

Septembre 1941. – Il est 2 heures du matin, assise dans mon lit je scrute l'obscurité. On a marché sous la véranda devant la maison. Non, ce doit être dans le living-room, est-ce bien des pas? pire, des frôlements, une sensation de présence. Je divague. Furieuse contre moi, j'allume ma lampe de chevet, un instant la ravissante réalité de ma chambre rose et blanche que j'ai aménagée avec tant de plaisir et de soins me rassure, je prends un livre, j'en lis quelques lignes et prête l'oreille... Cette fois, j'en suis sûre, il y a quelqu'un. Je devrais me lever, faire le tour de la maison. Je verrais qu'il n'y a personne. Rien, l'idée d'une présence invisible me glace davantage encore. La maison vit d'une vie étrange, inquiétante. Du fond de mon enfance remonte le souvenir de quelques séances de spiritisme auxquelles j'ai assisté – un jeu comme un autre. Cette nuit ce n'en est pas un. J'ai beau me raisonner, me dire qu'une maison neuve, à peine achevée, ne peut pas être hantée, j'ai peur.

C'est certain, cette colline sauvage, au-dessus de Beverly Hills, est assez isolée, ce n'est tout de même pas un désert! Je fais face à l'ex-propriété de Rudolf Valentino, c'était séduisant d'habiter là. Après Benedict Canyon, au tournant, la villa de Ray Milland, plus près celle de Harold Lloyd. J'aurais quand même le temps de hurler pendant une heure, et de mourir vingt fois avant que l'on ne m'entende. Rien à craindre, j'ai le téléphone! Je vais suffisamment au cinéma pour savoir que les fils se coupent et qu'aucune fermeture ne résiste, surtout les miennes, j'ai choisi pour ma villa le style « Early American », toute une façade de baies, de portes vitrées, c'est joli, mais ouvert à tous vents. Je suis folle d'avoir fait construire une maison quand il existe des appartements bien protégés. Tout cela c'est la faute de Ralph Blum :

– Michèle, vous venez de toucher pas mal d'argent pour votre film, d'autres suivront, vous devez placer vos dollars dans quelque chose de solide.

Quoi de plus solide que de la pierre américaine sur de la terre américaine!

Terrain et maison me sont revenus, à l'époque, à vingt mille dollars, un merveilleux placement si j'avais pu conserver le tout.

Je ne m'endors que lorsque le jour se lève, bien décidée à mettre ma villa en vente le matin même...

Mon breakfast préparé dans une cuisine modèle, je le prends dans mon living, vaste, confortable avec son mobilier paysan de bois blond du XVIIIe et du XIXe, sa grande poutre maîtresse apparente, avec laquelle j'ai fabriqué un passé à cette demeure, la petite échelle qui monte au premier. Cet ensemble me rassure, il me paraît tellement accueillant, paisible, que j'ai honte des terreurs de la nuit. Seulement je ne me fais pas d'illusions, ce soir j'en serai à nouveau la proie. Qu'à cela ne tienne, j'ai un studio salle de bains au-dessus du garage, je vais téléphoner à un bureau de placement et leur demander un couple... ce que je fais, concluant : « Je le voudrais pour ce soir même. »

– Vous avez de la chance, madame, j'ai justement le mari et la femme qui sont libres tous les deux. Des Irlandais avec de très bonnes références. Je vous les envoie.

L'impression est excellente, Maureen et Patrick ont une quarantaine d'années, le teint fleuri et l'œil bleu de l'innocence. Je leur donne mes instructions :

– Ce soir je ne serai pas seule, il faudra prévoir un dîner.

– Une grande party, madame? Cinquante, soixante personnes? me demande Patrick sur le ton compétent de l'homme de métier.

– Non, nous ne serons que deux.

A 7 heures, Madeleine Lebeau arrive. A 8 heures, Patrick ne s'est pas encore manifesté et je n'entends aucun bruit dans la salle à manger.

A 9 heures le repas ne m'est toujours pas annoncé, on dîne fort tard aux Etats-Unis, nous continuons à bavarder.

A 9 heures et demie je pousse la porte de la salle à manger, le couvert n'est pas mis. Je vais à la cuisine. Patrick et Maureen, les pieds sous la table, dînent apparemment fort bien, leurs regards convergents me font sentir que ma place n'est pas ici. Timidement j'ose demander :

– Quand pensez-vous nous servir?

– Faut l'temps qu'ça cuise... me répond Maureen, la voix avinée et le maintien avachi.

Entre eux, éloquente, une bouteille de bourbon.

Je reviens près de Madeleine me demandant si j'ai vraiment trouvé ce qu'il me fallait!

A 10 heures, les échos de joyeuses chansons irlandaises nous parviennent entrecoupés de cris et d'insultes concernant « the bloody Frenchwoman! »

Indignée, je repars à la cuisine; Maureen n'a pas la force de se lever mais Patrick, 1,80 m, 90 kilos, roux de poils et de sourcils, s'avance vers moi éructant, puant l'alcool, je tente de le raisonner, Madeleine me rejoint, pour voir Patrick, que ma tentative à mis hors de lui, en proie à une colère irlandaise, cassant tout, ne s'interrompant que pour m'avertir que, si je m'en mêle, on va me faire la peau!

Retraite dans le living, appel téléphonique, et suivant la plus classique des séquences de films policiers, quelques minutes plus tard, sirène, crissements de pneus, portières qui claquent, deux énormes flics, tout aussi irlandais que les délinquants, font irruption et les sortent vigoureusement.

Fin de la scène. Panoramique sur la cuisine dévastée, se terminant en plan moyen, sur Madeleine et moi mangeant sur un coin de table au milieu des débris de ma vaisselle neuve.

La deuxième nuit fut aussi blanche que la première.

Le matin, je n'ai pas l'esprit assez libre pour apprécier pleinement l'humour de Ralph Blum, me disant :

– C'est un chien de garde qu'il vous faut! Mais je vous en choisirai un qui n'aime pas l'alcool!

Plus de cinquante kilos de muscles, d'os et de mâchoire, mon danois, d'un beau gris souris, me dévisage, j'ignore comment lui parler et il ne paraît pas disposé à faciliter notre dialogue. J'ai pris la laisse que Ralph m'a tendue et le chien m'a entraînée à toute vitesse, nous sommes allés là où il a voulu aussi longtemps qu'il lui a plu. Comme ils le furent avec Patrick nos rapports ont tout de suite été inversés : c'est lui le maître.

Dubitative quant à l'avenir, mais espérant une nuit tranquille et réparatrice, je libère au coucher du soleil mon danois qui file comme une flèche dans ma chambre et s'installe avec un grand soupir d'aise sur mon couvre-lit rose.

– Descends! Veux-tu descendre!

« Non! » me répondent ses crocs largement découverts. Je sors, il se laisse béatement aller. Je rouvre doucement la porte, des aboiements furieux m'accueillent... Nous jouons à cela un petit moment et puis je me lasse : tant pis, il couchera dans ma chambre et moi dans le living!

Allongée sur le divan, n'osant regarder le noir inquiétant de la nuit, tout grouillant de choses indéfinissables qui se pressent derrière les vitres, je passe ma troisième nuit blanche!

Pendant un moment Madeleine Lebeau viendra habiter avec moi, elle m'avouera plus tard qu'elle n'a jamais cessé d'avoir peur.

Qu'avait donc cette maison?

Il est vrai qu'elle était à l'écart, au bout d'un chemin sur lequel je n'ai jamais croisé personne marchant à pied. Sauf une fois, la seule : Greta Garbo. Chandail avachi, vieux pantalon, grosses chaussures, nous avons été aussi étonnées l'une que l'autre de rencontrer quelqu'un. Je l'ai regardée, elle a tourné la tête, m'offrant son célèbre profil, ses cheveux courts blond pâle. Puis elle est repartie à grandes enjambées, a disparu... En débarquant, si l'on m'avait demandé qui je désirais rencontrer en Amérique j'aurais répondu : Greta Garbo! et elle s'était enfuie comme si elle avait redouté que je lui adresse la parole...

Non, ce n'était pas sa situation qui provoquait en moi ces craintes obscures mais bien elle, la maison. Comment une demeure sans passé, que j'avais fait construire, pouvait-elle être habitée par son futur?

Je ne me suis jamais habituée à ces lieux et au cours des années, après m'en être séparée, la villa passera de main en main; le dernier propriétaire de « la maison de la route du ciel » sera Roman Polanski. Et voici, qu'en 1969 j'apprendrai que partant en voyage il y laissa sa femme Sharon Tate; et dans la nuit du 9 au 10 août elle venait d'être assassinée dans le living, à l'endroit, où si souvent j'avais eu peur.

Il y a vraiment eu un avant et un après Pearl Harbor. En quelques heures l'homme de la rue, en Amérique, avait pris conscience du drame européen et était entré en guerre!

C'est très spectaculaire l'indignation de tout un peuple, elle dura longtemps; pendant des années, l'affiche « Remember Pearl Harbor », souviens-toi de Pearl Harbor, a recouvert les murs des Etats-Unis.

Je n'ai pas non plus oublié le 7 décembre 1941 : je suis dans ma cuisine, je me prépare un jus d'orange. La radio diffuse, en fond sonore, de la musique. Soudain celle-ci s'interrompt, elle est remplacée par la voix du speaker, le ton en est étonnamment grave il annonce l'agression japonaise contre la flotte du Pacifique : « Pertes sérieuses pour la marine américaine... Duplicité de la délégation nippone qui, pendant ce temps, poursuivait à Washington ses pourparlers diplomatiques avec le gouvernement... Le nombre des navires coulés, hors de combat, est important. Celui des morts et des blessés également.... » Pour la première fois l'Amérique vient d'être atteinte dans ses *boys*.

Je me précipite vers le téléphone et j'appelle Léonide Moguy. Devant cette nouvelle, je ne peux pas rester isolée, à l'écart de mes compatriotes. Ma première question est : « Alors pour nous qu'est-ce que ça signifie? »

La réponse est immédiate :

– L'entrée en guerre des Etats-Unis.

J'entends la voix de mon père, toujours prophétique, nous assurant : « Le jour où les Américains entreront dans la guerre ce ne sera plus long! » Plus long, qu'est-ce que ça signifie?

Il n'est plus question pour moi de rester dans mon coin. « Viens, me dit Léonide Moguy, ils seront tous là, on parlera. »

Moi, ce que je voulais savoir c'était simple, trop sans doute : « Si les Américains déclarent la guerre à l'Allemagne – ils le firent quatre jours plus tard – que doit-on en penser? est-ce que cela en avancera la fin? » Je concevais cela à mon niveau familier, quelque chose du genre : Est-ce que je rentrerai bientôt chez moi?

Et je tombe en pleine discussion bien française. Dix minutes ne se sont pas écoulées que je ne sais plus où j'en suis. Politiques et stratégies se mélangent, les grandes idées se bousculent et je me sens toute bête avec mes petites questions simples. Peut-être le sont-elles tellement, que personne ne pourrait y répondre. Pêle-mêle et contradictoirement j'apprends que le vainqueur de Verdun de papa est tantôt un traître, un vieil homme dépassé, tantôt une noble figure qui nous a sauvés d'un Gauleiter. Que le général de Gaulle est un illuminé qui emm... tout le monde... et que la France va grâce à lui recouvrer sa liberté et sa grandeur.

A cette époque en Amérique, parmi les Français, le Général était loin de faire l'unanimité, d'ailleurs nous savions peu de choses sur lui, ce qui n'empêchera pas, plus tard, bon nombre de ces mêmes hommes de s'engager dans les F.F.L.

Comme d'habitude chez nous, chacun reste sur ses positions, personne ne convainc personne. Profitant d'un court instant de silence, pendant lequel ils remplissent leurs verres et rassemblent leurs forces, je demande :

– Mais la guerre, comment va-t-elle se terminer?

Heureuse impulsion! La plupart se voient déjà entrant à Paris, reprenant leur place, chassant les usurpateurs. Tous, bien avant Yalta, partagent le monde, et c'est la bagarre. On s'oppose : rien aux Russes! Le front de l'Est sera fatal à Hitler, il faudra compter avec eux! Nous ne sommes qu'en 1941 et les Allemands marchent victorieusement sur Moscou...

Grandes causes, petits effets. « Joan of Paris » devient « the » film sur la Résistance française, tourné par une actrice parisienne, il passe en tête de liste, et la promotion repart en flèche. Le programme que me propose miss Palmer est impressionnant : « Vous allez présenter votre film à San Francisco, grande soirée de gala en présence de votre consul. Puis Washington, déjeuner à la Maison-Blanche, vous rencontrerez le président Roosevelt.

– Toute seule?

– Mais non. Washington est le point de départ d'une tournée de propagande destinée à soutenir le moral des troupes, vous visiterez La Nouvelle-Orléans, Dallas, Houston, etc. Y participeront James Stewart, William Holden, Mickey Rooney, Ava Gardner, Betty Grable, Rosalind Russell. Voilà! C'est merveilleux n'est-ce pas?

Je ne la contrarierai pas, mais c'est un merveilleux qui m'angoisse car elle m'apprend, en passant, que je devrai prendre la parole pour dire, à propos de mon film, quelques mots émus et patriotiques sur la Résistance.

A San Francisco public chaleureux, consul compréhensif : il a la courtoisie diplomatique de ne pas s'étonner du Paris que lui propose notre film. Et, la gentillesse de rire lorsque, devant lui, émue, j'oublie mon français et lui parle en anglais! Tout arrive! Dommage que Hitchcock ne soit pas...

Je n'ai plus, maintenant, qu'à parler français à Roosevelt! Tout se passe très bien. C'est Mrs. Eleanor Roosevelt qui nous reçoit, robe noire et collier de perles. Charmante, très hôtesse américaine, bienveillante et attentive. Lorsque à deux battants la porte du salon s'ouvre et que l'huissier annonce : « The President of the United States », j'ai un choc de voir entrer sa petite voiture poussée par un secrétaire. C'est assez impressionnant ce grand personnage assis dans un fauteuil d'infirme. Mais quel sourire, il ne le quittera pas tout le temps du repas chaque fois qu'il s'adressera à chacun de nous. Pour moi un petit succès personnel : il s'étonne devant mon absence d'accent, que je ne sois pas américaine! et comme les représentants de la R.K.O. sont à portée d'oreille, je m'épanouis.

La réunion se termine pour moi d'une façon inattendue. Etant allée me repoudrer, après le repas, je rencontrai Mrs. Roosevelt qui me proposa :

– Vous n'avez pas visité la Maison-Blanche? Alors suivez-moi...

Il est peu banal de se voir ouvrir l'austère chambre-musée d'Abraham Lincoln par une présidente des Etats-Unis et de faire avec elle « le tour du propriétaire ».

La réception de Washington ayant donné le coup d'envoi, notre tournée de propagande démarre. Trains, avions, villes camps militaires... Une manière imprévue de visiter les Etats-Unis. Si les contrées, les villes, sont différentes, l'accueil qui nous est fait est partout le même : débordant d'enthousiasme et de chaleur! Un peu trop à mon goût : invariablement après la projection du film, une réception nous est offerte au cours de laquelle les vedettes féminines doivent « faire » danser les G.I.'s. Jamais encore sur une piste je n'ai été secouée comme je le suis entre les robustes mains de ces futurs guerriers. Leur jitterbug est d'une vitalité dangereuse pour les bretelles de mon soutien-gorge, et j'ai des nostalgies de valse, même musette...

12

DES ORCHIDÉES POUR MISS MORGAN

Ma rencontre avec Bill Marshall, mon mariage : une comédie américaine, ils en ont les couleurs claires, le style bien peigné et la rapidité.

Première scène : je suis pressée et traverse en courant une rue du studio. Je dois téléphoner. Zut! La cabine est occupée par une sorte de grand diable blond qui me tourne le dos. Je n'ai pas à piétiner longtemps, il sort sans me voir, me heurte : « Sorry! » Je prends sa place, sur la tablette un énorme revolver, un machin très lourd style colt... Je crie : « Monsieur, vous avez oublié quelque chose! »

Il revient à grandes enjambées. Il est beau, vraiment beau : épaules larges, taille fine, ceinture de cow-boy basse, accrochée à la pointe de ses hanches étroites, bottes à talons.

— Thank you, c'est mon revolver...

— Je le vois...

Nous rions. Sa bouche est charnue, les dents éclatantes, des yeux bleus de gosse américain. J'aurai le temps d'en apprécier toutes les nuances!

Il s'est présenté : « William Marshall, mes amis m'appellent Bill » et il est reparti.

Cette rencontre n'a pas illuminé ma journée. J'ai dû

le suivre du regard, remarquer sa démarche balancée, penser : « Sans doute un comédien, ou avec cette allure-là, un cascadeur, qui tourne un western? » – il y en a toujours un en cours. Ce n'était pas un coup de foudre et j'aurais pu l'oublier. C'est toujours ce que l'on se dit.

J'avais l'esprit bien tranquille, le cœur de même, le jour où dans le restaurant du studio, Bill m'a saluée d'un « Hello! » chaleureux me demandant si je n'avais pas oublié l'homme au pistolet. Nous ne nous étions pas rencontrés pendant des mois et maintenant je le croisais tout le temps... Je n'ai pas eu la sensation de m'engager sur un chemin particulier; ni ce jour-là ni la fois suivante, ni celle où j'ai accepté de déjeuner à ses côtés. Je l'ai trouvé drôle, pas comme les autres. Ce « pas comme les autres » aurait dû jouer le rôle de feu rouge, mais c'était si loin de moi que lorsque, devenu soudain timide, Bill me demande un « date », sans prendre le temps de réfléchir je secoue négativement la tête. Je n'ai nulle envie de recommencer les séances d' « embrassez-moi, madame! » ni de me fâcher avec lui. Il a l'air tellement dépité, presque malheureux, que je cède, je lui accorde un « date » assez lointain, comme si son éloignement même, laissait la porte ouverte à toutes les possibilités : que j'aie un rhume, une obligation professionnelle, que je change d'avis, qu'il en rencontre une autre.

Rien de tout cela ne se produisit.

Et, deuxième scène, au jour et à l'heure dite Bill souriant s'encadre dans ma porte, superbement rasé, portant une boîte carrée, ornée d'un magnifique chou de satin violet, qu'il me tend. Je proteste : « Il ne fallait pas! » et j'ouvre. Sur un lit de papier de soie rose repose ce que l'on appelle « un corsage », il avait vu grand! une branche de six orchidées mauves ornée d'un flot de rubans violets. Ma robe est verte, c'est importable. Or la politesse exige que j'épingle ce Niagara de fleurs sur ma poitrine. Impossible, elle disparaîtrait dessous!

Bill, attitude modeste de celui qui attend un compliment, me regarde confiant et souriant. Je dois faire quelque chose.

– Oh, Bill, c'est superbe mais elles sont trop belles pour être sacrifiées, je ne me le pardonnerais pas, je vais les mettre dans un vase!

Comme j'aurais pu m'y attendre il m'emmène sur la Côte dans un de ces innombrables restaurants hawaiiens qui la jonchent, le plus élégant de tous. Des jeunes filles en jupe de raphia, colliers de coquillages cliquetant sur le soutien-gorge, nous servent au son des ukulélés sur fond de danses lascives.

Je me sens doucement plonger dans l'ennui. Une soirée comme les autres au programme sans surprise : « ils » vous invitent, ne savent quoi vous dire, peut-être parce qu'ils ne pensent qu'à une seule chose : comment passer la porte de votre chambre? Espérant que tout s'arrangera en dansant ou sur le seuil de votre maison, et les quittant, vous vous retrouvez, chez vous, avec le sentiment du temps gâché et une lassitude qui a cent ans d'âge!

Nous chipotons un hors-d'œuvre de poisson que Bill accompagne de coca-cola, sa boisson favorite avec le lait, dans un silence presque total. Encore une soirée fichue. Pourquoi ai-je eu la faiblesse d'accepter? J'aurais pu, si cela m'amusait, me contenter de rêvasser sur ce grand garçon blond qui oubliait son revolver comme on oublie une pipe...

Comment m'échapper? Je ne pratique pas l'art de la migraine opportune, j'en ai jusqu'à minuit, une heure...

Il en sera plus de trois lorsque Bill me raccompagnera! Je viens de passer ma meilleure soirée. Il s'est mis à parler à l'instant qu'il fallait, il a su être amusant, me racontant, avec un humour un peu loufoque, toutes sortes d'histoires hollywoodiennes; connaissant tout le monde, semblant être intime avec les plus grands noms. Sa verve est telle que je ne m'étonne pas de relations aussi étendues et priviligiées avec le monde du cinéma, alors qu'il n'a tourné qu'un film avec Michaël Curtiz en 1940 : « La Diligence de Santa Fé. » J'ignorais encore qu'il possédait l'imagination d'un romancier. Au moment de me quitter, pas un geste, seuls ses yeux sont tendres, il ne commet pas la sottise de réclamer le « baiser-bonsoir » rituel.

Le lendemain il me téléphone pour prendre de mes nouvelles, elles sont bonnes, puis le soir pour que je me sente moins seule. L'habitude est vite prise, sans me l'avouer bientôt je guetterai la sonnerie du téléphone, puis sur le chemin le bruit d'une voiture qui ralentit m'alertera. Autant de signes avant-coureurs que je continue à mépriser.

Nous sortons de plus en plus souvent ensemble, maintenant Bill me parle de lui : « Je n'ai que vingt-cinq ans mais beaucoup d'ambition! Ce n'est pas le cinéma qui m'intéresse, je ne veux pas devenir comédien mais chanteur. »

Il a fait ses débuts sur scène dans l'orchestre de Fred Warring. La mode est aux « crooners » et il situe la tonalité de sa voix entre Bing Crosby, en pleine vogue, et Frank Sinatra, un petit jeune d'origine italienne dont on parle. S'il ne se trompe pas, sa voix doit être très séduisante. Elle l'était, j'ai toujours déploré qu'il n'ait pas suivi cette voie, c'était la sienne. Il n'a pas besoin d'elle pour me charmer et lorsqu'il me demande : « Aimeriez-vous visiter la Californie avec moi, je vous emmènerais dans un endroit extraordinaire, Carmel del Monte? » je réponds « oui » sans réfléchir, mais non sans savoir que ce terrain-là est glissant et j'y déraperai...

C'est ce soir-là qu'il me parle de sa famille comme s'il pouvait savoir que ce serait elle qui me séduirait définitivement. C'est lui que j'aimerai mais c'est « elle » que j'épouserai.

Sa voiture est arrêtée devant la maison et nous restons assis l'un contre l'autre continuant à bavarder. Tous les amoureux ont connu cette impossibilité à bouger comme si en changeant de lieu on allait rompre le charme. Pour me parler de son père il trouve les mots qu'il faut – pendant longtemps il les trouvera toujours pour tout!

– Un homme très droit, sévère, un homme d'un autre temps. Ma famille est méthodiste – j'apprendrai vite qu'il s'agit de l'une des sectes protestantes les plus rigoristes – mais, ce soir, cela me plaît, devient une sorte de garantie de conscience, d'honnêteté, rapproche cette famille de la mienne. J'ai été élevée dans cette morale chrétienne. Pour parler d'eux Bill a le ton grave et affectueux d'un grand fils aimant, il me décrit son frère, qu'il adore, sa sœur, à ses yeux parfaite; j'imagine que mes frères parlent de moi avec la même tendresse, et l'analogie que j'établis entre eux me rassure. Quant à sa mère, il fait naître en moi l'envie de la connaître, je le lui dis, c'est ce qu'il attendait, alors un grand silence tiède, parfumé par cette nuit du début de l'été californien, nous unit.

Ce baiser nous le désirions tous deux.

J'ai eu des fiançailles un peu courtes : un mois et demi.

Ce week-end à Carmel del Monte, comment ne pas m'en souvenir, il fut décisif.

La forêt pétrifiée de San Franco est certainement un lieu unique au monde, hallucinant : des kilomètres d'arbres minéralisés, tordus, griffus comme des bras, des mains de sorcières, des branches devenues stalactites, tous les camaïeux de gris, mauves, bleus, ocre... Un paysage sauvage et désolé comme une fin du monde; d'une sublime beauté.

Bill avait le sens du décor, un artiste! Nous sommes appuyés contre un énorme tronc, une brume mauve noie les lointains, rend la forêt encore plus irréelle, plus fantomatique.

– Will you marry me? (Voulez-vous m'épouser?)

Et je m'entends répondre : Yes!

– Seulement, mon amour, promettons-nous une chose...

– Laquelle?

– Si un jour nous avons peur de ne plus nous aimer, où que nous soyons, très loin l'un de l'autre, nous nous le dirons.

– Je vous le promets.

A pas lents nous revenons vers la voiture, derrière nous la forêt s'enfonce dans la brume crépusculaire, disparaît...

Dans l'auto, la tête appuyée contre mon siège, j'ai fermé les yeux, je ne dors pas. Je me demande pourquoi j'ai dit oui. Oh, je ne me livre pas à une analyse de l'événement. C'est toujours après qu'on la fait, lorsque l'on possède le recul suffisant, mais il me reste assez de jugement pour m'étonner de celle-ci, moi qui prends peu de décisions rapides maintenant.

Ce oui me paraît incroyable, c'est évident je suis amoureuse, mais pas au point de l'épouser. Alors pourquoi? Il est beau, mais cela ne suffit pas. Je suis bien avec lui, mais comment savoir si cela durera, je le connais à peine... j'entrouvre un œil : c'est avec ce profil-là que je vais passer toute ma vie! étonnant. Car pas un instant je n'ai pensé : si cela ne va pas je divorcerai. Comme référence autour de moi, parents, grands-parents, oncles, tantes, je n'ai pour modèles que des couples heureux...

A notre retour, cérémonieusement Bill m'a dit : « Voulez-vous venir prendre le thé chez nous... »

La présentation à la famille fut aussi parfaite que le reste l'avait été. J'avais contre moi d'être française et catholique, pour moi d'être aimée de Bill. Je m'apercevrai très vite que pour sa mère tout ce que fait son fils aîné est bien fait. Les yeux fermés elle lui accordera toujours sa caution morale, indispensable pour que je sois acceptée par eux, et j'ai la sensation de l'être.

La maman de Bill est une dame un peu forte, son regard vert derrière des lunettes, des cheveux gris harmonieusement ondulés adoucissent encore un visage bienveillant malgré son expression sévère propre aux puritains. Adorable, la sœur de Bill, gaie, spontanée, et son frère aussi grand que lui, moins beau, mais très sympathique. Je me sens bien au milieu d'eux. A leur contact je retrouve cette chaleur de la famille qui me manque tellement.

Je reprends deux fois du thé, deux fois du gâteau au chocolat fait à la maison. La mère de Bill est une merveilleuse cuisinière, une maîtresse de maison accomplie et je m'épanouis en les regardant. Ils sont si parfaits que l'on dirait la photo en couleur d'un magazine représentant la famille américaine moyenne, celle de la bonne bourgeoisie, des gens bien, « good people » comme l'on dit ici.

Pourquoi ai-je épousé Bill? C'est une question que longtemps je me suis posée. Je crois que lorsqu'un événement doit se produire tout y contribuera, les petits faits s'enchaîneront les uns aux autres, le temps sera complice, il pleuvra pour que l'on se réfugie dans une voiture, il fera beau pour que séparément on prenne au même instant la décision d'aller se promener au même endroit; les retards, les rendez-vous manqués – avec d'autres – serviront une seule cause, celle-là. On rencontrera les amis qu'il faut, ils vous diront à leur insu les phrases qui vous conduiront uniquement vers ce but que vous ignorez encore. Si vous lisez un livre, voyez une pièce, un film, il aura une analogie avec votre cas, chaque chose prendra sa place et aura une raison d'être. Je vais dîner chez Jean-Pierre Aumont et Maria Montez, l'union de la beauté et de l'amour. Le plus parfait des mariages réussis. Le rêve de toutes les femmes... On se dit que c'est ça le bonheur et lorsque l'on a un grand diable blond à l'orée de sa vie... Je crois n'avoir jamais dit à Jean-Pierre combien son exemple m'avait influencée...

Tout se passera comme si cela avait été décidé en dehors de vous. Et lorsque enfin vous reconnaîtrez l'existence de ces signes, il sera trop tard, vous aurez perdu tout jugement!

Je ne crois pas que l'on puisse tout mettre sur le dos du destin, il faut aussi que ce soit le moment et jamais il n'avait été plus propice que ce printemps 1942. Tout a joué, tout m'a poussé vers Bill : la solitude, la guerre dont j'avais compris qu'elle serait longue, et qu'à cause d'elle pour longtemps mon avenir serait ici, dépendrait de ce pays où j'étais une étrangère. Même de petits faits sans importance ont contribué à démolir mon moral, m'on amenée à désirer une autre vie comme cette balade dans le cimetière de Hollywood. J'adore la marche et l'on m'avait dit : « Allez vous promener là, ce n'est pas triste du tout, un grand parc... » Et, devant ces pelouses bien brossées, cette absence de pierres tombales, j'ai été prise d'une angoisse insupportable : ne pas mourir ici, ne pas être enterrée là.

L'idée de cette terre étrangère pesant sur moi m'était intolérable. Lorsqu'on ne l'a pas ressenti cela peut paraître ridicule, mais, pour moi, ce jour-là c'était angoissant. Il me semblait que je venais seulement de comprendre la signification de ces mots : la terre natale. J'en étais là.

Il m'arrivait même de quitter ma maison pour aller coucher quelques jours chez une amie américaine, Frances. Elle connaissait mon pays, l'avait habité; et je lui en parlais pendant des heures.

J'étais également très désœuvrée, depuis « Joan of Paris » je n'avais aucune proposition. La R.K.O. avait changé de financiers, les directeurs étaient nouveaux ou pas encore en place, et personne ne savait que faire de cette petite actrice française.

Si l'on ajoute à toutes ces raisons mon âge, vingt-deux ans, et un besoin bien naturel d'aimer et d'être aimée, on comprendra que Bill est venu au bon moment.

A l'annonce de mon mariage, autour de moi, le climat change. Mon flirt avec Bill, personne ne se serait jamais permis d'y faire la moindre allusion. Il en va tout autrement dès qu'ils apprennent que je vais me marier : que ce soit dans le milieu professionnel ou dans la colonie française, une quasi-unanimité se fait contre. Miss Palmer, Ralph Blum, Charlie Feldman, Léonide Moguy ou bien Madeleine Lebeau, avec des arguments différents, tous tentent de m'en dissuader et, comme il se doit, obtiennent le résultat contraire. Les raisons publicitaires, commerciales ne m'atteignent pas, j'exige mon droit à l'amour, au bonheur; quant aux révélations de mes amis sur Bill, je les traite de ragots et de médisances : « N'en parlons plus. Je me marierai! »

Le vol sombre de ces oiseaux de mauvais augure m'irrite. Je suis heureuse. Bill m'écoute, je ne lui laisse pas tellement d'autre possibilité : moi la secrète, je parle sans arrêt, j'ai tant de choses à lui dire! – pour une femme se raconter c'est une façon de se donner à l'homme qu'elle aime. Je voudrais qu'il connaisse tout de ma vie, enfin presque. Attentif, il m'écoute, me répond, le passé, le présent et l'avenir se mêlent, s'enlacent, je ne suis plus seule face à la vie, nous allons être deux et nous faisons des projets...

Longuement nous parlons métier; il n'a vu aucun de mes films, même pas « Port of Shadows », en revanche Jean Gabin il sait qu'il existe! trop bien même, ce n'est pas déplaisant cette pointe de jalousie! Ce que je veux c'est lui faire comprendre que par rapport à ma carrière en Europe – neuf films en trois ans – n'en avoir tourné ici, en deux ans, qu'un seul me démoralise. Il m'approuve :

– Je crois, Mike – il a ainsi américanisé mon prénom – que vous avez raison de vous en étonner. Mais moi je n'en suis pas surpris, vous avez été mal conseillée.

Le ton devient grave et chaleureux, c'est celui du monsieur qui sait et va arranger cela : « Voyez-vous, je pense que votre entourage n'est pas celui qui vous convient. » Une petite phrase qui deviendra redoutable. Il n'a pas besoin de préciser : maintenant tout est changé! C'est sous-entendu. Je vais enfin être conseillé dans mon seul intérêt. Devais-je considérer comme premier bon conseil celui qui suit :

– Ma chérie, je suis sûr que vous serez de mon avis en ce qui concerne notre maison? Vous comprendrez qu'un homme ne peut pas vivre sous le toit de sa femme, un toit payé par elle, je vous conseille de la vendre.

Une pensée qui ne m'était pas venue. Je proteste, ce scrupule n'est pas de mise :

– C'est sans importance pour moi et elle est assez vaste et confortable pour que nous y vivions à l'aise tous les deux.

Il se rembrunit :

– Non, je ne peux pas penser comme vous, notre famille, vous le savez, a quelques principes : mon père n'aurait pas apprécié et ma mère ne le comprendrait pas! Vraiment c'est une chose qui ne peut pas se faire. Nous pouvons louer, acheter une autre maison, j'en ai visité une en location, très bien, à « Brentwood », allons la voir, voulez-vous?

Elle n'avait rien de comparable avec la mienne : situation, confort, ameublement, mais on ne commence pas un mariage en disant non. Avec Bill, ne serais-je pas heureuse n'importe où?

Je vendrai donc ma maison, et avec l'argent, plus tard, nous en achèterons une autre qui par suite des circonstances lui restera.

« Je me marie le 15 septembre[1] avec un jeune Américain, Bill Marshall, à Hollywood... » Joli début de lettre, j'imagine papa, maman, tante Yvonne, oncle Teddy, mes grands-parents Payot écoutant cette lecture, la commentant; que de questions ils vont se poser que, faute de les connaître, je laisse sans réponse.

Je leur décris ma toilette, je voudrais qu'ils aient un

1. 1942.

peu l'impression d'y être. « J'ai déniché une petite couturière merveilleuse. Ma robe sera courte, bleu ciel, je porterai avec un petit bonichon, de même couleur, genre calotte de rabbin, qu'on appelle « beanie », très en vogue ici, agrémenté d'un nuage de voilette, l'amorce du voile. L'ensemble est très réussi... Vous me manquerez beaucoup. » Je rêve sur cette lettre, mais leur parviendra-t-elle? et quand?

Le matin de mon mariage, je me regarde dans la glace. « Madame William Marschall... » Ce nom me plaît, je lui trouve une allure digne, et sérieuse.

Un temps superbe. Le temple est inondé de fleurs, le pasteur à la fois sévère et bienveillant. Bill me glisse l'alliance au doigt. Je viens de prononcer le « Yes » sacramentel et crois sincèrement m'être engagée pour la vie. Dans les films américains ces scènes de mariage m'avaient fait rêver, j'y étais : à notre sortie, par grosses poignées, on nous jette du riz. Puis suivant la coutume, Bill me fait franchir dans ses bras le seuil de la maison que nous avons louée.

L'après-midi, la réception, rien que la famille, a lieu chez la mère de Bill.

C'est joliment ordonné, tout en teintes pastel, sages et convenables, le décor, les robes, les chapeaux. Les rangées de perles de culture et les sourires brillent du même éclat, doux et discret.

Sur une table trône, majestueux, le wedding-cake. Je retire les deux petits mariés qui surmontent la pièce montée, et sous les applaudissements, taille dans l'édifice. Discrètement je fais un signe au serveur qui ouvre la première bouteille de champagne et la seule! Le bruit du bouchon crée autant de stupeur que l'attaque du train dans un western.

Le matin même, en demandant à Bill de ne pas oublier le champagne, j'avais obtenu cette réponse scandalisée :

– Mike, vous n'y pensez pas, jamais une goutte d'alcool n'est entrée chez ma mère.

– Mais Bill, un mariage sans champagne est un

mariage sans bonheur. C'est une coutume française très importante.

Cette affirmation folklorique l'avait emporté et sa mère avait feint pieusement de ne pas remarquer l'entrée des bouteilles prohibées.

Mais à l'instant des toasts pas un argument ne la décide, ni elle, ni Bill, ni aucun autre membre de sa famille, à en accepter, ne serait-ce qu'un doigt, dans leurs verres. Alors, je trinque avec la joie légère, pétillante de mon vin doré contre la sombre couleur de leur coca-cola.

J'ai un peu l'impression de participer à une jolie scène d'un film série B... B comme bien-pensant. C'est aussi la dernière image de mon « mariage à l'américaine », les comédies s'arrêtent là, elles ne vont jamais plus loin...

La vie, elle, se poursuit.

13

M., Mme MARSHALL ET BEBE

Ce n'était pas seulement la famille de Bill que j'avais épousée, c'était l'Amérique! Ma vie est devenue celle d'une jeune femme américaine. Bonne épouse, je prépare le café tandis que Bill fait frire les œufs au bacon. Je me suis parfaitement habituée au breakfast. Le dimanche, nous le prenons dans le drugstore ou la cafétéria la plus proche, avant d'aller assister, en famille, au service du temple méthodiste. Je m'y ennuie un peu. Ce Dieu, privé d'encens, de pourpre et d'or, du chaud rayonnement de la flamme des cierges, éclairé au néon, ce corps du Christ que l'on distribue, au moment de la communion, sous forme de petits morceaux de brioche, m'est peu familier, et je n'ose rien lui demander.

Assise entre Mrs Marshall, ma belle-mère, et sa fille Betty, ma belle-sœur, j'ouvre le recueil de psaumes à la page indiquée, et nous chantons en chœur, tout simplement. Il n'y a pas d'orgue, seulement un harmonium. Ensuite, lecture de l'évangile dominical, puis analyse du verset choisi. Pas de confession avant la communion, pécheur ou pas, on communie, en s'arrangeant avec sa conscience. En général, les rapports en sont plus malaisés, moins nuancés qu'avec monsieur l'abbé!

Sortie générale, douce et pieuse poignée de main du pasteur.

Après le culte, ma belle-mère nous reçoit en famille. J'ai encore dans la bouche la saveur de ses plats et j'avoue en avoir conservé une nostalgie que j'apaise en demandant à Mike, mon fils, de me cuisiner un des plats de sa grand-mère.

Comme toutes les mères elle me confie les goûts de son fils qui demeure pour elle son petit Billy : « Billy adore le poulet frit, la dinde à la confiture d'airelles, aujourd'hui j'ai préparé un meat-loaf[1], je vais vous en donner la recette. »

Tout cela est délicieux, mais le serait plus encore arrosé d'un verre de haut-brion plutôt que de lait glacé.

Cette première année de mariage s'écoule très vite. Le bonheur, et je suis heureuse, ne laissant pas de cicatrices, il ne m'en reste qu'une impression unie, lisse, d'étang sous le soleil. Et si parfois passe un petit nuage il est rose et pommelé comme un amour!

Professionnellement, ma carrière n'est plus au point mort. Coup sur coup, je tourne deux films, l'un pour Universal, encore une histoire de Résistance « Two tickets for London »[2] sous la direction d'Edwin L. Marin et l'autre pour la R.K.O. « Higher and Higher »[3]. Si je ne garde aucun souvenir du premier, j'en conserve de fort mauvais du second.

Après quelques conversations préalables, un matin, je rencontre, dans le bureau du producteur de R.K.O. mon futur metteur en scène, Tim Whelan; premier abord neutre. Cet homme de cinquante ans fut le gagman de Mack Sennett, d'Harold Lloyd puis travailla avec Frank Capra pour Harry Langdon, ce Chaplin d'avant Charlot. Ces références du rire garanti seront la seule chose que je trouverai drôle!

1. *Meat-loaf* : sorte de pain de viande, mélange de veau, de bœuf et de porc, additionné d'œufs durs et de mie de pain.
2. Titre français : « Rencontre à Londres ».
3. Titre français : « Amour et Swing ».

Ces hommes avisés me tiennent un discours dans lequel ils m'expliquent qu'ils veulent lancer à l'écran un jeune chanteur, Frank Sinatra – Bill m'en avait dit grand bien comme crooner – et qu'ils ont pensé à moi pour être sa partenaire dans « Higher and Higher », qui actuellement fait courir tout New York à Broadway.

J'en reste suffoquée et ne retrouve la parole que pour leur faire une objection essentielle :

– Je ne sais ni chanter ni danser.

Mon producteur est du genre sûr de lui. Désinvolte et légèrement agacé il m'affirme :

– Vous apprendrez. Une actrice doit savoir tout faire!

Il a raison, ici beaucoup de comédiennes pratiquent toutes les disciplines, mais ma voix est frêle, et à part la « Danse des Libellules » à Dieppe...

D'un geste il balaie tout ce que je pourrai dire.

– Pour vous, ce ne sont pas les scènes musicales, très courtes, qui ont de l'importance, c'est le rôle et il est magnifique! Nous avons misé sur votre physique, votre personnalité.

Je suis, dans certains cas, doucement entêtée, j'insiste :

– Etes-vous bien sûr qu'il soit de mon emploi?

Son autorité devient sèche, il sait mieux que moi ce qui me convient et me le dit sans plus de ménagement :

– Miss Morgan, à chacun son métier. Le vôtre est de jouer, le nôtre est de savoir ce que vous devez jouer. Regardez ceux-ci...

Du bout de son cigare, il me désigne les photos des grands acteurs de la firme qui tapissent les murs de son bureau.

– Si vous croyez qu'on leur a demandé leur avis! Tous nous ont fait confiance!

Je ne réponds pas, je réserve ma décision pour le lendemain. Cette fois-ci je ne suis pas seule! Ralph Blum est défavorable : « Je pense que vous pouvez attendre, que l'on vous propose un rôle plus près de votre nature. » Bill voit les choses différemment, un film musical, son rêve, ne peut que le séduire; flatté par personne interposée son jugement est des plus optimistes : « Il faut être un acteur complet et tu peux tout faire! Je suis prêt à te faire travailler. »

Pourquoi ne pas essayer? Et les leçons repartent : chant, danse, claquettes. Dès la première leçon de vocalise je suis fixée sur moi-même, mon avenir n'est pas là!

Huit jours avant le tournage, convocation, l'œil inspiré, producteur et metteur en scène tournent autour de moi, deux maquignons autour d'une pouliche!

– Michèle, votre visage n'est pas parfaitement en accord avec le personnage.

– Alors pourquoi m'avez-vous engagée?

– Parce qu'il en est très proche, il s'agit de peu de chose... pour qu'il soit parfait.

Dès mon arrivée mes amis français m'avaient prévenue : « Méfie-toi, ici ils ont la manie de transformer les femmes à leur goût – celui du jour. Si tu te laisses faire, tu te retrouveras avec une tête " standard "! A part le rembourrage dynamique de « Joan of Paris » j'avais échappé à ce péril et ma méfiance était endormie. Elle s'est réveillée en écoutant cet intéressant discours :

– Ne vous inquiétez pas. Il suffit d'accentuer deux ou trois petits détails, d'en gommer trois ou quatre autres, pour que vous soyez merveilleusement la femme du rôle.

A nouveau ils m'opposent leurs compétences : « Laissez-nous faire, c'est notre métier! »

Conduite chez Tommy, chef maquilleur à la R.K.O., j'y reçois de sa part un accueil déconcertant, il m'examine comme si j'étais une erreur de la nature. Sous son œil professionnel, implacable, Marlène elle-même douterait de son visage et son verdict, donné du bout des lèvres, m'impressionne alors qu'il devrait me faire rire.

– Les cheveux blonds très fades avec cette couleur bleue. Et les yeux : à agrandir avec de faux cils. Quant aux sourcils, alors là, les sourcils, il faut les accentuer, les redessiner. La bouche : trop mince, pas sensuelle, je vais vous remodeler ça avec ce rouge-ci ou peut-être avec celui-là...

Sans respect, Tommy met producteur et réalisateur à la porte :

– Laissez-moi travailler. Mon inspiration ne supporte pas les témoins.

Je suis devenue la propriété de Tommy, une sorte de poupée de cire. Avec autorité il m'installe sur son fauteuil qui me rappelle étrangement celui du dentiste, et commence son œuvre créatrice. A la fin de la séance, j'ai le tournis d'avoir vu défiler dans le miroir tant de bouches, de sourcils, de coiffures différentes. Ma peau, maquillée et démaquillée, me pique, me tire. Je n'ose plus ouvrir les yeux. Au dernier essai, Tommy, après s'être essuyé vigoureusement les mains, contemple avec ravissement son œuvre et téléphone que tout est prêt.

Dans le miroir, une femme inconnue me regarde, jolie, l'œil très maquillé a un petit air qui me déroute, la bouche arrondie me surprend et comment n'être pas étonnée par ces cheveux aile-de-corbeau ramenés en chignon sur le sommet de ma tête? Mais l'ensemble m'amuse. J'ai le goût profond des gens du spectacle pour le déguisement, la composition d'un personnage nouveau me séduit. Pourquoi ne pas le jouer avec ce visage? Pour Tommy sa création est un triomphe. Merveilleuse! Admirable! Sensationnelle! En panne de superlatifs il me contemple l'œil ému et reconnaissant. Vraiment je n'y suis pour rien! Je commencerais même à être plutôt contre, quelque chose en moi se rebelle, la vague inquiétude d'être devenue un produit falsifié. Cette beauté de boîte à maquillage – est-ce de la beauté? – fait de moi une girl américaine parmi tant d'autres. J'étouffe rapidement cette voix sous celle de la raison, ces gens n'ont-ils pas créé les Marlène Dietrich, les Joan Crawford, les Ginger Rogers?

J'adopte leur certitude : « Ils savent mieux que moi. »

Seulement, tout le temps que durera le tournage, je me sens peu naturelle. En dansant, mais est-ce de la danse, en chantant, mais est-ce du chant? Même en jouant la comédie, j'ai l'impression d'être comme décalée par rapport à moi, aux autres. Comment pourrais-je être à l'aise en chantant aux côtés de Sinatra? Ce n'est pas la conscience que j'ai de son talent, de la séduction de sa voix qui va me donner de l'assurance! Et, chaque fois que nous sommes en présence, je me demande si ce film n'est pas une histoire de fous.

Pour entrevoir, ne serait-ce qu'un instant, ce garçon mince, vif, brun, au cil et à l'œil veloutés, des gamines de treize, seize ans, se pressent contre la porte des studios, pendant des journées entières elles l'assiègent, s'étouffent, s'évanouissent; cris, hurlements, pâmoisons... Pour moi l'ampleur de ce délire est inattendue. A l'époque, quand j'ai quitté la France, les idoles de la chanson n'existaient pas et en dehors de Tino Rossi pour lequel, disait-on, des femmes allaient jusqu'à jeter leurs manteaux sous ses pas, l'entrée et la sortie des chanteurs, comme celles des comédiens, ne nécessitaient pas de service d'ordre spécial.

Mes rapports avec Frank Sinatra sont fort amicaux, lorsque nous nous rencontrons, mais la chose se produit rarement : il arrive sur le « set » encadré de sa « quadrilla », secrétaire, imprésario, musiciens, parolier, plus le parasite et le bouffon de service, ce qui ne facilite pas les conversations personnelles. D'ailleurs je m'y sens de moins en moins encline car au fur et à mesure que les semaines s'écoulent, j'ai la sensation d'avoir commis une monumentale erreur. Et, le soir de la première, malgré les compliments auxquels généralement je n'accorde que peu de crédit – j'en suis aujourd'hui encore difficilement dupe – effondrée, je regarde cette femme sophistiquée, qui a perdu tout charme, tout naturel, s'agiter maladroitement. Pour moi ce film est une vision d'horreur!

Pauvre Bill, je lui fais passer une nuit pénible, jusqu'au petit matin il a les oreilles bourdonnantes de mes regrets, mes plaintes... plus la nuit avance, plus je dramatise... Avec patience il m'assure que je connais mal ce public, que cette version américanisée de Michèle Morgan plaira beaucoup, que les actrices sont faites pour changer de visages suivant leurs rôles, que... Je réfute tout ce qu'il me dit et ne trouve un début de consolation qu'à la pensée que le public français ne me verra jamais là-dedans!

Fausse espérance, il sera présenté en France tout de suite après la Libération et connaîtra ce que les critiques gentils appellent un succès médiocre.

Nous n'avions pas eu de voyage de noces, la préparation de « Two tickets for London » l'a rendu impossible, pour m'en consoler Bill, non sans humour, m'avait affirmer que nous avions le privilège d'être sur les lieux mêmes où les autres Américains venaient le faire, que ceci compensait cela!

Notre lune de miel, elle, fut parfaite; sans doute aurait-elle duré plus longtemps si Bill n'avait été mobilisé. Evénement qu'il m'annonce, l'œil brillant, comme si la vie venait de lui accorder une promotion inattendue. Les femmes ont une façon différente d'accueillir ce genre de nouvelle. L'idée d'être privée de lui, et à nouveau seule, m'est pénible, et je le lui dis; pour me rassurer il m'explique qu'il n'est pas près de partir pour le front, qu'il va faire sa période d'instruction dans les Cadets de l'Armée de l'Air, à Santa Anna, au sud de la Californie. « Tu verras, ce n'est pas loin, tu pourras venir me voir tous les dimanches! » et Bill décide que « nous allons fêter ça » en amoureux!

Restaurant, bord de mer, slow... le programme de notre première rencontre. Ce qui n'y est pas prévu c'est la scène de jalousie qu'il me fait. Inattendue et d'autant plus injustifiée qu'elle est rétrospective. Bien avant que nous nous mariions, je n'ai rien caché à Bill de ce qu'avait pu être ma vie privée, fort modeste d'ailleurs. Je l'ai fait parce que j'ai toujours pensé que le mensonge n'était pas une garantie de tranquillité, que la vie d'un couple incapable de supporter la vérité de l'autre était d'une grande fragilité.

Je ne me souviens pas comment est née cette discussion, mais très rapidement elle dégénère. Bill prêt à m'affirmer qu'une jeune fille se garde pour son mari, atteint pour moi la limite du ridicule. Je lui dis qu'il y a des moments où ses principes deviennent irritants. Je ne sais par quel truchement, il en vient à me répondre qu'il était prêt à tout admettre – un « tout » qui ne contient pas grand monde – sauf Jean Gabin! Peut-être est-ce sa présence à Hollywood qui l'exaspère. Que peut-il en redouter? Jean vit sa « période américaine » : Ginger, Marlène, tout le monde le sait. Nous n'avons plus de nouvelles l'un de l'autre, il ne se soucie pas plus de moi que je ne le fais de lui, autrement qu'amicalement. Alors que Bill a toujours été plutôt discret, il insiste désagréablement pour avoir des précisions et même des détails; il en devient odieux, mais après tout il est mon mari et peut estimer que je les lui dois, alors je cède et lui raconte comment les choses se sont passées entre Jean et moi. Naturellement je n'insiste pas sur mes sentiments, les minimise un peu. Il n'apprécie pas mes arguments, de mauvaise foi les retourne contre moi, je suis excédée.

Révoltée d'abord par ses reproches immérités, son agressivité, je lui fais face jusqu'au moment où j'éprouve devant cette soirée gâchée une grande lassitude. C'est la seule sensation que j'aurais dû en garder mais il n'en fut pas ainsi, elle a conservé dans ma mémoire une importance que je n'ai comprise que plus tard : ce soir-là, intuitivement, j'avais eu la révélation de son véritable caractère.

Les jours suivants tout semble effacé. En l'absence de mon mari, ma belle-mère vient habiter chez nous.

Lorsque Bill m'a dit sans y mettre trop de formes : « Je pense qu'il serait bien que maman vienne habiter avec toi », j'ai accepté. Je supportais mal la solitude, moi qui plus tard l'apprécierais tant. Cela m'a paru naturel et malgré la scène que nous avions eue, l'idée que sa mère me surveillerait ne m'a pas effleurée. Et pourtant c'était vraisemblablement l'arrière-pensée de cette opération.

Douce, vigilante, un peu autoritaire comme peut l'être une mère du genre : « Bill préfère... Bill aime... Bill n'aime pas... Quand il était petit, Billy par-ci et par-là... » Elle va, vient, prend une place qui, plus jamais, ne lui sera retirée. Malgré sa présence réellement amicale, les soirées sont longues, ma pensée invariablement glisse vers des images qui deviendront obsessionnelles. Je revois, aux parois des tunnels du métro cette publicité, « Dubo... Dubon... Dubonnet », les réverbères dans les rues de Neuilly... le soir, autour de la table, mes parents...

Lorsque dans les journaux, j'apprends que Paris a été bombardé, mon angoisse monte comme une fièvre et, pendant des jours, je guette une lettre. La sonnerie du téléphone me fait sursauter. Quand dans un article je trouve une indication de quartier, je me raisonne : ce n'est pas le leur! puis m'inquiète : ils pourraient s'être déplacés. Le jour du bombardement du champ de courses d'Auteuil, ne sont-ils pas allés s'y promener?

Alors, je reste, le regard un peu perdu, la pensée au loin, jusqu'à ce que la longueur du temps écoulé me rassure, j'aurais été prévenue.

Ici, rien ne peut être dramatique et pourtant une crainte insidieuse qui n'est pas encore la peur pénètre dans les familles. Le débarquement anglo-américain en Afrique du Nord a eu lieu, les nouvelles sont bonnes et régulières, mais nous pensons tous : « Ces troupes seront dirigées un jour vers le continent... »

Insensiblement, je me glisse dans le moule de la femme américaine. Comme un grand nombre d'entre elles, tous les dimanches, je vais chercher mon mari au camp d'entraînement. Je ne connais aucune de ces jeunes femmes que je croise, nous échangeons un sourire, un hello! un geste de la main. Si nous parlions ensemble, sans doute nous dirions-nous des choses concernant nos « hommes », leur départ, pour quand? pour où?

Elles sont toutes très jeunes, quelques-unes sont accompagnées par un enfant... Ce qui fait rêver Bill et doucement il m'entraîne vers ce désir : un enfant.

Ma route dominicale vers Santa Anna est jalonnée par de grands panneaux publicitaires sur lesquels rit un bébé blond au nez retroussé, et aux grands yeux bleus, et je me prends à penser : « Si j'ai un enfant, je veux un petit garçon qui lui ressemble... »

Je ne sais si ce souhait a eu une influence mais au même âge Mike aurait pu prendre sa place sur l'affiche!

Un accident va contribuer à transformer ce songe, encore vague, en désir réel. Dans la semaine, on me téléphone : « Bill, au cours d'exercices, a fait une chute, sa tête a porté sur du ciment ou une pierre (je n'entends pas très bien), on l'a transporté évanoui à l'hôpital. » L'inquiétude ne sert que trop souvent de mesure à l'amour et la mienne grandit encore quand j'apprends, un peu plus tard, qu'on a dirigé mon mari sur un hôpital neurologique de New York. « Il aurait, me dit-on, un traumatisme crânien. » Sans plus attendre, je pars le rejoindre.

Je trouve un Bill heureux de me voir, apparemment remis de sa chute et impatient de quitter l'hôpital. « Ils n'ont aucune raison de me garder, je me sens en pleine forme et prêt à revenir au camp. »

L'armée, c'est terminé pour lui. Le médecin militaire qui me convoque, me tient un tout autre langage. Sans me fournir de savantes explications médicales sur les suites de cette chute, il me fait une recommandation formelle : « Madame, il faudra à l'avenir, vous efforcer de ne jamais contrarier votre mari, lui éviter toutes raisons de colère, elles seraient très mauvaises pour lui. »

Ce qui eut pour conséquence de me faire prendre l'habitude, pendant longtemps, de répondre passivement à Bill : « Oui, chéri, non, chéri! »

Fini pour lui les rêves de gloire en plein ciel. En

faisait-il beaucoup? Il m'en parlait peu. Je n'aime pas les uniformes, mais le sien lui allait fort bien. Cadet de l'Armée de l'Air, cela plaît et lorsque le dimanche nous sortions, le regard des femmes, qui n'échappait pas à Bill, m'amusait.

C'est à New York, en quittant l'hôpital qu'il reçoit sa nouvelle affectation : il est muté au Théâtre aux Armées. Presque immédiatement commencent les répétitions d'un show « Wing Victory » (« Les Ailes de la victoire »). Ce spectacle, à la gloire de l'aviation américaine, tiendra l'affiche à Broadway pendant plus de six mois durant lesquels j'habiterai New York.

Une seconde lune de miel! J'ai retrouvé le Bill de nos fiançailles, l'avais-je donc perdu? Pas vraiment, mais pour en être subtil le changement n'en existait pas moins.

Le tournage de mes deux films, l'armée, nous avaient forcément séparés, nous n'avions pas, non plus, été suffisamment seuls. Sa mère, sa famille, tenaient une grande place dans la vie de Bill, ce n'était pas là une chose que j'aurais pu lui reprocher. Seulement chaque fois que nous avons pu être tous les deux, nos petits différends se sont toujours arrangés. Notre couple mieux uni prend une force nouvelle et sûrs l'un de l'autre nous décidons d'avoir un enfant.

Cette décision j'en connaissais l'importance. Comme beaucoup de femmes j'estimais que ma vie n'atteindrait pas complètement sa plénitude, qu'il me manquerait toujours quelque chose sans cela. J'avais le sentiment profond que, ne pas avoir d'enfant, c'était ne pas avoir rempli sa fonction de femme. C'était aussi une responsabilité et je la prenais; vis-à-vis de l'enfant d'abord, de moi ensuite. Cette petite existence aurait forcément une influence sur ma vie professionnelle et si je n'en mesurais pas tous les effets dans l'heure, je ne les fuyais pas. Se réaliser complètement en tant que femme était pour moi aussi important que de réussir dans mon métier.

J'y pensais beaucoup, le seul élément qui m'a

échappé c'est l'effet que cette naissance pourrait avoir sur la vie de notre couple. Il me paraissait tellement évident qu'il ne pourrait qu'en renforcer les liens.

Déjà trois mois, parfaitement heureux, sont passés, j'aime beaucoup la vie new-yorkaise, moins étroite, que celle de Hollywood, aussi quand on me propose de tourner un film policier mis en scène par Michaël Curtiz « Passage to Marseilles » aux côtés de Humphrey Bogart, j'hésite. A nouveau, nous allons être séparés par mon métier, et je sais maintenant que cela nous est peu favorable. De plus la dernière expérience m'a été cruelle, je n'ai pas envie de me retrouver avec un nouveau visage, en train de jouer n'importe quoi, mais Bill m'affirme que refuser serait une erreur :

– Ne rate pas cela, un film avec Bogart, c'est une garantie. N'oublie pas que tu as manqué « Casablanca » et que tu l'as regretté...

C'était vrai, Ralph Blum, mon agent, tenant compte de mon contrat avec la R.K.O., avait demandé un cachet trop élevé. Ce film ayant été un succès, pour la troisième fois j'étais passée à côté de la grande réussite américaine.

Je devais aussi considérer que Bill mobilisé ne gagnait plus rien depuis un an. Et puis il me semblait bien qu'un bébé était en route... alors, pour lui, n'est-ce pas? Déjà il influençait ma vie.

Un peu triste de laisser Bill, je rentre à Hollywood. Le jour même où je signe mon contrat, mon médecin consulté me confirme que je suis enceinte.

Ce soir-là avec Bill nous nous parlons plus d'une heure au téléphone, je n'oublierai jamais le ton de sa voix lorsqu'en guise d'au revoir il me dit : « Chérie, pense à moi, à nous. Prends bien garde à toi et à mon fils! »

Son fils, pendant toute la durée de la grossesse, je n'entendrai parler que de lui. Comment pourrais-je être assez maladroite pour avoir une fille?

Chaque soir nous nous téléphonons. Bill à la fois m'attendrit et m'agace :

– Demande des conseils à ma mère, elle sait, elle a eu deux garçons!

– Chéri, crois-tu vraiment que dans mon état les précautions à prendre soient tellement différentes pour une fille et pour un garçon?

Nous rions. Chaque phrase, même banale, nous rend joyeux. Avant nous, c'est certain, aucun couple n'a attendu un enfant.

– Es-tu sûre de pouvoir tourner dans ton état? Si ça ne va pas, rembourse le dédit et envoie-les promener.

– Mais Bill, je ne suis enceinte que de trois mois!

– Trois mois déjà! justement c'est fragile à cet âge. Ce sont les semaines les plus importantes, me déclare-t-il péremptoire. C'est en ce moment que tout se décide...

Je suis submergée par un flot de conseils. Il doit avoir acheté un manuel de la future maman...

J'ai une grossesse sans histoires, aucun trouble inhabituel, seulement le plaisir incomparable de cette vie qui s'élabore en moi et sur laquelle je me penche déjà. Je sais qu'il bougera, je sais que c'est encore trop tôt, mais cela ne m'empêche pas de mettre mes mains sur mon ventre et d'imaginer qu'une chaleur qui n'est pas la mienne, qui vient de lui les pénètre. Ces instants-là n'appartiennent qu'à nous, les femmes.

Tout en tournant « Passage to Marseilles », je suis prise d'une grande activité, j'installe la chambre du bébé, une tapisserie d'un rose-mauve ravissant. Je garnis le berceau. Au plaisir que j'éprouve en cousant ce plumetis blanc, je découvre cette sérénité des mères qui préparent le nid.

Heureusement que j'ai ça! Pour le reste, professionnellement, rien n'est facile, je vis dans la crainte que Michaël Curtiz ne s'aperçoive que je suis enceinte, et pour un œil averti cela se devine dans une certaine lourdeur de la taille, le subtil arrondi de la silhouette, il serait furieux que je lui aie caché mon état.

En quelques heures il s'est révélé le plus désagréable des metteurs en scène que j'aie jamais eus. Ce Hongrois à faciès de Tartare me terrorise, je suis devenue, sans savoir pourquoi et comment, sa bête noire. Sadiquement il guette chacune de mes défaillances, les provoque même, naturellement celles-ci se multiplient au fur et à mesure que je sens grandir son hostilité. Avec une malveillance insultante, à la fin de chaque plan, au début de chaque autre; d'un mot sec, d'une parole blessante, il me cassait mon moral, ce qui était aisé, le psychisme des artistes a la délicatesse d'une feuille de papier de soie et se froisse aussi facilement qu'elle. Je m'endormais mal, le soir, à la pensée de retrouver le lendemain mon tortionnaire.

Quant à Humphrey Bogart, que ses amis appellent Bogey, ce n'était pas auprès de lui que je pouvais trouver quelque soutien : il se réfugiait dans une neutralité maussade. Il avait ses problèmes; la cigarette au bord d'une lèvre désabusée, il restait dans son coin à remâcher ses ennuis conjugaux. Il n'avait pas encore rencontré la charmante Lauren Bacall. Dès le premier jour Bogart avait pris ses distances avec Michaël Curtiz en l'envoyant dinguer.

« Passage to Marseilles », enfin mis en boîte, je peux m'épanouir librement, inutile de serrer ma ceinture, j'ai le droit de rendre visible ma proche maternité...

Bill est toujours à New York, j'aimerais le rejoindre, mais je me sens un peu paresseuse, avec l'envie de me laisser vivre et, en l'absence de mon mari, notre petit cercle français me récupère. Charles Boyer, que je n'ai pas revu depuis « Orage » m'invite à dîner. Dans sa maison au décor d'un extrême raffinement, je suis reçue chaleureusement par lui et sa femme, l'actrice anglaise Pat Patterson; on donne dans tout Hollywood leur ménage en exemple : mariés pour la vie... Jean-Pierre Aumont et Maria Montez m'avaient fait rêver du mariage; eux me font rêver de durée, leur couple m'apparaît comme la forme enviable de la perfection à atteindre, le modèle!

Le hasard, dont Mallarmé disait que jamais un coup de dés ne l'abolit, me place à côté de Kisling, il n'en faut pas plus pour que se déclare une vocation! « J'aimerais faire votre portrait, voulez-vous poser pour moi? »

Flattée, j'accepte et le lendemain j'entre dans un monde magique, celui de la peinture. Avoir eu comme initiateur Kisling est une grande chance. Fascinée, passionnée, je regarde naître touche par touche un visage de femme. Je ne sais si c'est le mien, car recréée par lui je deviens une « femme de Kisling », mais quelle tendresse, quel amour il y a dans ce pinceau de martre qui, dans une pâte onctueuse, fait naître une œuvre d'art! Je crois que parvenu à un certain degré de connaissance, de talent, le modèle n'est plus qu'un prétexte.

Mais dans ce prétexte il y a quand même quelque chose de vous. Pourquoi n'ai-je pas demandé à Kisling de l'acheter? Je n'ai pas osé l'en dépouiller. Plus tard, j'ai compris qu'il arrivait un moment où un peintre se sépare aisément de son œuvre; c'est assez volage un artiste, il est généralement bien plus attaché à la toile de demain qu'à celle d'hier. J'ai été vendue à qui? Je l'ignore. Il m'arrive d'y penser, ai-je subi le jeu des enchères? Suis-je accrochée quelque part sur un mur que je ne connaîtrai jamais? C'est curieux cette Michèle Morgan qui n'est pas tout à fait moi et qui a sa destinée en dehors de la mienne...

Lorsque la séance de pose est terminée, je demande à Kisling l'autorisation de le regarder peindre, et à le voir travailler il me vient des frémissements d'envie, alors j'ose : « Si je vous demandais de me donner des leçons... accepteriez-vous? »

Il me regarde longuement, son œil me fouille comme tout à l'heure lorsqu'il me peignait : « Oui, mais à une condition, que vous me promettiez de continuer. »

C'est une promesse qu'avec parfois quelques difficultés j'ai tenue.

Enfin Bill me rejoint. Il est stupéfié par ma taille, il paraît que je suis énorme, moi je me trouve bonne mine, un peu grosse sans doute, mais c'est bien naturel!

– Mike, tu vas avoir des jumeaux!

Son assurance me trouble et nous nous demandons sérieusement s'il ne serait pas sage d'acheter un autre berceau et de doubler la layette...

Est-ce l'attente du bébé qui est responsable d'une certaine indifférence à tout ce qui n'est pas lui, mais je ne réagis pas aux sautes d'humeur de Bill. Nerveux, presque irritable, souvent taciturne, un changement semble s'être opéré en lui, je le remarque sans trop m'alarmer. Ce sont surtout mes relations avec les Français qui le font « ronchonner ». Je l'excuse, peut-être se sent-il un peu exclu? et n'en suis pas davantage préoccupée. L'important, c'est que les bons moments soient entre nous plus nombreux que les autres, et ils le sont. Une seule chose en dehors de mon état me préoccupe : faire bénir notre union par un prêtre catholique avant la naissance de notre enfant. Bill est réticent : « Nous avons été mariés au temple, c'est suffisant. » « Non, Bill, pas pour moi, je veux que notre mariage soit reconnu par mon Eglise. C'est très important pour moi. » Quel besoin avais-je de rendre mon union indissoluble?

Elle peut paraître enfantine cette foi qui était la mienne, mais je suis née avec elle. Toute mon enfance, ma jeunesse ont baigné dans ce climat de bonté, de tolérance, de simplicité d'âme étroitement liée à l'idée de Jésus-Christ, de la Sainte Vierge Marie et des Saints et j'en garde encore aujourd'hui un souvenir merveilleux, car c'était une merveille que de grandir dans ces sentiments de pureté et d'espérance.

6 juin 1944. Radios, journaux proclament : Les troupes alliées ont débarqué sur la côte du Calvados, l'opération « Overlord » est réussie.

Bouleversée j'imagine mon pays à feu et à sang; lorsque je ne lis pas les journaux, j'écoute la radio, je cours au consulat, comment avoir des nouvelles de ma famille? Les actualités me serrent la gorge, cette côte que l'on devine mal dans les fumées, les explosions des combats, ce morceau de plage, de campagne, c'est la Normandie, ce pan de mur, une ferme de chez nous... Cette France, dont j'aperçois un fragment entre des chars, des canons, des casques ou l'épaule d'un battle-dress, me fait monter les larmes aux yeux.

L'avance des troupes victorieuses ne me paraîtra rassurante que lorsque les correspondants de guerre feront, aux ruines, succéder des images joyeuses de foules délirantes, acclamant les libérateurs, mais avant, que d'angoisses m'auront serré la gorge!

Je ne suis pas la seule à suivre fiévreusement les événements. L'Amérique tout entière vit avec ses G.I's. Pour les Américaines, ces paysages ont d'autres significations que pour moi, ce sont leurs pères, leurs fils, leurs fiancés, leurs maris... qui les peuplent et soudainement je communie avec elles.

Est-ce parce que portant un enfant je comprends mieux leur peur? Mais solidaire d'elles dont les combattants libèrent mon pays morceau par morceau, je ne me sens plus étrangère en Amérique.

Ce qui ne m'empêche pas d'avoir en ce matin un grand coup de nostalgie en entendant à la radio Charles Trenet chanter : « Revoir Paris... Un petit séjour d'un mois... Revoir Paris, et me retrouver chez moi... »

Il ne saurait en être question, même si cela était possible, je ne suis plus qu'à trois mois de mon accouchement. La coutume américaine veut que nous donnions une grande fête, appelée « shower », goûter, repas ou cocktail. Ma belle-mère a choisi le five o'clock pour annoncer la proche naissance. C'est l'occasion pour les amies de vous apporter une « douche » de cadeaux pour le bébé, petits objets d'argent, timbales, hochets, service à bouillie, landau... J'en reçois à ne plus savoir où les mettre.

La fête était réussie, Bill était heureux, sa mère aussi et moi avec. Je m'habitue à eux, au despotisme ménager de ma belle-mère dont je me dis : elle fait ça par gentillesse, et pourquoi penser autrement?

Après tout ils sont ma nouvelle famille, celle que j'ai choisie...

Je viens d'arrêter ma décapotable devant la pâtisserie-boulangerie où nous nous fournissons. Le poste radio de ma voiture diffuse un très bon jazz quand la musique s'interrompt net, pour un flash d'information : « Paris est libéré! »

Les larmes jaillissent de mes yeux, coulent sur mon visage sans que j'en aie conscience. Je suis secouée par des frissons. Un correspondant de guerre décrit l'entrée de la 2e DB dans la capitale avec des mots qui me bouleversent... J'entends un brouhaha de voix françaises, de mots français mêlés au commentaire américain. Derrière le grondement des chars, me parvient la rumeur de la foule en liesse. C'est un moment inouï. Le speaker parle des drapeaux tricolores qui pavoisent les maisons, des femmes, des jeunes filles qui embrassent leurs libérateurs... et moi, je suis là, en Californie dans une voiture arrêtée le long d'un trottoir. Il fait très chaud, j'ai une robe rose et noire à grands ramages, un ventre énorme, et je sanglote sans retenue à l'écoute de la radio. Le son en est tellement fort que je ne sais plus si c'est mon apparente détresse qui fait s'arrêter les passants ou la voix du reporter. Quand je prends conscience de cet intérêt, dans un grand sourire, je les assure que je suis parfaitement bien et « very happy! »

Le 12 septembre 1944, à minuit, j'entre à l'hôpital de Los Angeles « Cedars of Lebanon ». Les douleurs qui m'ont fait quitter rapidement la maison seront les seules que je ressentirai. Tendrement escortée par ma belle-mère, au calme plein d'expérience, et un mari affolé, je suis prise en charge pas les infirmières, on me fait une piqûre anesthésiante dans la colonne vertébrale, c'était la grande mode à l'époque, et... le 13 septembre à 8 h 27 du matin mon enfant naît. La première question que je pose à la nurse :

– C'est un garçon?

– Oui, madame.

Dieu soit loué, je n'ai pas failli!

Tout le temps de ma grossesse, Bill et sa famille ont parlé presque quotidiennement de ce garçon. J'avais fini par redouter de donner naissance à une fille.

Bill a un héritier mâle! Adorable héritier, il est là, au creux de mon bras. Je ne me rassasie pas de le contempler, il est merveilleux, de petits cheveux tout en soie, les yeux tirés vers les tempes, le nez retroussé. Quelle bouleversante sensation, je me répète : « Ça y est, j'ai un enfant. J'ai fabriqué un être humain, un bébé de 9 livres, parfait, unique, le mien. »

Bill, fou de joie, est penché vers moi, nous nous regardons. Un instant exceptionnel, un sommet du bonheur : « Mike II est né! » proclame mon mari qui aujourd'hui considère que je suis Mike number one.

Je pare mon avenir de couleurs exquises, bientôt je reverrai ma famille, je leur montrerai mon enfant. Mon pays, je l'apprendrai à mon fils...

Comme nous allons être heureux tous les trois.

14

REVENIR

Que la vie est belle! La famille heureuse des jolis magazines américains en couleur, c'est nous : un jeune couple très uni, Bill ne partira pas à la guerre, il est démobilisé et vient de signer un contrat avec la Fox. J'ai une charmante belle-mère, un bébé adorable; lorsque je vais faire des courses avec Mike, dans les supermarchés les vendeuses le trouvent aussi beau qu'une publicité! C'est bien ainsi que je l'avais désiré.

J'ai toutes les raisons d'être heureuse, c'est ce que je me dis. Seulement le bonheur n'est pas le produit de « bonnes raisons » additionnées les unes aux autres, c'est tout autre chose!

J'y penserai souvent à cette époque de 44-45 vécue à Hollywood, paisible, un peu terne comme peut l'être une période d'attente, de transition. Mais en réalité tellement importante pour moi, pour nous; ces années portaient en elles tous les ferments des quinze qui allaient suivre et pendant lesquelles se jouerait ma vie de femme.

Il y a une question qui revient souvent dans les interviews : « Comment conciliez-vous votre vie de comédienne avec votre vie de femme? » Comme si l'on pouvait y répondre par une formule ou une boutade. Toutes les femmes qui ont à mener une vie professionnelle le savent : ce n'est pas facile. Chacune se débrouille comme elle peut ou improvise suivant les événements – avec des inspirations plus ou moins heureuses! Les miennes ne le furent pas toujours! Ce problème, qui n'allait pas tarder à se poser gravement pour moi, n'était pas important à ce moment-là. Mon métier de comédienne au point mort ne risquait pas de menacer notre couple. Cependant il était menacé, mais pour d'autres raisons. Avec le recul je peux dire qu'il n'y avait rien à faire, conclure même que ce mariage était une erreur, et à cause de mon fils je ne le regretterai jamais. Mais, à cette époque, je voulais croire que tout s'arrangerait. Je me raccrochais aux souvenirs heureux, si proches, je pensais qu'ils pouvaient être le garant de mon avenir, tout transformer, et je rêvais d'un bonheur à trois, vécu en partie en Amérique, en partie en France. Nous en étions loin!

Un petit souvenir m'est resté, petit parce qu'il s'agit de peu de chose, mais je ne l'ai jamais oublié.

Je suis seule dans la chambre, j'écris une lettre à mes parents, les communications sont rétablies et nous correspondons régulièrement. J'entends Mike crier, quelques secondes s'écoulent, je termine ma phrase, traverse le couloir. Lorsque je pousse la porte de la nursery, autour du berceau, Bill et sa mère sont déjà là. Elle a le petit dans les bras, il ne pleure plus. A mon entrée tous deux tournent la tête vers moi et je lis clairement dans leurs yeux, du même bleu-vert, le même étonnement scandalisé : « Qu'est-ce qu'elle vient faire ici? » C'est bien ce que je me demande. Eux savent de quoi un Marshall a besoin! Je les regarde et je me sens dépossédée.

Cette impression d'avoir fabriqué un enfant pour eux je la ressentirai à bien d'autres occasions, mais c'est de cette fois-là que je me souviens avec le plus de précision, peut-être parce que ce fut la première où j'ai vraiment été consciente de cette prise de possession.

Je ne reprends pas la lettre inachevée. Ce n'est pas uniquement de joies maternelles dont je me sens frustrée, c'est de mon enfant. Toutes les mères connaissent l'importance du contact physique avec leur bébé. Donner son bain à Mike, le langer, le talquer, le faire manger, des gestes que je n'avais pas à apprendre, ils me venaient de générations de mères, et cependant Mrs Marshall les sanctionnait de ses recommandations devant son fils. Son expérience – impatiemment – me reléguait sans cesse au rang de jeune bru inexpérimentée. Que pouvais-je faire, en parler à Bill? Il ne comprendrait pas et me répondrait quelque chose du genre : « De quoi te plains-tu? maman s'occupe très bien de Mike, il est heureux et toi tu peux sortir tranquille. »

Combien de jeunes couples ont connu cette situation et combien s'en sont très mal sortis. J'ai tellement souffert de la présence, pourtant amicale de cette femme douce, mais inflexible, qui, insensiblement, avec une remarquable bonne conscience, me séparait de mon fils, que lorsque à mon tour je suis devenue belle-mère, j'ai fait très attention à ne jamais intervenir dans la vie du ménage et à me méfier des phrases conseils.

•

Cette année qui s'étire péniblement me pèse; pourtant entre moi et ma famille, mes amis le lien est renoué. Comme mes parents manquent de beaucoup de choses, deux fois par semaine je leur expédie du riz, du chocolat, du café, des conserves de toutes sortes et même pour le plus grand étonnement des postiers de Beverly Hills, des paquets de charbon de trois kilos. En retour, je reçois des journaux, magazines, revues; et la France, Paris s'étale sur mes genoux. Sur fond de tour Eiffel, de bords de Seine, des jeunes filles, des jeunes femmes m'offrent la mode nouvelle. On y trouve quelques reliquats de celle de l'occupation, les chaussures à semelle compensée, les bouclettes sur le dessus de la tête, des coiffures à l'aiglon, des tailles de guêpe – la guêpière est née – des jupes courtes en corolles me donnent l'impression d'être démodée! En Amérique nous en sommes encore aux talons normaux et aux cheveux plats à la Veronica Lake.

Retourner chez moi, ne serait-ce que pour très peu de temps!... Tanine et Olga me pressent : « Viens, nous avons hâte de connaître ton mari, ton bébé!... » Olga Horstig a pris, durant ces années, beaucoup plus d'importance encore, nous avons « fait l'amitié », par correspondance. C'est au moment de « Gribouille » que nous nous étions rencontrées. Elle m'avait été présentée par Lisette Lanvin, ma partenaire d'« Orage ». Journaliste yougoslave, elle avait, en m'interviewant pour la presse de son pays, fait preuve de tant de compréhension, de gentillesse, qu'une réelle sympathie était née entre nous. Le temps et nos lettres l'avaient transformée en affection, et plus particulièrement ces années de guerre, qu'Olga avait passées à Londres, son mari diplomate y étant en poste. Olga, qui allait devenir mon agent, me parlait beaucoup dans ses lettres des milieux du cinéma qu'elle fréquentait professionnellement. Denise Tual me disait également que je serais bien accueillie.

Ces appels qui me venaient de France, j'aurais aimé pouvoir y répondre... ils restaient en moi comme un désir insatisfait. Il n'aurait pas été opportun de ma part d'en entretenir Bill. Déjà il appréciait peu mes relations avec le milieu français de Hollywood. J'estimais anormal de voir mes amis en dehors de lui, pourquoi pas en cachette! Mais toutes les tentatives faites pour qu'il entre dans notre petit groupe étaient autant d'échecs. C'est vrai, aujourd'hui pourquoi ne pas le dire, ils avaient peu de sympathie à l'égard de Bill. N'étant pas concernés, leur vue était peut-être meilleure que la mienne, plus clairvoyante. L'attitude soupçonneuse et renfrognée de mon mari ne facilitait rien. Il ne parlait pas le français, et comme beaucoup d'étrangers il avait une réaction de défense, s'imaginant être le centre de nos propos et surtout de nos rires. Comme je ne voulais pas qu'il se sente rejeté, je n'insistais plus pour qu'il m'accompagne et j'espaçais mes rencontres. D'ailleurs, peu à peu, elle se démembrait cette petite colonie, un à un les Français rentraient chez eux, chez moi...

Mike a un peu plus d'un an lorsque entre mon mari et moi naît un nouveau sujet de discorde.

– Ouvre! me crie Bill à travers la porte de la salle de bains.

– Oui, une seconde, je viens...

Je rattache le lacet du petit soulier blanc de Mike. Ma voix s'était tue lorsque j'avais entendu son pas dans le couloir.

– Tu lui parles encore en français!

J'ai du mal à ne pas lui crier : « Oui, je commettais ce crime! J'osais chanter à mon fils : « Ainsi font... font... les petites marionnettes! » lui dire des mots de tendresse dans ma langue maternelle qui est aussi la sienne. Si cela te déplaît, il ne fallait pas épouser une Française! » Je me tais, je n'ai pas envie d'alourdir une atmosphère qui trop souvent devient pesante.

Véhément Bill poursuit :

– Si tu lui parles français, lorsqu'il ira à l'école, il aura un accent, et ses camarades se moqueront de lui.

– C'est ridicule, Bill, un enfant devient facilement bilingue et n'a d'accent dans aucune des deux langues!

Sa mauvaise foi est sans nuance :

– Non, cet effort le retarde. Mon fils est américain. (Une phrase dont je ne mesure pas encore toute la gravité et l'importance. Il poursuit :) Je te l'ai dit cent fois, le français ne lui servira à rien, il l'apprendra plus tard s'il le désire. Mais pas maintenant, pas maintenant, je te le défends!

– Tu n'as rien à me défendre en ce qui concerne mon fils... je...

Adieu mes résolutions, la discussion est devenue dispute...

Il sort en claquant la porte. Excédée, je vais me promener. Je sais qu'à peine aurai-je quitté la maison, Bill ira retrouver sa mère, et elle lui donnera raison. Plus que jamais je serai l'étrangère, la Française. Je ne lui en veux pas. Je lui conserve mon estime et je continue à avoir pour elle de la sympathie, enfin une certaine sympathie. Je comprends qu'elle ait rêvé pour son fils d'une jeune Américaine, j'ai la sensation d'ailleurs qu'elle aurait eu avec elle une attitude différente, qu'elle aurait moins accaparé son petit-fils. Mais je suis l'intruse, celle qui vient d'ailleurs, d'une ville dont le nom seul, pour cette femme, est déjà un péché : Paris.

Comprendre ma belle-mère, aller jusqu'à m'expliquer l'ostracisme dont Bill fait preuve ne change rien, et je me rends à cette évidence : être mariée avec un étranger complique encore la vie du couple. Ils sont loin mes rêves d'échanges entre nos deux pays. Notre dernière discussion à ce sujet est récente.

J'y avais pensé toute la matinée, en faisant le lit, en passant l'aspirateur dans la chambre. Le soir Bill était tendre, l'instant m'avait paru propice :

– J'aimerais bien voir mes parents, il va y avoir bientôt cinq ans que nous sommes séparés.

C'est une chose qu'il comprend très bien.

– Oui, ma chérie, j'espère que tu pourras faire ça bientôt. Enfin, plus tard, les transports sont encore difficiles et ne permettent pas un aller-retour rapide.

– Tu n'aimerais pas connaître Paris, rencontrer mes parents?

Bill était devenu évasif mais restait conciliant :

– Oui, peut-être un jour...

J'ai insisté, je lui ai expliqué que ce qui l'attachait à son pays m'attachait au mien. Déjà je savais que je ne devais pas aller plus loin. Mais cette force d'inertie qu'il m'opposait, cette volonté de ne faire aucun effort pour me comprendre me révoltait et j'ai poursuivi :

– Chez moi, nous aurions une vie différente, je suis une vedette, mes amis me disent que l'on m'attend, que je tournerais dès mon arrivée.

Il a réagi volontairement à côté :

– Pense-tu que je suis incapable de m'occuper de toi

et du petit? Je n'ai pas besoin d'une femme qui travaille et je n'irai pas habiter en France. Jamais!

– Mais il ne s'agit pas de cela, Bill, je le comprends très bien. Seulement, peut-être pourrions-nous envisager quelques mois ici, quelques mois là-bas? A Paris on apprécie les acteurs américains. On sera heureux de t'accueillir, tu travailleras.

Il s'est levé, a écrasé sa cigarette :

– Non. C'est inutile et je ne veux plus en entendre parler! Tu as épousé un Américain! Tu es ma femme, c'est ici que tu vivras.

A cette époque il y a eu de nombreux mariages mixtes et ce genre de difficultés, beaucoup de femmes vont les connaître. Je recevrai, rentrée en France, de nombreuses lettres de jeunes femmes qui, dans les années 45-47, se sont mariées avec un G.I. En général, elles commencent leur récit par : « Mon cas est un peu comme le vôtre, aussi je pense que vous me comprendrez... »

Elles me disent presque toutes la même chose : « J'ai rencontré Jim ou Harry, élégant dans son uniforme, gai, optimiste, sûr de l'avenir... Il m'a emmenée dans son pays, maintenant je suis au fin fond du Kansas, du Minnesota, dans le Middle West. Je ne m'adapte pas. Je ne comprends rien à ce pays et il ne me comprend pas. J'ai l'impression de vivre sur une autre planète... » Dépouillé du prestige militaire, retourné à la vie civile, Jim ou Harry en supporte mal les difficultés, oubliées lorsqu'il était G.I. Dans de nombreux cas, la situation est aggravée par la présence d'un enfant qui, trop souvent, devient lorsqu'elles veulent rentrer dans leur pays, la cause de drames éprouvants. Très rares sont les femmes qui ont pu s'adapter.

Ces femmes qui me demandaient conseil, que pouvais-je leur répondre? Mon cas n'était pas vraiment semblable au leur, moi je n'avais pas cessé d'évoluer dans mon milieu, elles si. Trop souvent elles avaient épousé un vacher, alors qu'elles croyaient s'être mariées à un gentleman-farmer. Jeunes filles, libres d'allure, elles débarquaient dans des familles puritaines. Possédant une culture européenne, elles se retrouvaient au bras d'un petit réparateur de radios du Bronx épris de base-ball. Elles ne supportaient pas le choc de leurs désillusions. Je les comprenais, mais, pour avoir connu certains aspects de leur situation, je me trouvais désarmée pour leur répondre.

Cependant nous nous aimons encore. Bill a-t-il senti à quel point d'exaspération j'en étais arrivée? A-t-il éprouvé lui aussi le besoin de se retrouver avec moi? Il installe sa mère dans une petite maison de la vallée de San Fernando. Une fois accompli, regrette-t-il ce geste? Sa méchante humeur ne s'eclaircit pas. Comment ne pas m'interroger : en dehors de son physique, que reste-t-il du garçon que j'ai aimé? Lui qui m'avait séduite par sa drôlerie, sa façon de raconter des histoires, son imagination, se révèle sombre, pessimiste, ombrageux, compliquant à plaisir les choses les plus simples. S'il avait été ainsi lorsque nous nous sommes rencontrés, je ne me serais jamais mariée, et cela m'amène à penser que son accident n'est peut-être pas étranger à ce changement de caractère.

Je supporte plus difficilement sa jalousie. Au début elle me paraissait flatteuse, on a toujours tort de confondre ce sentiment avec une preuve d'amour. Maintenant elle m'irrite par son excès, sa sottise : que dans un club, un restaurant, une soirée, un homme me regarde, Bill s'énerve. Je détourne les yeux, plonge le nez dans mon assiette, c'est donc que je suis coupable. Si je feins d'en rire, c'est pour le narguer. La soirée qui déjà boitillait, est définitivement fichue.

Mes lendemains m'apparaissent de plus en plus mornes.

Professionnellement, mon inquiétude fait place à une sorte d'engourdissement, assez peu dans mon caractère, qui prouve que je perds pied. C'est grave, je ne crois plus en mon destin, je n'ai plus la foi! Elle est partie, elle a fondu sous le soleil de Californie.

Le téléphone sonne, Bill décroche, il me tend l'appareil :

– C'est pour toi, un Français...

– De Paris?

Bêtement je rougis comme si j'étais prise en défaut.

– Non, la communication vient d'ici, un certain Mr Bercholz.

Au téléphone, le Français a l'accent russe, il est charmant, s'appelle Joseph de son prénom, et me demande un rendez-vous très rapide, car il repart dans trois jours.

Ma situation financière, notre situation n'est guère brillante. Depuis mon arrivée j'ai tourné quatre films mais j'ai payé les 80 % d'impôts de guerre, et je n'ai pas de nouveaux contrats. Quant à Bill, la Fox ne lui assure que des cachets irréguliers et plutôt maigres. Dans ces conditions, être engagée pour un film me paraît dû à une intervention divine!

C'est dans cet état d'esprit que le lendemain j'arrive au « Players », un restaurant français sur Sunset Boulevard. Pour la petite histoire du cinéma, son propriétaire est le metteur en scène Preston Sturges, futur auteur de « Philadelphia Story ».

Un monsieur seul à une table se lève, la quarantaine, le cheveu grisonnant. La mine est souriante, le ton affable.

– Que prenez-vous?

– Un verre de lait.

Bercholz s'étonne :

– On m'avait dit que vous étiez américanisée, mais à ce point-là, c'est du vice!

Sa réflexion m'agace et je « charge » volontairement en choisissant un menu typique : un hamburger et un « apple-pie »...

– Et vous buvez?

Je le choquerai jusqu'au bout.

– Du lait.

Il choisit quand même une bouteille d'excellent bordeaux d'importation, m'en verse un verre sans ostentation. Par politesse j'y trempe les lèvres et abandonne mon lait.

– Voici, nous avons acquis les droits d'une nouvelle d'André Gide « La Symphonie pastorale ». Le rôle que je vous propose est celui d'une jeune aveugle, elle est très belle, très pure... et elle va vivre une histoire d'amour qui lui sera cruelle. Je vous ai apporté le livre. L'adaptation cinématographique sera faite par Jean Aurenche et Pierre Bost et la mise en scène confiée à Jean Delannoy...

Enfin, j'entends prononcer des noms qui me rapprochent de ceux avec lesquels j'avais tourné en France. J'ai entendu parler du talent de Jean Delannoy. Son film « L'Eternel Retour », le plus grand succès de l'année 43, a marqué toute son époque.

Une aveugle! J'avais raté la sourde-muette de « Johnny Belinda », je n'allais pas cette fois laisser passer l'aveugle d'André Gide. Je dis oui à Joseph Bercholz, sans réfléchir, sans en référer à mon imprésario, sans en parler à Bill. Je NE PEUX PAS refuser.

J'entends Bercholz comme dans un rêve. Il me parle de Pierre Blanchar qui sera mon partenaire dans le rôle du Pasteur, me décrit avec tendresse mon personnage, celui de Gertrude. Je crois qu'il m'a parlé longuement, sa conclusion me ramène à la réalité :

– Vous devez être au plus tard à Paris, fin octobre, pour les essayages des costumes.

C'est ainsi que vient de se décider mon RETOUR. Comment Bill va-t-il le prendre?

Pas mal du tout. J'attaque en faisant sonner le nom d'André Gide :

– Tu connais, n'est-ce pas?

Il hésite imperceptiblement, reste prudent :

– Bien sûr, j'en ai entendu parler.

– Penses-tu que je puisse refuser un film écrit par Gide?

Il ne se compromet pas :

– Combien de temps seras-tu absente?

– Quelques semaines. On m'offre un cachet d'un million voyages et frais de séjour payés...

Il ne bronche pas.

– Dans notre situation, ne penses-tu pas...

– C'est à moi de gagner la vie de notre ménage.

Ça rend indulgent, compréhensif, l'approche du bonheur...

– Quelle importance entre nous... tout ce que j'ai est à toi tu le sais. Accompagne-moi, on emmènera Mike, son grand-père et sa grand-mère seront tellement heureux de le voir...

Il y a comme de l'étonnement dans ses yeux, son fils a une autre grand-mère que sa mère! Il se rembrunit, secoue la tête négativement. Il m'oppose la longueur du voyage, son inconfort. Il doit avoir raison, j'ignore dans quelles conditions le transport s'effectuera. « Pour un temps aussi court, cela vaut-il la peine de bouleverser le rythme de vie d'un enfant si jeune, de changer ses habitudes? Ici il sera soigné par ma mère. » Oh, je sais que je puis avoir confiance en elle, mais une partie de mon rêve s'écroule. Je me résigne donc à partir seule, partagée entre la joie de ce retour tant désiré et la peine de quitter mon petit garçon.

Par le consul de France, à New York, j'obtiens non sans difficulté un passage sur un Liberty Ship. Servant surtout aux transports de troupes, ce bateau n'a pas de cabines, mais des sortes de dortoirs, nous sommes quarante femmes, entassées les unes sur les autres. Qu'importe la longueur du voyage (huit jours), son inconfort? je rentre chez moi. Partie en émigrée, j'y reviens de même.

A Cherbourg, des journalistes envahissent le pont, se précipitent vers moi. Sur le quai, je suis entourée par des hommes, des femmes, le français avec ses accents de terroir devient, à mes oreilles, un chant d'amour. Ils me demandent des autographes, ils me parlent de mes films, ceux d'avant mon départ, je suis stupéfaite qu'ils s'en souviennent, bouleversée qu'ils ne m'aient pas oubliée; pour eux j'ai continué à exister telle que j'étais, telle que je suis.

Je voudrais tout enregistrer dans le moindre détail, retenir toutes ces images, qu'elles ne s'effacent plus, et un curieux brouillard trouble ma vue, je pleure.

Cherbourg la nuit sous la pluie sent la mer, l'odeur de « Quai des Brumes », de « Remorques », qui m'accueille, me fait reculer de quatre ans dans le temps.

– Michèle, c'est moi...

Olga m'embrasse.

– Je te présente un ami journaliste, Jean Vietti et Serge Lido, un photographe.

Si je compare ce retour avec mon arrivée à New York, l'échelle française est plus intime!

– Tu vas venir avec nous en voiture, nous te conduisons à Paris.

Ces mots si simples sont pour moi encore irréels, magiques.

Trop souvent j'ai vécu cet instant en imagination pour croire à cette réalité : le sol de mon pays. Et je découvre que l'amour que j'ai pour lui est passionnel. Je suis amoureuse de la France, comme on peut l'être de sa mère ou de son enfant. J'ai une envie folle d'embrasser sa terre, la mienne!

Il a fallu que je m'exile pour ressentir profondément la douceur de ses villages, de ses paysages, de ses gens auxquels je me sens liée, ils appartiennent à ce sol depuis toujours et forment la grande chaîne ancestrale de mes origines...

L'effet de ce voyage dans la nuit est extraordinaire, tour à tour l'ombre masque les blessures du débarquement, puis les phares, en les faisant surgir de la nuit, les rendent plus tragiques, découpant les ruines de ces villages à la manière d'un décor.

Ce qui m'étonne, ce sont les dimensions des choses, j'avais oublié ces maisons si petites. Après les buildings, les énormes tours, les gratte-ciel, tout me fait l'effet d'être minuscule et joli, si joli...

Vers dix heures du soir, une véritable auberge de campagne accepte de nous servir une omelette au lard, du cidre bouché! Des goûts que j'avais oubliés, ils se mélangent à l'odeur des vieilles poutres, à celle du feu de bois qui couve sous la cendre.

A minuit, Olga et Jean Vietti me déposent chez mes parents, rue Pergolèse. Personne n'est couché, tous m'attendent. Maman en larmes tant elle est émue, un peu vieillie comme mon père, ils ont été malades, subi des privations de toutes sortes. Ma sœur : j'avais laissé une petite fille de huit ans, je retrouve une adolescente que j'intimide. Mes frères ont de la barbe, ce sont des hommes.

– Tu couches à l'hôtel? me demande maman hésitante.

– Oh non! je reste ici.

– Je l'avais bien pensé, ta chambre est prête.

– Et oncle Teddy, et tante Yvonne, et mes grands-parents, et... et...

Ce sont de merveilleuses retrouvailles, une partie de la nuit y passe. A l'aube, notre excitation tombe, je vais me coucher, et au matin, dans un demi-sommeil, un instant je m'imagine être encore dans mon lit de Beverly Hills.

Je ne reviens à la réalité que lorsque maman, entrouvrant la porte, me propose, comme on offre un trésor :

– Veux-tu du Nescafé? Nous en avons un peu par des amis dont un cousin travaille au P.X. [1].

Les Français ont découvert le café, le lait, les œufs en poudre soluble et s'en émerveillent, alors que depuis des années je peux en user journellement, elle m'offre de la confiture comme un trésor. J'ai vécu dans l'abondance sans en avoir conscience, leur pauvreté, celle de ce pays me bouleverse.

Il est encore tôt, quand je cours à la poste envoyer

1. Post Exchange, magasin de l'armée américaine.

un télégramme à Bill. Je suis stupéfaite de voir si peu de circulation, en dehors des artères principales, les rues sont vides. Je marche et ne me rassasie pas de retrouver ma ville, de revoir la grisaille, l'asphalte de la capitale, les becs de gaz qui se reflètent en zigzag sur les pavés mouillés; tout le charme de Paris. Ces brouillards d'octobre, qu'ils me plaisent! moi qui ne connaissais plus que le soleil, je les respire délicieusement.

La tête ailleurs, je traverse, le conducteur m'engueule : « Hé! la pépée, t'es miro! »

Aucun doute : je suis bien rentrée...

15

« LA SYMPHONIE PASTORALE »

« La Symphonie Pastorale » restera un des films les plus importants de ma carrière. Faire ma rentrée en France avec une telle œuvre, c'était vraiment la chance retrouvée!

C'est au bar du Claridge rendu aux civils – il avait abrité l'état-major des Panzerdivisions – que je rencontre, pour la première fois, Jean Delannoy. Dans ce cadre désuet, sophistiqué, je lui trouve l'air même de la bonne santé; rose pour le teint, bleu pour l'œil. Pas du tout le style « gens du cinéma » qui s'appellent « chéri », « mon coco », se tutoient, confondant familiatité et chaleur humaine. Le contact entre nous n'est distant qu'en apparence : nous savons que nous sommes faits pour nous entendre, nous comprendre. Nous avons donné la preuve de cette entente : six films ensemble et ce n'est, je l'espère, pas fini.

Jean Delannoy est précis, il prend son temps, il parle comme il met en scène, avec soin. On sent qu'il a avec lui-même la distance nécessaire qui lui permet de poser sur les choses un regard intérieur. Ce n'est pas l'aspect qu'elles offrent qui l'intéresse le plus, c'est ce qu'elles peuvent laisser apercevoir de passions cachées, enfouies... Tout cela je ne l'ai pas raisonné sur l'instant, j'étais trop bien captivée par son film, mais je l'ai pressenti.

La femme qu'il fait surgir, cette Gertrude, dont j'ai commencé à m'imprégner en lisant la nouvelle d'André Gide, me devient étonnamment proche. Je le lui dis, il sourit : « Vous verrez, quand Gide vous en parlera vous la comprendrez mieux encore! »

Voir André Gide. A cette seule pensée je suis prise de trac.

Ces rencontres auteur-acteur sont une des joies de notre métier et un de ses grands intérêts. Elles sont indispensables au comédien, c'est par elles que l'on peut comprendre, cerner un personnage. C'est passionnant de poser des questions à un auteur, de lui parler de sa création comme d'une créature vivante, de lui demander quels sont ses goûts, ses manies, d'apprécier avec lui si « elle » aimerait ça, si telle chose ne la mettrait pas en colère. D'affirmer tranquillement : Non, « elle » ne ferait pas ce geste, « elle » en est incapable. Il vous faut tout savoir de cette femme à laquelle vous n'allez pas seulement prêter votre visage, mais parfois beaucoup de vous et qui, en même temps, par un curieux phénomène d'osmose, va vous obliger à devenir elle.

On a beaucoup écrit sur le sujet. Simplement j'ai plaisir à en parler. Après soixante films il n'a pas cessé de me toucher.

J'ai rarement été frustrée de cette joie, cependant elle n'a jamais été aussi forte que pour la Gertrude de « La Symphonie Pastorale ». Votre nom, lorsque vous en avez un, gâche un peu les choses, il arrive que l'on ne vous choisisse plus parce que votre physique correspond dans l'esprit de l'auteur, du réalisateur, à l'héroïne, mais parce qu'il représente une certaine valeur commerciale. Il fausse trop souvent le jeu. Mais alors pourquoi accepter des personnages avec lesquels vous n'êtes pas en accord parfait? C'est une situation que je connais fort bien pour avoir eu à en souffrir et je m'en expliquerai lorsque l'époque en viendra. Pour l'instant je suis encore loin de tout cela et seule me préoccupe cette Gertrude que Gide a créée, que Delannoy va mettre en images, et qu'Aurenche et Bost vont adapter si parfaitement que Gide dira qu'il n'a pas été trahi.

Pour comprendre l'importance du trac qui me paralysait à l'idée de rencontrer André Gide, il faut se replacer dans le temps.

La place qu'il occupe dans les lettres n'est pas celle qu'il avait encore à cette époque. Je me souviens des garçons du cours Simon qui s'identifiaient à Nathanaël en citant des passages des « Nourritures terrestres », qui, ayant lu « Les Faux Monnayeurs » prônaient la beauté de l'acte gratuit. C'était avec ces idées-là que toute ma génération avait subi la guerre. Ceux de 1945 allaient bientôt demander à Jean-Paul Sartre d'être leur maître à penser, mais pour l'instant Gide demeurait une sorte de pape des lettres et c'était lui que j'allais rencontrer.

Je ne me souviens plus si nous avions rendez-vous, Jean Delannoy et moi, au « Flore » ou aux « Deux Magots ». Les « Deux Magots », je crois , car le « Flore » était le fief de Jean-Paul Sartre et Simone de Beauvoir. Quoi qu'il en soit j'habitais rive droite, encore une chose qui a perdu sa signification mais dont les vieux Parisiens vous parlent avec émotion. La rive gauche, le boulevard Saint-Germain, c'était à la fois l'avant-garde des intellectuels et la vieille garde des aristocrates, les uns tenant le haut les autres le bas.

Le premier choc que je reçois en voyant André Gide est vestimentaire. Ses tenues très soignées étaient pour l'époque à la limite de l'insolite, on disait de lui : C'est un original! Aujourd'hui elles seraient à la pointe de la mode, ce jour-là elles pouvaient encore étonner.

Il porte une ample cape de loden, un béret de même tissu couvre une tête dure, une superbe ossature de sénateur romain. Le visage est blanc et glabre. Le regard rapide, perspicace. L'impression étonnante qu'il me produit, c'est à la fois d'être là sans l'être. Il me parle de mon rôle, Gertrude, de « La Symphonie

Pastorale », m'écoute lui répondre, cependant il me donne l'impression de poursuivre une pensée dont les prolongements édifient un monde autre que celui dans lequel il est présent. Je suis fascinée par cette intelligence, ce verbe recherché, un peu lent, où chaque mot compte; quant à ses phrases parlées, elles sont « ponctuées » à la perfection. Cette application qu'il met à n'employer que le mot juste rend son discours parfait.

L'entrevue est plutôt longue. C'est assez étonnant de voir, entre ces deux hommes, physiquement dissemblables, naître un accord profond, une union étroite. Ils s'écoutent mutuellement avec une grande attention. D'ailleurs lorsque le film sera tourné, Gide viendra à plusieurs reprises sur le plateau nous regarder travailler. Jamais je ne verrai un auteur plus admiratif, plus heureux de sa mise en images. Il apportera devant cette technique qui lui est inconnue une possibilité d'émerveillement d'une grande jeunesse. Pas plus pour lui que pour Cocteau – sur la fin de sa vie –, on n'avait l'impression devant la fraîcheur de leur enthousiasme qu'ils étaient âgés.

Parfois, lorsque le nom de Gertrude est prononcé, il a vers moi un regard rapide comme une sorte de confrontation entre le modèle et son double.

Déjà, cette jeune aveugle commence à avoir, en moi, une certaine existence. La période d'incubation que nécessite un personnage est à chaque fois différente. Elle, je l'ai tout de suite reconnue, elle s'est très vite identifiée à moi-même. Si bien que lorsque nous nous promenons ensemble, je n'en suis pas encore à lui décrire les paysages, mais j'ai parfois l'impression de regarder pour elle.

Cela dit je ne « pense » pas mon personnage, je ne suis pas une comédienne intellectuelle, je suis plutôt une comédienne d'instinct, je veux dire par là que la création qui sort de moi n'est pas le fruit d'une recherche. Je ne déduis pas : « Gertrude étant motivée par telle et telle chose ferait ça », je pense directement :

« Gertrude fait cela. » Je « reçois » d'abord, et contrôle ensuite par le raisonnement. Mon acquis professionnel et mon expérience me servent à mettre en place mon personnage, à le consolider; je ne fais appel à eux que pour les embûches techniques que le tournage dresse souvent sous vos pas, ou encore les jours où je suis moins inspirée. Ce mot pourrait paraître prétentieux, il n'est qu'une des réalités de notre profession, les acteurs connaissent bien ces moments agréables où tout va tout seul, où les intonations, les gestes sont justes sans, vous semble-t-il, que vous y soyez pour quelque chose. Ils redoutent également ceux où rien ne vient! C'est pour surmonter ces heures-là que l'on a besoin de posséder une technique sûre.

Cette Gertrude qui va prendre mon visage me plaît; sous sa retenue brûle la passion, son combat est intérieur. Mais pour l'exprimer elle ne dispose que des gestes et des expressions qu'une bouche peut avoir : privé du regard un visage est beaucoup moins « parlant ». Comment est le monde qui vous entoure lorsqu'on ne le voit pas? Comment marche-t-on? se dirige-t-on? va-t-on vers les choses, les gens? prend-on les objets? Courir vous est-il complètement interdit? quels sont les mouvements passionnés qu'un non-voyant peut se permettre? Mon personnage est étroitement ligoté par ce réseau de questions. Là, l'intuition n'est plus suffisante, Jean Delannoy a déjà pensé au problème et me conseille d'aller à l'Institut des Jeunes Aveugles, de parler avec eux, de me familiariser avec leurs gestes, leurs réactions, d'apprendre à « penser » en aveugle.

Les premiers jours sont assez décevants, nous utilisons des langages différents, ils ne peuvent « voir » et je ne sais comment entrer dans leur nuit. Puis le déclic se produit lorsque je comprends que leur vision est intérieure. Ce n'est pas par l'extérieur que je peux les imiter, je dois absolument cesser de voir, or il ne peut s'agir pour moi ni de fermer les yeux ni de porter des lunettes noires, je dois donc trouver un « truc » mécanique qui oblitère ma vision. Je décide de regarder flou, c'est-à-dire de regarder choses et gens sans faire le point sur eux, sans accommoder, disent les ophtalmologistes. Perdant ainsi mon acuité visuelle, le monde étant confus à mes yeux – dans cette vision d'ailleurs très pénible les choses ont tendance à se dédoubler – mes gestes et ma démarche deviendront plus facilement vrais et mon regard aura le vague désiré.

En dehors de ces moments très importants passés à l'Institut des Jeunes Aveugles et qui font partie de la préparation du film, je fréquente les couturiers à la fois pour mon plaisir et pour les besoins de la production.

L'impression d'être démodée que j'avais eue en Amérique, s'est transformée à Paris en « affreuse » réalité! Dès qu'il s'agit de mode, n'ayons pas peur des mots même s'ils sont grands! Là se place un incident sans intérêt, s'il n'était la marque même de mon destin, qui a voulu que je rencontre les deux hommes les plus importants de ma vie bien avant qu'ils n'entrent dans celle-ci : Gérard Oury au cours Simon et maintenant Henri Vidal.

Lydia Bercholz, la femme de mon producteur, m'emmène voir la collection de Germaine Lecomte. Nous assistons au défilé des mannequins depuis un moment lorsque entre Renée Saint-Cyr, escortée de son chevalier servant, Henri Vidal. Souriant, remuant, drôle, celui-ci me paraît assez joli garçon. Non loin de moi il commente le passage des modèles, fait de l'esprit, cherchant à se faire remarquer. Rapide, insistant, son regard, un instant, tente de retenir le mien, j'ai envie de sourire malgré moi, tellement il semble perpétuellement prêt à tout risquer pour le fugitif plaisir d'une seconde.

Tout cela reste très superficiel. Quel intérêt trouver au regard d'un garçon quand on choisit une robe chez un couturier, à Paris, après un exil de cinq années?

Hollywood n'a pas cessé d'exister pour moi. Bill et moi nous nous écrivons, nous téléphonons. Cette séparation me paraît heureuse. De loin j'ai gommé les scènes pénibles. Lorsque je pense à lui c'est le grand diable au revolver, le cadet de l'armée de l'Air, sur lequel je m'attendris. Je revois avec plaisir notre séjour à New York, responsable de la naissance de Mike. C'est mon petit garçon qui me manque le plus. J'ai mis ses photos sur ma table de chevet, j'en ai toujours une avec moi et je m'épanouis quand mes amis ont le bon goût de bêtifier devant elles. Que serait-ce en présence de l'original? Ses fossettes, son rire, ses yeux confiants et étonnés, j'ai hâte de les revoir et j'embête Bill qui déjà s'impatiente, pour qu'il m'envoie de nouvelles photos.

Pour des raisons que j'ignore, la préparation du film s'éternise, bientôt l'hiver sera fini et nous n'avons pas encore commencé à tourner. Ma joie d'avoir retrouvé Paris se dilue peu à peu dans l'inconfort. J'ai vécu trop longtemps sous un climat chaud, j'ai froid. Maman entasse sur moi couvertures, édredons, surmonte le tout d'un manteau de fourrure, sans que je parvienne à me réchauffer. Le rationnement et le marché noir existent encore, l'occupation a laissé des cicatrices pénibles, séquelle de ses drames, l'épuration sévit. On comprend mal la haine lorsqu'on ne l'a pas vécue. Où est le monde léger, insouciant de mes dix-neuf ans, ce Paris qui ne voulait pas croire à la guerre? Je le cherche malgré moi, car si Paris n'a pas brûlé, la capitale me semble triste, et ses habitants marqués. Il est vrai qu'on le serait à moins! Quelle chance j'ai eue de passer en Amérique ces années terribles!

Enfin nous partons en extérieurs, Pierre Blanchar, le pasteur, Line Noro, sa femme, Jean Desailly et Andrée Clément, Jean Delannoy et Armand Thirard, le chef opérateur, pour Château-d'Œx, en Suisse, où doivent être tournés les extérieurs de « La Symphonie Pastorale », dont l'histoire se déroule dans les Alpes.

Le lendemain de notre arrivée, les pieds dans la neige, le regard perdu dans un infini sans vision, j'écoute Jean Delannoy et je joue... en FRANÇAIS. Il me semble que toute une période de ma vie vient de se mettre entre parenthèses, que je reprends mon métier après une absence de cinq années. Dieu que j'avais souffert avec Michaël Curtiz! plus encore que je ne le croyais.

Dirigée par Delannoy tout me semble aisé, couler de source. J'apprécie sa manière d'indiquer, d'expliquer, précise, sans surprises ni aléa, chaque scène à éte soigneusement préparée à l'avance. J'aime sa façon de travailler, reposante et efficace.

En retrouvant la vie d'une équipe en extérieurs, les soirées dans l'hôtel, les petits bars aux revêtements de bois, cette ambiance hors du temps me fait replonger avec joie dans mon métier. Je suis heureuse autant que je puis l'être, éloignée de mon fils.

Cette nuit, je ne le suis plus du tout! Bill me réveille : avec le décalage horaire, pour lui c'est le début de la matinée. Il attaque sans autre préambule que : « Morning! » alors que le jour n'est même pas levé.

– Quand rentres-tu?

– Dès que le film sera terminé (je mens un peu). Dans quelques jours nous finirons les extérieurs.

La voix qui me parvient est celle des mauvais jours, sèche, faussement calme.

– Combien?

– Huit ou dix.

– Ensuite en studio?

– Trois ou quatre semaines.

Il explose :

– Ecoute, j'en ai assez de ton film et de tes histoires. Je te demande de rembourser ce que tu as touché et de rentrer à la maison.

– Rembourser? Mais Bill, c'est impossible, j'aurais un procès, et puis nous avons besoin de cet argent.

Silence à l'autre bout du fil.

– Sois raisonnable, chéri. Je suis aussi impatiente que toi. Vous me manquez tous les deux...

Il grommelle quelque chose du genre : « On ne le dirait pas. » J'insiste :

– Parle-moi de Mike.

Il me répond sèchement :

– Il va bien, il grandit. J'aimerais tout de même que tu le revoies avant que je ne lui aie appris à se raser!

Cette pointe d'humour annonce la détente.

– Mon chéri, je vais faire l'impossible pour revenir très vite. Je vais voir avec Jean Delannoy, lui demander de modifier son plan de travail.

Il n'est pas très convaincu, moi encore moins!

– Arrange-toi comme tu veux avec eux, si tu n'es pas là dans quatre semaines, je demande le divorce.

Un divorce! C'est la première fois qu'il prononce ce mot, et je ne parviens pas à me rendormir. Il y a une certaine ironie dans cette scène : juste au moment où je pensais à Bill avec de plus en plus de tendresse...

Au matin, stupeur, en ouvrant ma fenêtre je découvre un soleil déjà fort chaud et un paysage de terres luisantes et d'herbe neuve, poétique, ravissant, ne se raccordant absolument pas avec la neige d'hier, laquelle n'était déjà pas très épaisse. Atterrée, je regarde cette explosion printanière. « Bêtise, m'affirme Delannoy, vous le savez, Michèle, le temps fait partie des ennuis de notre métier. » L'idée d'affronter Bill avec un nouveau retard m'est des plus désagréables.

Les chambres de l'hôtel transformées en bureaux de production retentissent des imprécations de Joseph Bercholz. Arrivé en hâte, il voit l'argent de sa production fondre à la même vitesse que la neige. Ce n'est pas le moment de lui faire part de mes angoisses conjugales.

– Il faut faire quelque chose, nous ne pouvons pas rester ici jusqu'à l'année prochaine! S'il n'y a pas de neige à 1 200 mètres, montons à 1 500.

– Il n'y en a pas non plus à 1 500.

– Alors montons à 2 000.

La surenchère des altitudes grimpe au rythme des difficultés : « Et le décor! Que va-t-on faire du temple du pasteur, construit sur les lieux du tournage? » Il brille sous le soleil de toutes ses tuiles vernissées! Ce soleil qui trop souvent n'est présent que lorsqu'on n'a pas besoin de lui!

– Démontons le temple, emballons le matériel et filons sur Zermatt, commande Bercholz que rien n'arrête.

– Etes-vous sûr qu'il y aura de la neige?

– Qu'on téléphone!

Les assistants reviennent triomphants : il y a de la neige!

Nous faisons nos valises, on embarque le matériel et la troupe. Quelques heures plus tard nous sommes dans le petit train suisse à crémaillère, qui grimpe sans se presser vers les hauteurs interdites aux automobiles d'une des plus jolies stations de sports d'hiver helvétiques. A mi-chemin la neige réapparaît, Bercholz et Delannoy nous offrent un visage joyeux...

Comme plus on monte plus elle est abondante, je viens m'asseoir à côté d'eux, décidée à leur parler, à rendre émouvants mes risques de divorce et à leur dire avec toutes les précautions désirables : « Puisque nous allons avoir suffisamment de neige, peut-être qu'en changeant l'ordre des scènes... »

Une secousse m'en empêche, le train s'arrête en grinçant. Nous voilà tous aux fenêtres. Une station? Non. Nous sommes bloqués par des congères! Cette fois il y a trop de neige. Sereinement le chef de train nous annonce : « La voie est coupée dans le sens de la montée, on repart en marche arrière! »

– Eh bien, nous on descend! décide Bercholz, nous ne sommes qu'à quelques kilomètres de Zermatt, nous y monterons à pied! Attendez, crie-t-il au chef de train interloqué, nous déchargeons nos bagages.

Le déménagement s'effectue devant des Suisses ahuris qui, visiblement, se mettent à douter de l'état de notre santé mentale.

A dos d'hommes, celui des machinistes, des techniciens, des artistes, le matériel s'achemine; notre colonne de « Sherpas » s'enfonce dans la neige, une vraie scène des « Horizons perdus » de Frank Capra, Zermatt devenant notre Shangri-La!

En tête de notre convoi, le guidant, Joseph Bercholz, pas équipé du tout : costume noir, pardessus gris et chapeau à bord roulé, parapluie transformé en alpenstock, nous encourage dans l'effort, la voix forte et le geste grandiose, de la neige jusqu'aux genoux... Après quelques heures de marche, épuisés mais glorieux, nous faisons notre entrée dans Zermatt sous l'œil étonné et narquois des touristes.

Ni le soir ni les jours suivants, je n'ai osé demander à Joseph Bercholz et à Jean Delannoy de modifier le plan de travail.

Bill a continué à me téléphoner et je n'ai pas tenté de lui expliquer notre aventure de Zermatt, pour un Américain elle était incroyable. Cela ne faisait pas sérieux, il aurait douté de la réalité même de la production et du film.

Mon retour à Paris le calme temporairement et c'est sans trop de scènes téléphoniques que je m'achemine vers la fin du film. Le studio de Neuilly n'est pas chauffé, le froid me crispe. J'ai des envies de soleil de Californie. Je compte les jours qui me séparent de mon petit garçon et cependant... Ce matin, un des derniers que je passe ici, je traverse la cour du studio, je m'arrête pour regarder un arbre, un marronnier, son tronc est noir et ses branches sont garnies de petites feuilles vert tendre qui déplient, avec précaution, le plissé de leurs éventails. A cette vue, je ne saurai jamais pourquoi, mon cœur fond; je suis traversée d'une intuition fulgurante : je dois revenir définitivement en France. Cette certitude me bouleverse comme une révélation : ma vie est ici.

— Comme tu as grandi!

Ce sont les premiers mots que je dis en prenant mon petit bonhomme dans mes bras.

– En six mois il a eu le temps!

A quoi bon relever la réflexion de Bill? Il faut que nous nous entendions. Nous devons trouver une façon de vivre qui nous convienne et surtout nous rapproche. Si je calcule le temps de notre entente, en mettant semaines et mois bout à bout, elle n'a pas duré un an, mais elle a pu exister, donc elle doit toujours être possible. Les premiers jours qui s'écoulent me font croire en elle. Il est vrai que je vois peu Bill. J'ai une telle soif de Mike que je passe entièrement mes journées avec lui, il m'appelle Mammy, je lui apprends maman, bien qu'à mon cœur les deux soient aussi doux.

Si l'oreille de Mike s'ouvre à ma parole, il n'en est pas de même de celle de Bill. Dès le premier soir ce que je savais m'est apparu encore plus réel : entre nous l'amour-romance – et ce ne fut que ça – est terminé. Pour le remplacer par une profonde affection capable de donner à Mike le père et la mère dont il a besoin, il va nous falloir trouver en nous les qualités de patience, de compréhension nécessaires. Est-ce possible? C'est indispensable et j'y suis résolue. Nous devrons nous faire des concessions mutuelles, je m'y suis préparée; la plus importante, me semble-t-il, est celle du lieu. En dehors de toutes raisons sentimentales, il me paraît difficile de vivre totalement ailleurs qu'en France, c'est, me semble-t-il, une nécessité. Là aussi nous devrions pouvoir trouver un arrangement, il doit exister...

Déjà un peu plus d'une vingtaine de jours se sont écoulés et je n'ai pu parler de rien avec Bill. Il m'oppose soit son absence soit son mutisme : un mur! Bill joue au golf. Bill va à des rendez-vous. Bill ne rentre que le soir, décidé à fuir les discussions jugées par lui inutiles – peut-être a-t-il raison et le sont-elles. A mon tour je deviens lâche et lorsque je vois s'amorcer une soirée paisible autour de Mike, de ses rires, de sa présence, je me tais, m'enfonce dans cette fausse quiétude dont je connais la fragilité. Soirées préservées des éclats des discussions mais devenues mornes.

Qu'avons-nous à nous dire? Alors qu'il fut un temps où nous trouvions tant de choses qu'il n'y avait pas assez d'heures dans nos journées pour nos bavardages, nos échanges de vues, nos projets, nous restons silencieux, lointains, repliés sur nous-mêmes.

Comment pourrons-nous bâtir un avenir? Nous ne sommes pas un couple. Nous sommes des pièces rapprochées provisoirement qui n'ont pas su s'assembler. Nous n'avons rien en commun. Pays, religion, idées, éducation, goûts... Seul l'amour nous avait unis, et les cendres m'en paraissaient bien froides.

Comment aborder les vrais problèmes de notre vie alors que mon mari se désintéresse totalement de la mienne? J'ai tenté de lui parler de « La Symphonie Pastorale », de nos difficultés, de le faire rire avec nos mésaventures, de l'intéresser au personnage de Gide, à la personnalité professionnelle de Delannoy. Pour lui c'est un « petit film » dans un « petit pays »!

Une nouvelle va troubler la fausse quiétude de ma vie californienne : « La Symphonie Pastorale » vient d'être sélectionnée pour représenter la France au premier Festival de Cannes d'après-guerre, Bercholz et Delannoy insistent, ils estiment ma présence obligatoire. Opinion que Bill ne partage pas.

– Ils peuvent se passer de toi, moi pas!

– Bill, il s'agit d'une obligation professionnelle, je ne peux pas me dérober. Je dois au producteur, à ceux qui m'ont fait confiance, de les aider au lancement publicitaire du film.

Je renonce à lui expliquer l'importance que revêt ce festival, le premier après le black-out de la guerre. Pour lui, Cannes n'est même pas un village, et il relègue cette manifestation au rang de celle d'un petit marché national.

Pourquoi est-il devenu ainsi? J'imagine que cet événement ait eu lieu pendant nos fiançailles. De quel enthousiasme il aurait fait preuve! A quoi bon me buter contre le passé, me faire mal, c'est avec le Bill d'aujourd'hui que je dois composer. Je lui affirme : « Je ne serai pas longue, à peine quelques jours, même pas une semaine. » Il cède enfin.

Le Festival, un tourbillon qui m'emporte, c'était la première fois que je vivais cela. En même temps foire aux films et grand cirque cinématographique. Journalistes, vedettes, starlettes, la mode en est lancée, producteurs, réalisateurs, distributeurs, vendeurs, acheteurs vont, viennent, se rencontrent sur la Croisette, dans les hôtels, les couloirs, au Palais du Festival, dans les cocktails. Dîners, réceptions et galas se succèdent. Un mouvement incessant et insensé. On achète, on vend, on « monte » des films, cela signifie que l'on échafaude des combinaisons capitaux-vedettes pour mettre sur pied une production. Dominant ces opérations commerciales le jury garde sa sérénité, attaqué par les assauts des critiques et des commérages.

Le Festival, quelques jours de vie extraordinairement intense autour du mot cinéma. Car on en fait aussi, et du très bon, les films sélectionnés, parfois contestés, offrent cependant les différents aspects des courants cinématographiques internationaux.

Au milieu de tout ce bruit et cette fureur, je ne perds pas mon sens critique et je suis prise d'une envie de rire que je réfrène mal lorsque, le soir de la présentation de « La Symphonie Pastorale », une limousine noire, du type officiel, avec chauffeur et motards d'escorte en uniforme n° 1 s'arrête devant le perron du Carlton pour me conduire, quelques mètres plus loin, au Palais du Festival. Je trouve cela plutôt comique. Réminiscence cinématographique, ce trajet me rappelle le gag de Buster Keaton, à Monte-Carlo, prenant une Rolls décapotable pour aller de l'Hôtel de Paris au Grand Casino séparés par vingt mètres!

La foule est si dense que, pour monter les marches du palais, je regrette mes motards d'escorte. Bousculée, photographiée, assaillie, je n'ai pas le temps de m'étonner d'une si grande popularité, que, protégée par des hommes de bonne volonté, je me retrouve assise entre Jean Delannoy et Lydia Bercholz et quand le brouhaha s'apaise, que les lumières s'éteignent, je suis prise d'un trac qui me noue la gorge. J'ai quitté si précipitamment la France qu'il ne m'a pas été possible de voir le film vraiment terminé. Que ma première vision se fasse ici, dans ces conditions, me paraît éprouvant.

Au fur et à mesure que se succèdent les images, je m'oublie, je suis prise par la beauté, la poésie qui se dégage de cet univers blanc. Je sais que Gide a aimé le film, qu'il l'a trouvé fidèle, pour moi il me paraît être davantage que cela : par la magie du cinéma, de cet art qui contient ceux de la lumière, de l'image, du verbe, l'œuvre se trouve transcendée, elle n'est plus uniquement tributaire des mots, si beaux soient-ils, elle devient vie.

Sur l'écran le mouvement se transforme en image fixe. Elle immobilise ma mort, la rend irréductible, mon visage lentement s'efface, le mot « Fin » apparaît. Je n'ai pas le temps de reprendre mes esprits; quand les lumières se rallument, la salle entière, d'un même mouvement, se lève, se tourne vers nous et applaudit...

Vivre cet instant est une grande joie. La soirée se termine dans une sorte de griserie, celle du succès. Que j'aimerais avoir à mon bras un mari fier de moi!

Le lendemain j'annonce mon départ à Delannoy et à Bercholz.

— Non, ce n'est pas possible. Michèle, des bruits de couloirs nous sont parvenus : le prix de l'interprétation féminine pourrait vous être attribué.

Les quelques jours qui suivent se passent dans un curieux climat de tension, alternance d'espoir et de résignation. Enfin les résultats sont proclamés : Palme d'Or : « La Symphonie Pastorale ».

Grand prix d'interprétation masculine : Ray Milland pour « Lost Week-end ».

Grand prix d'interprétation féminine : Michèle Morgan pour « La Symphonie Pastorale ». Je me vois également attribuer une « Victoire »[1], décernée à l'actrice française la plus populaire.

Mon pays me comble. C'est merveilleux le succès. Je n'ai pas vis-à-vis de lui une attitude hautaine, j'avoue mon plaisir, la récompense après l'effort, j'apprécie.

Ainsi se termine « La Symphonie Pastorale ». Pas tout à fait cependant, elle va encore avoir, comme l'on dit, des retombées importantes dans ma vie

1. Ainsi nommée parce qu'on remettait aux lauréats une petite statue représentant la Victoire de Samothrace.

16

LE PIANO EST RESTE FERME

Cette fois-ci la coupure n'a duré qu'une dizaine de jours. Bill est plutôt souriant. La nouvelle de mon succès m'a précédée. A l'arrivée de l'avion nous offrons à nouveau une parfaite image de notre couple. Les journaux de cinéma m'ont consacré la « une », la grande presse s'en est fait l'écho, et l'on me demande de remettre à Ray Milland son « Oscar » français au cours d'une soirée au consulat de France de Los Angeles.

Toutes choses agréables à Bill. Assez curieusement mon succès de « La Symphonie Pastorale » est plutôt considéré à Hollywood comme celui d'une Américaine en France. Coupures de presse et invitations s'amoncellent. Très opportunément Bill me conseille :

– Ne devrais-tu pas profiter de cet intérêt pour essayer de faire une nouvelle percée ici?

– J'y pensais...

Tellement je considérais que là se trouvait peut-être la solution : un film ici, un film là-bas...

A nouveau un dialogue existe entre nous. Bill me pose des questions sur ce petit film européen qui a une si bonne presse aux Etats-Unis.

– Ne penses-tu pas que je pourrais m'occuper de le placer en Amérique?

– Bien sûr, c'est une excellente idée, je vais te mettre en rapport avec Joseph Vercholz. Mais tu le convaincrais mieux de vive voix... Nous pourrions faire un petit saut ensemble à Paris...

Ai-je poussé mon pion trop vite? Bill ne rejette pas l'idée, mieux, il s'y attarde.

– Il est certain que sur place... je vais déjà voir, ici, ce que je pourrais faire...

Que peut-il faire? Je m'aperçois que je ne sais plus rien de ses activités. Il ne tourne pas, mais hante les studios, et voilà qu'il se propose pour une affaire d'importation... Il ne chante plus, ne prend plus de leçons. Pourquoi ce renoncement qui doit lui coûter? Je l'entendais encore m'expliquer la place qu'il pouvait prendre dans la chanson! Quelles étaient donc ces nouvelles ambitions? Je me plaignais qu'il ne me pose pas de questions sur moi, lui en avais-je assez posé sur lui!

C'est ce jour-là que j'ai arrêté ma voiture devant une importante firme de pianos. Le soir même en rentrant, Bill reste figé devant un quart de queue qui occupe notre living, il se tourne vers moi : « Tu l'as loué? »

– Non, mon chéri, c'est un cadeau pour que tu puisses travailler ta voix.

Bill pâlit, nous nous regardons. Je lui dis qu'il doit reprendre ses exercices, qu'il a du talent, je voudrais qu'il m'écoute, le convaincre, et je termine en lui assurant qu'il arrivera : « J'ai confiance en toi. »

Il m'embrasse avec émotion. Je reste là, contre lui, je ne peux me défendre d'une certaine mélancolie : je n'ai pas le sentiment d'avoir dans ses bras retrouvé ma place!...

– Ma chérie, merci... Demain je recommence...

Le lendemain le piano est resté fermé, il ne l'a jamais ouvert.

Ce voyage en France allons-nous le faire? Bill ne me

parle plus de son projet et l'on me propose de tourner « The Chase »[1] une histoire de gangster qui se passe en partie dans une prison, avec Arthur Ripley, un réalisateur peu connu.

Sans beaucoup d'illusions j'accepte, le film me laisse quelques dollars, aucun souvenir et la conviction que je n'ai pas ma place ici. Je le déplore. Le cinéma américain est un des plus riches en chefs-d'œuvre, malheureusement entre eux et moi la rencontre n'a pas eu lieu.

De Londres, Alexander Korda[2] m'offre de tourner « The Fallen Idol » (« Première désillusion ») sous la direction de Carol Reed. J'hésite et pourtant je n'ai aucune bonne raison pour cela. Le film est tiré d'une nouvelle de Graham Green : un petit garçon de huit ans tente d'innocenter son père, un ambassadeur accusé d'avoir tué sa femme. Mon rôle est assez joli, je suis la double vie du diplomate.

Souvent les comédiens sont un peu réticents lorsqu'il s'agit de jouer avec un enfant car c'est obligatoirement lui qui capte l'attention du spectateur. Ce n'est pas cela qui me fait réfléchir. Je vis en équilibre, je sais qu'il ne pourra pas durer longtemps mais une sorte de statu quo s'est établi, nous n'attaquons aucun sujet dangereux, notre côte à côte se passe plutôt bien, une nouvelle absence m'inquiète... n'en naîtra-t-il pas la discorde? Pourtant je ne pourrai pas rester toujours ici...

Et, à mon étonnement, Bill me dit :

— Tu devrais accepter. Carol Reed est un très bon metteur en scène, plein de talent. Je viendrais volontiers avec toi à Londres... Sais-tu que ma famille descend de Cromwell? d'ailleurs c'est le nom de ma mère. Alors ça m'amuserait de retourner aux sources.

1. L'évadé.

2. Sir Alexander Korda, célèbre producteur anglais, d'origine hongroise, anobli par le roi.

Inattendu mais plaisant, et je lui propose :
– Profitons-en pour aller à Paris et même commençons par là.

Il est toujours curieux de voir, après coup, quel soin l'on met à organiser son destin.

Bill accepte à une seule condition, Mike en notre absence sera confié à sa mère. Avec elle il est heureux et en sécurité.

Je ne sais quelle idée Bill pouvait se faire de la famille française, mais la mienne comparée à la sienne doit lui paraître... inattendue!

Elle est plutôt étonnante la famille Roussel, vue en liberté dans son appartement de la rue Pergolèse à Neuilly-sur-Seine. Ses rapports s'apparentent assez à ceux de la « roulotte » des « Parents Terribles ». Elle est charmante, baroque, insolite, farfelue, et la présentation du grand diable de mari américain ressemble, personnages inversés, à celle du G.I. ramenant sa femme française au foyer familial du Middle West!

Papa, toujours obsédé par la politique, ravi de pouvoir nous prouver l'excellence de son anglais, entreprend d'expliquer à Bill comment le président Roosevelt s'est fait rouler par Staline à Yalta. Mon frère Paul, criant pour couvrir les accords de Pierre qui gratte furieusement sa guitare, interrompt le discours de mon père pour se lancer dans une diatribe virulente sur la religion méthodiste comparée à la religion catholique, apostolique et romaine. Dans un angle de la pièce, ma petite sœur Hélène, folle de théâtre comme je l'étais de cinéma, récite un poème à mi-voix. C'est le moment que Berthe, la vieille bonne à demi sourde, choisit pour hurler : « Madame est servie », puis elle repart dans sa cuisine de sa démarche en crabe sans prêter attention à personne. Bill et moi nous sommes pris alors d'un fou rire inextinguible. Quant à maman, en nous mettant à table, elle me murmure ravie :

– Tu as bien choisi, ma petite fille, il est très beau garçon ton mari, un blond aux yeux bleus, tout à fait ton père avant qu'il ne perde ses cheveux!

C'est vrai qu'il est charmant, mon mari américain et, comme moi cinq ans auparavant, toute la famille succombe à tant de séduction et de gentillesse.

Cette soirée chez mes parents, quel bon moment! Déjà je me persuade que j'ai retrouvé Bill, que tout, à nouveau, sera possible. Je lui en suis reconnaissante. Mais une heure plus tard, de retour à l'hôtel George-V, il le trouve soudain « disgusting » – dégoûtant – ajoutant qu'il est à l'image de la France, « depressing » – déprimant.

Le numéro de charme est terminé; comment ai-je pu m'y laisser prendre? Tout en râlant contre la chaleur – nous sommes au mois d'août et Paris entier transpire –, contre ce pays sans eau glacée dans les chambres, il se précipite sous la douche. Il se savonne, tourne le mélangeur : catastrophe, pas une goutte d'eau!

En pestant il fait irruption tout nu dans la chambre, me désignant d'un doigt vengeur le téléphone. A la réception on m'apprend que l'eau vient d'être coupée pour permettre une réparation urgente. Je commande deux bouteilles d'évian pour rincer Bill écumant de fureur et de savon : il leur faudra une demi-heure pour parvenir jusqu'à nous! Sa conclusion est qu'on ne peut pas faire confiance à un pays aussi désorganisé!

La suite, hélas! ne modifiera pas son jugement.

Nous sommes réveillés à six heures, le portier s'est trompé : il y a trois Marshall à l'hôtel. Lorsque Bill ouvre la porte, ses chaussures ont disparu. Notre petit déjeuner lui paraît immangeable, le lait coupé! Quant à la cuisine qu'il déclare trop lourde, il ne la digère pas! C'est un succès. Je ne sais si je dois en rire ou en pleurer, alors j'en ris, mais pas devant lui, avec Joseph Bercholz, qui lui accorde les droits de vente de « La

Symphonie Pastorale » pour les U.S.A. Il y aura au moins ça de réussi!

La vieille Angleterre, berceau de sa famille maternelle, lui paraît plus civilisée, ne serait-ce que pour ses breakfasts! Et nous y passons dix jours sans histoires, lui visite, moi je suis prise par la préparation du film.

La France ayant réveillé sa méchante humeur, j'évite toutes discussions, tout en évitant de trop penser. Quand on ne peut pas faire autrement, il faut vivre au jour le jour, c'est une sagesse que les femmes connaissent bien.

La veille de l'embarquement de Bill sur le *Queen Mary,* au moment d'entrer dans le bar du Savoy, on m'appelle :

– Michèle!

Je me retourne : Micheline Presle!

Nous nous embrassons toutes joyeuses, nous ne nous sommes pas revues depuis « Grand-Hôtel » en 40... Je la présente à Bill. Accompagnée par le producteur Paul Graetz, elle va à Hollywood; après son succès du « Diable au corps », la Fox lui a signé un très beau contrat.

– Tu pars quand?

– Demain.

– Comme Bill, vous voyagerez ensemble.

Elle est divine de beauté. Lorsqu'elle nous quitte, je le fais remarquer à Bill. Ce qui n'était pas nécessaire, il l'avait remarqué.

A nouveau je suis seule, et pas fâchée de l'être. Je considère presque ce film comme un repos. Tourner avec les Anglais est très différent de tout ce que j'ai fait jusqu'à présent : à l'opposé du travail avec les Américains, qui lui est à l'opposé de celui des Français. Ici ambiance feutrée, discrète et courtoise sur le plateau, jamais un mot qui sonne fort. « Break for tea »[1] à

1. Arrêt pour le thé.

onze heures et à seize heures trente. Cependant les journées sont longues, les studios éloignés de Londres, transport, maquillage, démaquillage, je pars tôt du Savoy et y rentre juste pour dîner dans ma chambre, me coucher et m'endormir. Bill est encore en mer, je n'appréhende pas le téléphone et je remets sine die de faire le point de ma vie conjugale! La première semaine s'écoule, je profite du week-end pour retrouver ma famille, mes amis à Paris.

Le film a pris deux jours de retard, ce qui est beaucoup, que va dire Bill? Allons-nous recommencer les séances téléphoniques de « La Symphonie Pastorale »?

Il ne m'a pas encore appelée, il devrait pourtant être de retour à Hollywood. Je téléphone à la maison, sa mère me paraît un peu gênée :

– Non, Michèle, il n'est pas là.

– Il est rentré?

– Pas encore.

– Mais, il vous a donné de ses nouvelles?

– Naturellement, il sera là à la fin de la semaine. Il a dû se rendre en province pour affaires... je vous passe Mike...

Quel bonheur cette petite voix qui me dit : « Quand reviens-tu, mammy?

– Bientôt, mon chéri, dès que le film sera terminé, maman travaille et pense beaucoup, beaucoup à toi...

Je pense aussi à Bill. Que signifie son retard? J'aurais compris s'il était resté à New York, il y a des amis, il aurait pu également s'occuper de « La Symphonie Pastorale ». Et puis pourquoi ne me téléphone-t-il pas? On le peut de n'importe quel endroit.

Il y a maintenant près de deux semaines que je suis sans nouvelles. J'ai appelé plusieurs fois, à chacune sa mère paraît de plus en plus mal à l'aise, me cache-t-elle quelque chose? et pourquoi? Un accident, cela se saurait je pense... J'ai besoin d'être rassurée et aussi de l'entretenir d'un nouveau projet, « Fabiola », une coproduction franco-italienne, tourné par Alessandro

Blasetti, qui vient de réaliser un grand succès, « Quatre pas dans les nuages ».

Je ne veux pas donner ma réponse sans en parler avec Bill. D'après mes calculs, entre la fin de « Première Désillusion » et le commencement éventuel de « Fabiola », je pourrais disposer de deux mois auprès de Mike. Mais si c'est impossible, je ne signerai pas tant que Bill ne me donnera pas l'assurance de m'amener mon fils en Europe. Je fais traîner ma réponse, mais les Italiens sont impatients et leurs appels téléphoniques se font de plus en plus pressants. Je m'énerve et dors mal. L'attitude de mon mari n'est pas normale.

Ce matin, comme d'habitude, la femme de chambre en m'apportant mon breakfast ouvre les rideaux et découvre un ciel d'azur brûlant : « Nice weather this morning[1]. » En buvant mon thé je parcours le journal rapidement, m'attarde quelques instants sur les titres, et comme tous les comédiens, quel que soit l'endroit où ils séjournent, je cherche la rubrique spectacle. J'y trouve une photo étonnante : côte à côte, accoudés au bastingage du pont des premières du *Queen Mary,* Micheline et Bill souriants. La légende se veut badine : « Le producteur – un métier que je ne lui connaissais pas – Bill Marshall donne à la ravissante actrice Micheline Presle des leçons d'anglais sur le *Queen Mary.* » Curieusement je me sens rassurée. Quand il m'appelle, le hasard veut que ce soit le jour même, je ne lui parle pas de cette photo, je ne lui parle de rien d'ailleurs. Il m'explique qu'il est resté à New York plus longtemps qu'il ne le pensait, qu'il... je n'écoute pas, que m'importe. Mike me réclame et je commence à être inquiète, j'ai signé « Fabiola », et ici les prises de vues s'éternisent, raccourcissant ainsi le temps que je veux passer auprès de mon petit garçon.

Carol Reed, excellent directeur d'acteurs, technicien raffiné et méticuleux, qui l'année suivante nous don-

1. « Beau temps, ce matin. »

nera « Le Troisième Homme », prend son temps. Résultat : le mien devient une peau de chagrin.

Bientôt il ne me reste plus qu'un mois, trois semaines, quinze jours et puis plus rien! Je ne peux pas rentrer à Hollywood. Je n'embrasserai pas Mike.

Bill pour la première fois me calme, il m'assure qu'il viendra avec lui à Paris au milieu ou à la fin, la fin serait mieux, n'est-ce pas? du tournage de « Fabiola ». Dans trois mois, quatre au plus. Tous les metteurs en scène ne sont pas comme Carol Reed qui se moque du dépassement... Je ne me fais pas de grandes illusions sur cette mansuétude très inhabituelle chez lui. A Hollywood on voit beaucoup Bill avec Micheline Presle, des échos de toutes sortes sont venus jusqu'ici, journaux, commérages...

Je ne m'interroge pas beaucoup là-dessus, je reste très indifférente. Seulement, je ne veux tout de même pas passer aux yeux de Bill pour une idiote, alors je lui en parle, juste avant de partir pour Rome.

Il éclate de rire, un rire du genre clair et spontané, puis change de ton, devient sérieux, il effleure le solennel pour me dire :

– Tu te rappelles que nous nous sommes juré de tout nous avouer, si un jour l'un de nous était prêt à succomber?

Il parle comme la Bible et notre serment maintenant me semble un peu ridicule. Je lui réponds :

– Oui.

– Eh bien, c'est toujours valable, si j'avais quelque chose à te dire je le ferais. Mais toi, ne l'oublie jamais...

Et je l'ai cru.

Et je ne l'ai pas oublié...

17

« FABIOLA »

Je fais à Rome une entrée de super-star! La presse m'attend au château Saint-Ange, et quelle presse, l'italienne : turbulente, tumultueuse, indiscrète! Déjà leurs journaux titrent : « La Morgan après un long séjour aux U.S.A. vient faire un film à Rome. » « L'héroïne aveugle de " La Symphonie Pastorale " va devenir Fabiola, la jeune chrétienne dévorée par les lions. »
Angelo, notre producteur, a le sens de la publicité, il a installé ses bureaux en haut des trois cent soixante-dix marches du « castello Sant'Angelo », sans ascenseur! et deux avions dans le ciel de Rome tracent mon nom, qui s'éparpille dans l'azur en fumée, ça fait un peu marque de lessive, mais c'est joli quand même!

– Signora, dica... Comment sont les hommes américains?

– Signora Morgan, que pensez-vous des mâles italiens?

– Signora, e lei felice di essere a Roma?

Signora... Signora-ci... Signora-là...

Bruns, l'œil sombre, pleins de mains, de gestes et d'appareils, leur effervescence latine me fait tourner la tête.

– E il suo filio... Et votre fils, où est-il? Le ferez-vous venir? Quand?

– Bientôt j'espère...

– Et... Il suo marito?... On dit que vous allez divorcer?

– Vraiment? Eh bien, voyez-vous, il ne m'en a pas encore prévenue! Je le rejoindrai à Los Angeles tout de suite après le tournage de « Fabiola ».

Ils insistent, ils tiennent à un titre fracassant.

– On le voit beaucoup avec votre compatriote, la Signora Presle. Qu'en pensez-vous?

– Micheline est une amie à moi. Ils ont voyagé ensemble sur le *Queen Mary,* croyez-vous que l'on doive divorcer pour cela!

J'essaie sans y parvenir de leur parler de mon rôle dans « Fabiola », mais vraiment ils ne sont pas venus pour ça!

Un peu plus loin, un peu à l'écart de cette foule sonore et remuante, j'aperçois mon ami Michel Simon qui bavarde avec Louis Salou, Gino Gervi, Massimo Girotti et Henri Vidal. Impossible de le rejoindre, les journalistes ne me lâchent pas.

Henri Vidal, dont j'ai appris à Londres qu'il serait mon partenaire, le gladiateur amant de Fabiola, est ce garçon remuant entrevu, un jour, dans les salons de Germaine Lecomte, et plus fugitivement encore sur les marches du Palais du Festival. « Vous verrez, m'a prévenue en riant Edwige Feuillère, il est charmant! et il cherchera à vous séduire! » Olga Horstig a renchéri, me mettant en garde : « Méfie-toi, c'est un play-boy, toutes les femmes lui tombent dans les bras! » J'avais souri, je continuais à sourire – cette éventualité ne pouvait pas faire partie de mes inquiétudes. Bill était un mari difficile, mais je n'avais jamais eu envie de le tromper. Quant à lui, son flirt avec Micheline, que je ne pouvais vraiment plus ignorer, me paraissait sans danger, et pourquoi après tout ne serait-il pas publicitaire? Je jugeais sage de fermer les yeux et les oreilles. Je considérais donc que Bill restait un mari « fidèle » et solide.

De loin je regarde Henri Vidal : beau garçon, sain, éclatant de joie de vivre, mais certainement bien incapable de bouleverser ma vie!

Blasetti m'apercevant en difficulté fonce comme un taureau, dont il a la puissance, et me fraie un chemin : « Il faut que je vous présente à votre partenaire, Henri Vidal! » Nous sommes près l'un de l'autre et inexplicablement, pour ma confusion, je me sens rougir. La chaleur, la foule sans doute, il ne peut y avoir aucune autre explication.

– Ah! tourner avec vous, dit-il en levant son verre d'un geste superbe. C'est le rêve de ma vie!

Un remous et, flac! son porto se répand sur le taffetas de ma robe bleu turquoise! Blasetti, Michel Simon, moi, sommes la proie d'un fou rire, qui redouble devant la confusion d'Henri. Il se précipite, arrache une serviette à un garçon, s'agenouille, éponge ma robe, s'excuse de sa maladresse, répétant : « C'est l'émotion!... j'étais tellement heureux! » Rush des photographes : « Restez comme ça, Signor! Per favor! (Et les flash repartent de plus belle.) Aux genoux de la Signora Morgan! Grazie... grazie... »

Cette première entrevue n'avait vraiment rien à voir avec celle, d'un romantisme pour presse du cœur, que l'on décrivit plus tard : « A demi nu, beau comme un dieu, Henri Vidal s'avançait vers Michèle tremblante d'émotion dans son peplum de patricienne... »

Cet incident comique avait placé notre rencontre sous le signe du rire et c'était beaucoup plus important : cela faisait des années qu'avec Bill je ne riais plus, ou si rarement!

Bien entendu, dès le lendemain et les jours suivants, journaux et magazines publient sous tous les angles la photo d'Henri Vidal à mes pieds. Nous voici déjà un couple de cinéma : « Henri tombe aux genoux de Michèle! » et autres sottises de la même plume. C'est idiot et agaçant. Cela peut même être plus grave. Si Bill lit ce genre d'information, comment réagira-t-il, lui qui est maladivement jaloux? Il estimera un flirt avec

Henri Vidal autrement grave que son incartade, si elle est réelle, avec Micheline.

J'aime Rome, d'abord sa lumière dorée, c'est une ville blonde, puis sa vie et son mouvement. J'habite l'hôtel Hassler, Henri Vidal, Michel Simon, Louis Salou, l'hôtel de la Ville, les deux immeubles qui n'en font qu'un sont cependant décalés l'un par rapport à l'autre; le mien situé en haut des escaliers surplombe la Piazza di Spagna, riche en couleurs avec ses marchandes de fleurs qui s'abritent sous de grands parasols rouges, jaunes, verts. De ma chambre la vue est d'une grande beauté. Le Pincio est à deux pas et je vais me promener sous ses pins parasols avec tante Yvonne, de là on découvre comme d'un balcon la Piazza di Venezia qui fut le forum de l'Italie mussolinienne. Ma tante m'a accompagnée, je redoutais la solitude que j'avais connue pendant « The Chase », c'était l'excuse que je me donnais à moi-même, en fait c'étaient les scènes téléphoniques de Bill, qui me laissaient démoralisée. Au moins j'aurais quelqu'un avec qui en parler!

Le tournage se déroule sans histoires, vite et bien. Déjà quatre semaines d'écoulées. L'ambiance est excellente en partie double : *tragediente* pendant les scènes d'amour, de violence, de désespoir, *comediente* avec Blasetti, habillé en metteur en scène style Hollywood 1925, bottes, culotte de cheval. Le regard noir vif, la mèche récalcitrante, il pique des crises homériques et paradoxales, il réclame le silence en hurlant et lorsqu'il l'a obtenu, invective de toute sa puissance vocale, et elle est grande, le malheureux machiniste qui a osé éternuer, là-haut, dans les passerelles, puis suavement vient me susurrer à l'oreille ses indications... Il est, à lui seul, plus étourdi, plus farfelu que la famille Roussel tout entière : collant sérieusement l'œil dans le micro pour cadrer les mouvements de foule de ses 2000 figurants il leur donne des ordres dans son viseur de prises de vues! Ce qui ne le gêne nullement pour déclarer, devant les folies, les blagues, souvent irrésistibles d'Henri dont la vitalité débordante est envahissante que « jamais les Français ne seront sérieux! »

Le soir nous partons dîner en bande, à l'heure où en France l'on soupe. Au fond de cours, sous des treilles, nous nous asseyons à de longues tables, un peu n'importe comment, mais Henri et moi nous trouvons toujours l'un près de l'autre. On nous sert l'agneau à la romaine qui rôtit encore à la broche, et les tagliatelles, qu'on enroule autour de la fourchette, ont la finesse des serpentins; le chianti coule, léger et traître, semblable à cet amour qui se glisse entre nous sans que je m'en aperçoive.

Qu'il est trompeur ce ciel étoilé d'Italie, ce danger-là je ne le vois pas venir. Entre Henri et moi tout est si naturel, si simple, rien n'a l'air d'avoir d'importance. On flirte un peu mais ce ne peut être que le temps d'un film, d'un éclat de rire, d'un regard... Comment prendre au sérieux ces nuits où les mandolines roucoulent joyeusement des tarentelles, « Sole Mio » ou « Santa Lucia »? Le jour, le faux et le vrai se mélangent. Orangers, eucalyptus, chèvrefeuilles ont été replantés : jardins superbes autour des villas romaines reconstituées sur les immenses plateaux de Cinecitta[1] devant les Sept Collines en trompe-l'œil. Vrai. Faux, l'on s'y perd d'autant mieux qu'on le désire...

Cet après-midi l'ambiance est sérieuse, la scène que Blasetti nous explique est particulièrement violente : brutalement son gladiateur gifle Fabiola.

Blasetti exige du vrai, du vécu. Henri s'y résigne. Une fois, deux fois, trois fois, quatre, cinq... visiblement ma joue gonfle.

Féroce, après chaque gifle, notre metteur en scène commande :

– Une autre...

Son laconisme est sans réplique, on recommence. Henri est navré, à chaque reprise – nous en sommes à la dix-septième – il me dit :

1. La cité du cinéma. Vaste complexe de studios créé par Mussolini aux environs de Rome.

– Michèle, pardon, je suis désolé, vous ai-je fait mal?

– Mais non, ne vous en occupez pas, frappez... comme il le demande!

Henri frappe de plus en plus fort, sans satisfaire Blasetti, ma joue enfle de plus en plus...

– Fabiola, 307, dix-huitième!

Pourvu que ce soit la bonne!

La gifle part exaspérée, sèche, violente. Je vacille, ma joue est en feu, mon nez me picote, les larmes me montent aux yeux...

– Coupez! A tirer! Excellent, bravo... Merci, Michèle, merci, Henri...

Enfin nous l'avons satisfait! Nous sommes épuisés.

– Michèle, pour me faire pardonner, je vous invite à dîner ce soir...

L'orage alourdit l'air, gronde dans le ciel, lorsque nous quittons vers onze heures cette petite trattoria du Trastevere où pour la première fois nous avons dîné seuls tous les deux. Et c'est le déluge, nous courons vers la voiture d'Henri. Essoufflés, trempés, nous nous réfugions dans sa petite Lancia. Henri avance la main vers la clef de contact mais ne la tourne pas. La pluie tambourine sur la tôle du toit, gifle lourdement les vitres, ruisselle sur le pare-brise, le monde alentour est noyé, nous sommes isolés. Il fait tiède, une vapeur moite monte de la terre. Nous demeurons, l'un près de l'autre silencieux. Le temps n'existe plus et soudain je me retrouve contre la poitrine d'Henri, ses lèvres se posent sur les miennes...

Plus rien maintenant ne sera pareil, cet instant va tout changer, tout bouleverser. J'en suis consciente, mais tant pis!

Seule dans ma chambre, je reste songeuse au milieu de la pièce, le regard perdu et le cœur ailleurs, incapable de me démaquiller, de me déshabiller. Ma fenêtre est ouverte, la lumière rose de ma lampe de chevet rend la nuit plus bleue, elle m'attire, je vais sur mon balcon, de Rome monte une rumeur étouffée. Je m'appuie sur la balustrade de pierre me penche de côté, vers la façade de l'autre hôtel où se trouve la fenêtre d'Henri. Je ne vois rien, qu'un rectangle de lumière, trois étages plus bas. Est-ce sa fenêtre? Se pose-t-il des questions? ou dort-il déjà? Est-il heureux comme moi? Lui, il a le droit de l'être. Moi pas...

Déjà, ce n'est plus un flirt, je sais que c'est plus grave, mais je ne veux pas me l'avouer.

Je suis d'une grande lucidité, celle des nuits sans sommeil. Allongée sur mon lit, je réfléchis. Tout est encore possible. Entre Henri et moi il ne s'est rien passé de sérieux, un baiser, cela s'oublie facilement. Appeler Bill à mon secours pour qu'il vienne me protéger de moi-même? Pour cela, il faudrait qu'il m'aime beaucoup et que je l'aime encore.

C'est notre procès à tous les deux que je fais dans la nuit romaine que l'orage a purifiée, allégée... Si notre couple n'avait pas été incapable de faire face au moment précis où l'on a besoin d'être deux, je pourrais l'appeler au secours. Mais il en va différemment. Bill est le genre d'homme qui, lorsqu'ils épousent, ne voient plus dans leur femme qu'une mère pour leur enfant. Que tout ceci est vain! A quoi me servira de raisonner la nuit entière sur ce que nous aurions dû faire et que nous n'avons pas fait, sur ce que nous avions et, ou aurions dû être? Plus rien ne pourra modifier le présent. L'évidence est là, aucun raisonnement ne peut m'atteindre, je n'ai plus mon libre arbitre, je suis follement amoureuse.

Que dois-je faire? Je me refuse à vivre dans le mensonge. Bill doit connaître la vérité. Il n'avait pas besoin de me rappeler notre serment, j'ai toujours été décidée à le tenir et maintenant plus encore.

Loin de me calmer, cette résolution me tient éveillée. Comment Bill va-t-il réagir? La pensée va vite, elle brûle les étapes : j'ignore à peu près tout des lois américaines concernant le divorce. Déjà il n'y a plus d'autre solution, et je laisse divaguer ma pensée vers un avenir somme toute pas déplaisant du tout! Ce sera certainement un peu difficile, pour Bill, de venir en France pour voir son fils, quand Mike sera plus grand des séjours en Amérique seront possibles... Pas un instant je ne doute que la garde de l'enfant ne me soit confiée et je me promets d'être compréhensive vis-à-vis de Bill, il pourra voir Mike comme il voudra, passer ses vacances avec lui. Je fais des projets, je prendrai un appartement assez grand avec une chambre pour le petit, une pour la nurse. Impatiente de le revoir en août, je me réjouis à la pensée qu'il ne repartira pas. Nous resterons ensemble, lui et moi... D'ici là, j'aurai eu une conversation, plusieurs, avec son père, tout sera net...

J'ai dû m'endormir. Au matin, impatiente, dès mon réveil j'appelle Bill :

– J'ai besoin de te voir...

Il me coupe désinvolte.

– Je prends justement l'avion demain pour Paris.

– Il faut que tu viennes à Rome. Je dois te parler, j'ai quelque chose à te dire.

La voix se fait sarcastique :

– C'est à propos d'Henri Vidal? J'ai vu vos photos dans la presse.

C'est moins facile que je ne l'avais imaginé dans la nuit.

– Je n'y suis pour rien. Les photos c'est de la publicité, comme les tiennes avec Micheline! (Je ne pouvais pas choisir un plus mauvais exemple!) La vérité est différente. Je... J'ai peur, enfin, je crois que je suis amoureuse.

– O.K. Je viens.

C'est tout. Je n'ai même pas pu lui demander des nouvelles de Mike, il a raccroché.

C'est fait, je me sens mieux, mais tout aussi inquiète. Ce flegme, cette façon qu'il a adoptée de paraître dominer le sujet m'inquiète. J'aurais, me semble-t-il, préféré une de ses colères... A moins que lui aussi n'ait découvert l'amour avec Micheline, qu'il n'ait pas eu le courage de me le dire en premier? Pour ce genre de chose, les hommes sont souvent plus lâches que les femmes. Attendons! Que faire d'autre?

Huit jours s'écoulent, Bill n'est toujours pas venu. Comment est-ce possible? Je l'appelle chez nous. Il est à Paris. Je téléphone à Paris. Il viendra un peu plus tard, m'assure-t-il d'un ton incolore, il s'occupe activement d'obtenir les droits de « Fabiola » pour l'Amérique. L'affaire réussie de « La Symphonie Pastorale » l'a incité à en tenter d'autres.

Une nouvelle semaine passe sans que mon mari s'annonce. Je suis étonnée, plutôt indignée, et surtout je ne comprends pas les raisons de son attitude. J'avais espéré qu'il accourrait tout de suite et il prend tellement son temps que je pourrais penser qu'il se retire. Cette indifférence inattendue n'est-elle la meilleure des réponses à la question qui m'inquiétait : m'aime-t-il encore? à moins qu'il ne souhaite que j'aille jusqu'au bout de ce qui n'est pas encore une aventure et ne le sera d'ailleurs jamais. Un tel désintéressement...

Je pouvais faire mille suppositions, imaginer pas mal de choses, sauf la vérité. Henri et moi, nous avons pris l'habitude de nous promener sur la plage d'Ostie, déserte. Des kilomètres de sable, bordés d'herbes hautes et folles comme nous qui nous embrassons comme des fous. Un samedi, je m'étonne d'apercevoir deux hommes qui marchent dans notre direction : « Regarde, il y a des gens là-bas, pourvu qu'ils ne viennent pas ici! Si c'étaient des photographes? »

Rassurant, Henri m'affirme :

– C'est sans importance, ce sont des chasseurs, tu vois bien ils restent dans les herbes. Ils sont trop loin, ils ne peuvent pas nous reconnaître...

Le dimanche, « les chasseurs » sont encore là. Quel gibier peuvent-ils traquer par ici? Notre innocence est telle que nous ne trouvons pas anormal de les voir chasser avec des jumelles, sans tirer un coup de fusil. Comment me serait-il venu à l'esprit que le gibier c'était moi, que les chasseurs étaient des détectives privés? Je ne vais pas tarder à comprendre que cette liberté m'est laissée dans l'espoir que j'en abuserai. J'étais bien incapable d'imaginer une aussi tortueuse stratégie.

De ces promenades nous rentrons heureux et insatisfaits, nous cherchant des yeux, persuadés d'observer une grande discrétion, ne nous apercevant même pas du regard attendri de Michel Simon. Comment ignorer que nous nous aimons?

Des autres, je ne voyais plus rien.

Il y a quelques années encore, les guides italiens faisant visiter Rome, parvenus en haut de la Piazza di Spagna, désignaient nos deux fenêtres aux touristes, leur contant notre idylle et citant, pays oblige, Roméo et Juliette.

Cette nuit-là, Henri est venu me rejoindre.

– Pour ne pas te compromettre, m'avait-il dit, je rentrerai par ta fenêtre, laisse-la ouverte.

Quelle femme n'aurait été charmée par ces mœurs romantiques bien dans sa manière? Et, passé minuit, ceux qui auraient regardé en l'air auraient pu voir un homme sortir d'une fenêtre au quatrième étage de l'hôtel de la ville pour grimper par la façade, de corniche en balcon, jusqu'au sixième étage de l'hôtel Hassler et disparaître dans une chambre.

Deux heures du matin, on frappe à ma porte :

– Qu'est-ce que c'est? Qui est là?

Et dans la meilleure tradition de Feydeau, j'entends la voix de Bill :

– Ouvre! c'est moi!

Henri attrape ses vêtements, se précipite vers la fenêtre et, pour gagner du temps, au lieu de descendre par la corniche du balcon, saute de celui-ci directement sur celui d'en dessous. Il se reçoit mal, un bruit énorme, des fenêtres s'éclairent, des voix se font entendre, Blessé? Je m'inquiète.

A ma porte, Bill frappe plus fort. Je me penche, il me semble apercevoir la silhouette d'Henri clopinant, mais je n'en suis pas certaine. Doublement angoissée, j'ouvre à Bill.

Jamais il ne m'a paru aussi grand que s'encadrant dans cette porte, l'œil furieux, la mâchoire serrée. Bill entre, me poussant presque, revolver à la main. Est-ce le pistolet de notre rencontre? Décidément nous étions sous le signe des armes à feu. Je ne sais pourquoi, mais je n'ai pas peur qu'il s'en serve, que le vaudeville tourne en fait divers, nous nous contenterons de sombrer dans le ridicule. Soupçonneux il regarde autour de lui.

Le dialogue est classique :

– Je dormais...

Tout peut le faire croire.

– Avec ce bruit?

– Il m'a réveillée.

Il n'ose tout de même pas ouvrir la porte de la salle de bains et se garde d'ausculter les armoires et les penderies. Alors, négligemment, je le fais pour lui.

Tout ce qu'un homme et une femme, se trouvant dans notre situation, peuvent se dire, nous nous le disons. Bill dont l'agressivité est momentanément tombée, me répète :

– Si tu n'étais pas venue en Europe, rien ne serait arrivé. En Amérique nous nous entendions bien.

Le croit-il vraiment? a-t-il oublié nos scènes? Peut-être pour lui comptent-elles peu? Est-il dépité, furieux, est-ce de l'amour-propre ou de la jalousie? Je ne sais plus, et il faudra qu'un certain temps s'écoule pour que je fasse la part de la comédie et de la sincérité, car cette nuit-là l'enjeu de la lutte qu'il avait entreprise, était notre enfant. Si j'ignorais les sentiments véritables de Bill à mon égard, j'ai très vite compris qu'il voulait garder Mike.

Jusqu'au matin, Bill va m'imposer ma culpabilité. Sans crainte du ridicule, il mélodramatise : je suis la femme adultère, celle à laquelle on impose ses conditions. A cet instant, je le répète, j'ignore tout des lois américaines; et je continue à avoir une certaine confiance en Bill. Je le crois incapable de priver un enfant de sa mère et, pour ne pas perdre mon fils, je suis prête à accepter n'importe quoi. Comment aurais-je su qu'en pareil cas, un père ou une mère – et Bill adorait son fils – sont capables de tout pour s'arracher l'enfant qu'ils ont conçu ensemble?

Bill va repartir. Dans quelques instants son avion va s'envoler. Je l'ai accompagné à l'aéroport, poursuivie par les photographes; pour eux, sa visite est l'occasion de « beaux » articles sur notre couple. Ce seront les derniers.

Nous avons pris la décision de divorcer. C'est un peu plus calme que je le vois partir, et partiellement rassurée.

La nuit avait été épuisante. Vers le matin nous étions parvenus à un accord; une sorte de protocole dont Bill m'a dicté les termes. Ils m'ont paru assez vagues, il y est question de partage de biens, de m'engager à laisser Bill élever Mike comme un bon Américain; on y parle pour moi des privilèges de droits de visite. Tout cela ne me semble pas très clair et qu'à moitié rassurant. Je m'inquiète de l'importance qu'il attribue aux rapports de ses détectives privés, prouvant ce qu'il nomme mes relations coupables avec Henri. D'après lui, ces témoignages lui assurent un divorce en sa faveur – j'ignorais que la loi ne les considérait que comme des présomptions de preuves et qu'ils ne pouvaient faire office de pièces officielles. J'avais continué à accorder à mon mari une certaine confiance, persuadée qu'il serait « fair play ». Comment ne pas croire à sa loyauté, c'était le seul garant de mon avenir avec Mike, avenir dont les couleurs étaient loin d'être aussi gaies que celles dont je l'avais paré dans mes rêveries optimistes, quelques jours auparavant!

Les dernières paroles de Bill : « A bientôt, dans trois semaines je te retrouverai à Paris avec le petit », dites devant les journalistes avaient pris un petit air rassurant.

Les derniers jours de mon travail à Rome, Henri et moi sauvegardons les apparences. Les « paparazzi » n'ont pas à cette époque la virulence qu'ils auront plus tard, mais la presse du cœur tant française qu'italienne est suffisamment dénuée de scrupules et à l'affût de la vie privée pour justifier des précautions.

•

Paris pavoise, le 14 Juillet est proche, on pose des barrières le long des Champs-Elysées pour la revue du lendemain. Il y a dans l'air une gaieté de bal populaire.

Cela fait déjà deux semaines que je suis là pour tourner, sous la direction de Jean Delannoy, « Aux Yeux du Souvenir », avec comme partenaires Jean Marais et Jean Chevrier.

Après la grande machine de Blasetti, les centaines de figurants continuellement en mouvement au milieu des pierres brûlantes de soleil, le bruit, les cris, tourner avec Delannoy est reposant et l'intimité de cette histoire d'amour entre une hôtesse de l'air, moi et un pilote de ligne (Jean Marais) me convient parfaitement.

Henri est encore à Rome, « Fabiola » n'est pas terminé. Les scènes dans les arènes, la mise en place des fauves, les mouvements de foule, ont pris davantage de jours que prévu. Chaque semaine il espère pouvoir revenir la suivante, mais doit se contenter, lorsqu'il ne tourne pas, de me rejoindre pour vingt-quatre heures, le reste du temps, nous nous écrivons des lettres aussi folles que notre amour. A peine l'une est-elle glissée dans la boîte de la poste que déjà j'ai commencé l'autre.

Enfin, Henri m'annonce un long week-end de liberté. Je vais le chercher à Orly, et nous nous réfugions dans l'appartement d'un de ses amis, au septième étage d'un immeuble des Champs-Elysées. A l'aube, indifférents aux piétinements des troupes qui se massent pour le défilé nous dormons. On sonne. C'est moi la première qui émerge du sommeil. Je secoue Henri.

– Réveille-toi, il y a quelqu'un...

– Qui est là? crie Henri faisant difficilement surface.

– Le commissaire de police. Ouvrez, au nom de la loi!

– C'est une blague, m'assure Henri. Un copain...

Derrière la porte la voix autoritaire nous parle d'un serrurier.

– Non, non, proteste Henri, je viens!

Drapé à la romaine, dans la couverture arrachée au passage, il ouvre au commissaire de police du VIIIe arrondissement, qui entre, suivi de son greffier et d'un huissier moustachu.

– Madame, ceci est un constat d'adultère. Votre nom, s'il vous plaît, et le vôtre, monsieur? nous demande le commissaire, ceint de son écharpe tricolore, au moment où éclate la fanfare de la Légion Etrangère.

Enveloppée sommairement dans le drap, mon regard croise celui d'Henri et nous sommes pris d'un fou rire, sous les yeux réprobateurs des représentants de la loi qui trouvent qu'il n'y a pas de quoi rire. Ils ont raison.

Cette hilarité nerveuse passée, je comprends que je viens d'être piégée par Bill. Il m'avait assuré un divorce à l'amiable. La pièce officielle de ce constat d'adultère modifiait totalement la situation. Que n'avais-je pensé à cela, et fait faire avant lui, contre lui, un constat semblable! Tout aurait été changé, seulement j'étais bien incapable d'y penser. Je comprenais que je venais de perdre la partie. J'étais désarmée. Mais je ne savais pas ce que cela allait signifier pour moi.

Dans toute cette pénible affaire, qui va durer des années, Bill n'a tenu qu'une seule de ses promesses : il vient à Paris avec Mike, Mrs Marshall et une nurse.

Nous nous installons à La Malmaison, dans une agréable villa que j'ai louée à Roger Hubert, le chef opérateur de « La Loi du Nord ».

Depuis un an je n'ai pas vu mon petit garçon. Ses bras autour de mon cou, sa joue qui s'appuie contre la mienne...

– Mammy, me demande Mike plus tard, pourquoi tu n'es pas rentrée à la maison?

– Je travaillais, mon chéri.

D'une petite voix haute, péremptoire, il me répond :

– Tu travaillais pas, tu faisais du cinéma.

– Mais c'est la même chose, le métier de ta maman c'est de jouer des films...

Il triomphe :

– Tu vois, tu jouais!

Un soupçon m'effleure : que dit Bill à notre fils lorsque je ne suis pas là? Je chasse cette mauvaise pensée et explique à Mike en quoi consiste mon travail : « Papa aussi s'en va. Lui aussi va travailler pour toi... »

La grande surprise de Mike c'est lorsque je lui présente son grand-père et sa grand-mère, ses immenses yeux bleus étonnés contemplent ce monsieur et cette dame dont je lui explique qu'elle est sa seconde « granny » c'est très compliqué. Mais il accepte de bonne grâce l'admiration de papa et de maman. Il faut dire qu'à cet âge il était spécialement beau.

Mon fils, je ne le vois pas autant que je l'espérais. Sa vie très soigneusement réglée par sa grand-mère et sa nurse a des horaires peu compatibles avec ceux que le tournage de « Aux Yeux du Souvenir » m'imposent. Le soir, lorsque je rentre, sans bruit j'ouvre la porte de sa chambre, je le regarde dormir, je n'ose pas l'embrasser, à peine respirer de peur de le réveiller, la nurse ayant déclaré qu'on ne devait pas réveiller un enfant dans son premier sommeil de crainte de le traumatiser! Cette femme est autoritaire, intransigeante, j'ai immédiatement compris que je représente à ses yeux la mère artiste. Que sait-elle de mes démêlés avec mon mari? Je l'ignore. Certainement plus qu'il ne faudrait. Elle a une manière pincée de me dévisager, de prendre Mike par la main : « Venez, c'est l'heure de votre bain, ou de votre repas, ou de dormir! ou de n'importe quoi »... qui me frustre.

Bill la trouve parfaite. Sa mère, qui n'a pas les mêmes raisons que son fils est plus nuancée. D'ailleurs, elle porte peu de jugements et durant cette période difficile elle fera preuve vis-à-vis de moi de beaucoup de tact, de modération et même d'amitié. Aussi réservées l'une que l'autre, nous n'échangeons que des propos très généraux. Mais, il nous arrive de nous comprendre du regard. Je n'avais que vingt-deux ans lorsqu'elle m'a ouvert sa porte, pendant trois ans elle a été ma seule famille. Je lui conserve mon affection. Je sais qu'elle est malheureuse de l'échec du mariage de son fils, de ce divorce. Qu'elle se fait du souci pour Mike malgré le plaisir qu'elle éprouve à le garder près d'elle. Je n'ignore pas que ce qui la rendrait heureuse serait que je rentre à Hollywood et que tout soit effacé.

Ce n'est pas exactement ce qui se passe.

Avec Bill s'engage une véritable lutte autour de l'établissement d'un protocole d'accord. Fort du constat d'adultère et, s'appuyant sur le papier qu'il m'a obligée à signer à Rome, il me propose des conditions extrêmement dures, qualifiées par Me Izard, mon avocat, d'inhumaines : il assurera la garde de l'enfant, m'autorisant à le voir aux grandes vacances, le jeudi et certains week-ends. Cela équivaut à me séparer de Mike : Bill vivant en Amérique, comment pourrais-je « profiter » de ces conditions qui seraient déjà difficilement acceptables dans le même pays? Je le lui dis. Il me répond avec une mauvaise foi qui me révolte :

– Viens vivre en Californie et tu verras ton fils tous les jours.

– A Rome, tu m'avais promis que nous pourrions trouver un arrangement sur une base de six mois chacun.

– Depuis, tout est devenu différent.

Evidemment, à Rome, il ne possédait pas le constat.

– Et puis je suis obligé de penser à la santé de Mike, il est délicat, fragile...

Il poursuit imperturbable :

– Il est mauvais de l'exposer aux chocs répétés de deux climats si opposés. La France est incapable de lui donner la nourriture dont il a besoin. Ta solution est absurde, et ses études, son avenir?

– Mais il n'a que quatre ans, à son âge ce qui est le

plus important c'est de ne pas le frustrer de sa mère...

Il devient cinglant :

– Tu n'avais qu'à y penser avant!

Je proteste de sa mauvaise foi.

– Tu sais très bien que le seul ici qui ait trompé l'autre c'est toi, moi j'ai respecté notre promesse. Tu n'en as pas fait autant. M'as-tu appelée le jour où tu as rencontré Micheline?

– Parce qu'entre nous il n'y a rien.

– A qui veux-tu faire croire cela? Tout le monde le sait!

– Prouve-le. En ce qui te concerne avec Vidal je l'ai fait.

– Bill, sois compréhensif, adoptons cet arrangement jusqu'à ce qu'il ait sept ans. Je ne suis ni alcoolique ni droguée, mon travail me permet de lui donner tout ce dont il a besoin. Je mène une vie équilibrée, bourgeoise même, je puis parfaitement l'élever.

– Tu n'auras qu'à en convaincre les juges.

– D'accord, nous plaiderons, aucun tribunal n'acceptera de séparer un enfant de quatre ans de sa mère!

– Le procès aura lieu chez moi, en Californie, n'oublie pas que tu as un passeport américain, que nous nous sommes mariés dans mon pays, sous ses lois, que mon fils en est citoyen. Dans notre Etat, les juges ne sont pas tendres pour la femme adultère! (Ce serait risible si l'enjeu n'était pas Mike. Déjà il se croit devant les juges.) Je leur dirai que je veux que mon fils soit élevé selon nos traditions, que je veux en faire un Américain!

« Avec ce constat d'adultère, vous vous êtes mise dans de beaux draps! ne cessait de me répéter mon avocat. Il faut absolument que nous obtenions que votre divorce soit prononcé par les tribunaux français, ils seront meilleurs pour nous. Surtout si nous nous présentons avec un accord préalable des deux parties. De mon côté, je tenterai d'avoir auprès de mon confrère les meilleurs avantages, vous, essayez d'en obtenir autant de votre mari. »

De ces consultations auprès de Me Izard, des discussions avec Bill, je sortais épuisée et chaque fois que je le pouvais je me réfugiais auprès d'Henri. Je ne le voyais plus que pour pleurer dans ses bras. Comme toutes les femmes amoureuses je pensais : Heureusement que je l'ai! Mais il était discret, patient, savait même s'effacer, ce qui était à l'opposé de son caractère. Il m'aimait.

Le moment où Mike devait retourner en Californie approchait, il fallait qu'une solution intervienne avant son départ. Bill a modifié son attitude, il devient humain, compréhensif même. Il me donne rendez-vous dans un petit restaurant près de la rue Francœur, où je tourne « Aux Yeux du Souvenir ». Là, tout charme déployé, il m'affirme qu'il ne me veut que du bien, et lorsque je lui dis : « Pourquoi nous faire du mal? Conservons notre affection intacte par amour pour notre fils », il m'assure que jamais il n'utilisera ce texte contre moi : « Ce compromis que je te demande de signer n'est qu'une précaution, comment pourrais-tu croire que j'empêcherai notre fils de voir sa maman? Tu peux et tu dois me faire confiance. »

J'insiste et lui demande :

– Il viendra ici?

– Mais bien sûr... Sois raisonnable, tu n'as pas d'autre solution. Tu ne peux pas préférer le scandale d'un procès.

Le mot me touche. La seule pensée que la photo de Mike pourrait s'étaler dans les journaux, sous des titres sans pudeur, me révulse. Si j'avais été Mme Dupont cet argument m'aurait été évité, et il porte. C'est l'époque où le divorce d'Ingrid Bergman figure dans la presse du monde entier. Chacun prend parti pour la star suédoise ou pour son époux le Dr Lindström. On les juge, on les blâme. Trimbalée de droite et de gauche, leur enfant finit par échouer devant un tribunal américain, et quand on lui demande : « Veux-tu aller avec ton papa ou avec ta maman? » la petite fille répond : « Avec mon papa. »

Je ferais tout pour que Mike ne se trouve jamais dans cette situation. Tout pour garder avec son père des relations amicales, en aucun cas je ne veux que notre enfant puisse penser que son père et sa mère se détestent.

J'avais encore des grandes illusions.

Je me sentais semblable à ces bêtes sauvages qui, sur le chemin de leur point d'eau, tombent dans une fosse. Elles tentent d'en sortir par elles-mêmes, d'atteindre une branche, leur patte la frôle, mais ne l'attrape jamais. Alors elles comprennent qu'elles sont entre les mains du chasseur et subiront le sort qu'il leur réserve.

C'est dans cet esprit qu'épuisée nerveusement et moralement je signe, le 19 août 1948, le protocole d'accord que Bill a fait préparer.

Il s'engage à m'envoyer Mike en France, tous les ans pour les vacances scolaires, et je jouis du droit le plus large pour l'avoir avec moi chaque fois qu'il me sera possible de me rendre à Los Angeles. En contrepartie, j'abandonne à mon mari les biens de la communauté mobiliers et immobiliers.

Mais cela est de peu d'importance en regard de Mike.

Jamais Bill ne tiendra parole, jamais il ne m'enverra Mike, comme il était convenu.

Mike m'embrasse une fois encore, je lui dis : « A bientôt », sans savoir à combien de mois cet au revoir correspond! C'est fini. Erreur, cela va durer des années...

18

OMBRE ET LUMIERE

Depuis des semaines je guette le passage du facteur. Les enveloppes portant un timbre américain sont rares. J'envoie dix lettres à Bill pour obtenir une réponse. Il m'affirme qu'il m'écrit. Ce sont les postes françaises qui sont responsables, elles ne distribuent pas le courrier! Lorsque, lassée d'attendre, je téléphone, Bill n'est pas là. La plupart du temps c'est la nurse qui me répond : « Mike va bien. » Mais elle ne me le passe pas, je ne puis imaginer qu'elle ait reçu des instructions à ce sujet; à cette époque cela me paraît encore impensable.

Je torture en vain mon agenda, pas un seul vide, pas un blanc. Les tournages se succèdent à une cadence impitoyable. « Enchaîner », comme l'on dit dans notre métier, ce rêve de tous les comédiens m'est devenu un esclavage. « Aux Yeux du Souvenir », « La Belle que voilà », « Maria Chapdelaine », « L'Etrange Madame X ».

Je me sens prisonnière d'un processus invariable déclenché par la signature d'un contrat : essayages des costumes, essais de coiffure, de maquillage, puis vient le tour de la publicité, de la presse, du tournage, extérieurs-intérieurs, auquel succède la projection des rushes qu'accompagnent les doutes et les inquiétudes, lesquels s'accroissent à la sortie du film; la présentation se transforme en épreuve. Et lorsque je lis les critiques je suis déjà sur le tournage suivant, si bien que je ne compte plus par années mais par titres. Je ne dis plus : c'était au printemps de l'année 1939, mais, au début de « La Loi du Nord. » Pendant trente années ma vie a ainsi avancé à coup de films se poussant l'un l'autre. Professionnellement comment pourrais-je m'en plaindre et qui pourrait le croire?

Seulement cette fois-ci tout est différent : je n'accepte pas de vivre sans Mike, tout en moi se révolte.

Je multiplie les visites chez mon avocat. Je proteste :

– Un an que je n'ai pas vu mon fils, mais enfin, maître, son père pourrait me l'amener, ne peut-on faire quelque chose, pour l'y obliger?

– Rien, madame, un accord a été signé le 19 août – rédigé en anglais il a été déposé à l'ambassade américaine. Respectons-le.

– Mais, lui, il s'en moque! Enfin, maître, je lis bien ici : «... la femme aura le privilège d'avoir l'enfant avec elle, avec le consentement du mari, pendant les vacances ou à tous autres moments qui conviendront, la femme étant responsable de l'entretien de l'enfant et des frais y attachés pendant les périodes où il sera avec elle. »

Je m'énerve, insiste : « Privilège, cela signifie que je peux le faire venir, cela me donne des droits. »

Le sourire de Me Izard m'éclaire sur eux.

– N'oubliez pas qu'il est spécifié : avec le consentement du mari. Vous avez signé ce protocole d'accord et il règle vos relations avec Mr Marshall par rapport à l'enfant.

– Mais, maître, je ne pouvais pas faire autrement.

Il a un geste fataliste de la main :

– Patientez, attendez que le divorce soit prononcé, et tout changera. Nous pourrons agir.

Pendant le tournage de « Maria Chapdelaine » dans

un petit village du Tyrol, mon isolement rend mon attente du courrier et du téléphone plus pénible encore, et s'il n'y avait les visites qu'Henri et moi nous rendons mutuellement en avions-taxis chaque fois que le temps le permet, soit dans un sens soit dans l'autre, je vivrais une des plus pénibles périodes de mon existence.

Le 3 mai 1949 mon divorce est prononcé par les tribunaux français aux torts de l'époux. Une partie de l'accord du 19 août est maintenue, et il y est bien précisé que je pourrai voir mon enfant librement, je n'en demande pas davantage, ne pouvant espérer mieux, je m'arrangerai de cette demi-victoire.

Le soir, nous dînons dans une auberge aux environs de Paris, la soirée est précocement tiède, et la campagne, à la tombée du jour, fleurie d'aubépines, les jardins embaument des derniers lilas et des premiers seringas.

La flamme d'une bougie creuse d'ombres chaudes et de lumières douces le visage d'Henri. Ses méplats fortement accusés lui font un masque tendre et viril. Presque sauvage dans la pommette haute, la mâchoire et le front buté. Je suis bien.

Dans une immense cheminée rôtissent des chapelets de poulets. Le vin léger est chaleureux. Le moment de la détente est enfin venu. Ce divorce me délivre, l'optimisme d'Henri me gagne. Et comme d'habitude je me laisse aller à imaginer : « ... Il serait plus commode que je prenne un appartement avec deux pièces de plus : une chambre pour Mike et une pour sa nurse. Le petit pourra y habiter pendant les vacances, trois mois, et peut-être pour Noël et pour Pâques! J'ignore tout des vacances scolaires américaines mais il y en a forcément. Quand je rentrerai, un soir comme celui-ci, un soir heureux, j'irai à pas légers ouvrir la porte de la nursery, comme je le faisais l'été dernier à La Malmaison et le regarderai dormir... »

Ce ne sera qu'une songerie de plus!

L'Amérique c'est loin et Bill n'a vraiment rien à voir

avec les lois françaises. Lorsque j'invoque mon droit, son avocat se retranche derrière la fameuse phrase « à condition que le mari ait donné son consentement ». Et Mr Marshall ne le donne pas : « Tous déplacements seraient nuisibles à l'enfant. Mais il ne s'oppose pas à la visite de la mère. » Sa réponse n'a pas varié depuis le début de nos discussions. J'éprouve un sentiment de révolte impuissante.

Mike me manque, j'ai besoin de le voir, de le toucher, de sentir sur moi son regard, d'entendre sa voix, de répondre à ses questions... Toutes les mères me comprendront. Alors ma décision est prise. Puisque Bill refuse de m'amener Mike, c'est moi qui partirai. Patiemment, Olga m'écoute, mes raisons elle les connaît, il ne se passe pas de jours où je ne lui en parle. Elle sait aussi que je suis ligotée : entre 1948 et 1949 nous avons signé cinq films. « Pour la première fois je suis prête à rompre s'il le faut, à renier ma signature, à verser un dédit. Rien au monde, même pas Bill, ne m'empêchera de voir Mike! » Olga me calme. Comme moi elle a un enfant, nous nous comprenons. Malgré ses efforts, je vais devoir attendre quelques semaines avant de pouvoir partir. Cette certitude m'a un peu apaisée.

L'annonce de ce départ va avoir un effet imprévisible sur Henri. D'abord il se réjouit, ma joie est la sienne. Puis un soir, inquiet, il me demande : « Tu ne vas pas rester en Californie au moins? »

— Mais, Henri, tu ne parles pas sérieusement.

Il proteste, m'explique que c'est un peu ma faute : « Tu aimes tellement ton fils! » Il patauge, s'embrouille, puis fait diversion en m'embrassant. Quelques jours plus tard, il recommence, je le prends sur un ton différent, plus sérieux; près de la fenêtre, il m'écoute, m'offrant son profil, une mèche brune mouillée tombe sur son front baissé, il sort de la douche. Cette fois-ci je l'ai convaincu, il a compris qu'il se racontait une histoire absurde.

Il a peut-être compris, mais n'a pas abandonné ses

craintes, il surveille mes paroles, cherchant une allusion à mon départ, même les robes que j'achète pour mon voyage l'inquiètent : « Tu n'as pas besoin de tout cela pour un mois. »

Et je m'aperçois que depuis que j'aime Henri nous n'avons jamais eu de querelles, ce sont les premières, elles m'étonnent, j'essaie d'imaginer ce qui peut se passer dans sa tête, pense-t-il que par amour pour Mike, je sois capable d'accepter de recréer le foyer détruit, que je resterai là-bas avec Bill?

– Mais enfin, Henri, ma vie est ici, à tes côtés...

– Qu'est-ce qui me le prouve?

– Quelle preuve veux-tu que je te donne?

– Marions-nous.

Je ne garantis pas le mot à mot de ce dialogue, mais son sens, sa progression et sa chute sont exacts.

Me marier! Dire oui devant un maire ou un prêtre c'est facile, et si on ne s'entend plus? Je viens de vivre une expérience pénible. Je tente de le lui expliquer, il se bute.

La discussion tourne en rond, chacun reprenant ses arguments, toujours les mêmes, pour les opposer à l'autre.

Je n'avais pas envisagé de me remarier. Déjà je préférais l'amour au mariage, malgré les traditions encore ancrées à l'époque. Les choses heureusement ont évolué. Mais en 1949 vivre librement avec un homme pouvait paraître scandaleux. Ce ne fut pas le cas : j'avais été mariée, j'étais en instance de divorce et avec Henri je vivais un grand amour. On pardonne beaucoup à l'amour. Ma famille, mes parents, que jamais je n'aurais voulu choquer, le comprenaient fort bien. Et personne ne s'est étonné, même pas les journalistes, que tout naturellement j'habite avec Henri dans son appartement de la rue Fabert.

Je ne voyais donc aucune raison à ce mariage. Cependant, lorsque j'ai dit oui, j'ai compris que j'avais souhaité cette union, que seule ma raison s'y était opposée, et devant l'amour, la raison... La joie d'Henri est extraordinaire. Je me laisse gagner par son bonheur, il devient le mien.

Fuyant toute publicité, la cérémonie a lieu en février 1950, à la mairie du XVIIe, peu avant l'anniversaire de mes trente ans.

A trois semaines de mon départ, apprenant mon arrivée prochaine, Bill me fait savoir qu'il n'est pas disposé à me laisser prendre l'enfant avec moi. « Je pourrai le voir en présence de mon ex-belle-mère, ou de la nurse, dans les limites permises par les règles de la vie de l'enfant et son emploi du temps. »

Et je quitte un Henri triste et inquiet. Pourtant, depuis que nous nous aimons, nous avons été séparés très souvent; il blague gentiment : « Tu comprends, cette fois-ci, pour le week-end c'est un peu loin! »

Et puis, au moment de me quitter, pourquoi m'a-t-il dit :

— Je ne suis pas quelqu'un qu'il faut laisser seul!...

Une phrase que je me suis empressée d'oublier et qui ne me reviendra à la mémoire que plus tard...

Mon séjour en Californie : ombre et lumière.

Le bonheur de voir Mike. La surprise de retrouver un petit garçon de cinq ans, poseur de questions, et que rapidement je rends curieux de moi. Pouvoir parler avec son fils, voir s'ouvrir une intelligence, un regard sur la vie. Rien ne peut remplacer cela.

Seulement ces moments me sont comptés. Dans cette maison qui fut mienne, je viens chercher mon fils comme une tante lointaine pourrait le faire. Mrs Marshall est gênée; ce sentiment augmente encore sa réserve. A ses yeux je ne suis plus sa bru. Quelle part me donne-t-elle dans l'échec de ce mariage? C'est difficile à évaluer. Je sens qu'à chaque fois que je prends Mike, que je l'emmène, elle en est préoccupée. Progressivement, et je peux la comprendre, cet enfant est devenu le sien. C'est elle qui l'élève, elle qui s'inquiète de son rhume, de sa scarlatine, sa varicelle... Elle qui lui apprend les choses journalières de la vie. C'est vers elle qu'il accourt lorsqu'il a un souci, à elle qu'il raconte ses histoires d'école. Elle sait qui est Will, Donald ou Marggie. Moi il doit m'expliquer...

Enfant timide, surtout secret, peu à peu son regard devient de plus en plus confiant : j'étais sa maman retrouvée, et de sentir sa quiétude me bouleversait, je savais que j'allais repartir, je me rendais compte à travers ses réflexions, ses questions, que ce qu'on lui disait était différent de ce que je lui racontais sur mon métier, mon pays, qui était également le sien. Qui devais-je incriminer de ce sournois travail de sape? Sa grand-mère? Si elle le faisait ce ne pouvait pas être pour me nuire directement. Peut-être avait-elle été convaincue de ma « vilenie »?

Quand je le ramène à sa grand-mère, elle nous regarde, soupçonneuse : « Que lui avais-je donné à manger? à boire? Ne s'était-il pas fatigué? » Derrière ses questions anodines, j'en devinais d'autres qui devaient l'être moins, et je préférais ne pas les imaginer. Je pense qu'elle s'inquiétait de ce que j'aurais pu dire à Mike, sur son père.

C'était mal me connaître et me juger. Je n'avais pas l'intention, pour assouvir je ne sais quelle vengeance, de détruire celui qui avait été mon mari dans l'esprit de son fils. Contre lui mon grief le plus grave était sa volonté de me séparer de Mike, de vouloir le garder. Je prenais bien soin de ne pas troubler l'âme claire d'un petit garçon de cinq ans avec des propos de grandes personnes. J'estimais que lorsque les parents divorcent, leur premier et principal devoir vis-à-vis de leur enfant est de tout faire pour qu'il n'en souffre pas. Un petit garçon, une petite fille, ne peuvent pas comprendre les raisons que les adultes peuvent avoir de se séparer. Pour lui, ils sont le père et la mère, il les aime également, il ne fait que des différences superficielles. Il me paraît déjà assez dur de lui fractionner son foyer en deux parties, sans chercher de surcroît à faire naître, en lui, des ressentiments qui ne peuvent être les siens.

Peu à peu je m'apercevais que je ne connaissais pas Bill, que j'ignorais ce dont il était capable, pour capter l'affection de Mike. Je ne savais pas non plus combien la haine de l'autre, le désir de vengeance peuvent être dévastateurs!

Mes craintes étaient justifiées. Malgré tout ce qui s'est passé par la suite, la somme de tendresse, d'amour que j'ai donnée à Mike, malgré ce que j'ai souffert – je redoute les grands mots mais celui-là est exact – jamais je n'ai pu modifier la manière dont il a ressenti son enfance. J'en ai eu très récemment la preuve en entendant mon fils déclarer lors d'une conversation :

– Moi, j'ai eu une enfance épouvantable!

Je suis intervenue :

– Voyons, Mike, comment peux-tu dire une chose pareille? Alors que tu as été tellement aimé?

Il a répondu :

– Oui, mais je ne le savais pas.

Rien, jamais, ne peut effacer cela.

C'est vers cette époque qu'en France, les journaux ont commencé à parler de mon fils : le divorce n'expliquait pas tout et l'on comprenait difficilement que Mike ne soit pas avec sa mère. Cela aurait pu être interprété contre moi, ce ne le fut pas. Ces articles pleins de bons sentiments à mon égard, je les redoutais; chaque fois, par la voix de son avocat, Bill m'en faisait grief comme d'une déloyauté vis-à-vis de lui et j'étais entre ses mains.

J'ai, à ce moment-là, reçu beaucoup de lettres d'hommes et surtout de femmes qui m'écrivaient pour me dire qu'ils me comprenaient et m'exposer leur cas. Pour la plupart au désespoir d'être séparés de leur enfant s'ajoutait la haine de l'autre. Haine que par désir de vengeance ils essayaient de communiquer à l'enfant, sans se rendre compte que c'était très précisément à lui qu'ils faisaient du mal. Malheureusement, tout ce que l'on peut penser, dire à ce sujet est sans effet si l'autre ne veut pas le comprendre, et il est rare que les parents séparés s'accordent sur ce point.

Je ne sais si les nouvelles générations ont heureusement évolué, si leur attitude vis-à-vis du divorce s'est modifiée en profondeur. Mais j'aurais tendance à le croire; surtout lorsque je vois les rapports qui se sont établis entre mon fils et ma bru divorcés vis-à-vis de leur enfant, Samantha, ma petite-fille. Mike s'est remarié et sa fille vit avec sa maman. Jamais aucun des deux ne dit rien de déplaisant sur l'autre, cela transparaîtrait à travers les propos de l'enfant. Si bien que Samantha n'est absolument pas traumatisée par ce divorce, cette situation ne lui paraît pas anormale et ne la gêne nullement. Les mercredis, quand elle vient chez moi, ou aux grandes vacances, elle parle de son père et de sa mère avec la tranquille assurance des enfants heureux. Mieux, on ne lui a pas caché que papa allait avoir une autre petite fille, et elle a réclamé sa petite sœur. C'est l'attitude des grandes personnes qui oblige les enfants à se poser des questions, pour eux, au départ tout est simple. C'est nous qui compliquons leur univers. La seule loi que l'on doive s'imposer lorsque l'on a un enfant, c'est de l'aimer suffisamment pour passer au-dessus de ses propres ressentiments.

Au bout d'un mois et demi lorsque je dis au revoir à Mike, je suis prise d'une envie presque animale de rester. Je vais perdre ce sourire confiant, ce regard plein d'amour... Lorsque je le reverrai tout ne sera-t-il pas à recommencer...?

De retour à Paris, derrière la joie d'Henri, je ressens quelque chose d'indéfinissable.

Je n'ai pas la possibilité de lui consacrer toute l'attention, tout le temps qu'il faudrait, peut-être. Pas le temps, combien de fois ai-je prononcé ces mots, invoquant cette excuse ou cette impossibilité pour repousser ou pour regretter certaines choses. En l'écrivant je m'aperçois combien cette raison peut paraître incompréhensible à ceux qui ne mènent pas un vie semblable à la nôtre. Ne pas pouvoir s'occuper suffisamment de l'autre peut parfois devenir primordial, surtout si l'autre est fragile. J'allais en faire l'expérience.

« L'Etrange Madame X » que j'ai accepté de tourner par amitié pour Grémillon et pour être avec Henri, va avoir une certaine importance dans notre vie : c'est en cours de tournage que, paradoxalement, Henri et moi prendrons la décision de ne plus tourner ensemble.

On croit parfois que le même métier vous rapproche. C'est une erreur, il le fait rarement. Je ne prétendrais pas que cette affirmation soit une règle. Il existe des couples de comédiens, surtout de théâtre qui s'entendent aussi bien à la ville qu'à la scène! Ils demeurent l'exception.

Professionnellement, en ce qui me concerne, je préfère que mon partenaire ne soit pas mon mari, ainsi je joue plus facilement les scènes d'amour passionné dans les bras d'un homme qui m'est indifférent. Pudeur, réserve, le côté exhibitionniste des sentiments intimes exprimés en public me déplaît, et a tendance à me paralyser. Ce n'est pas cette raison, elle était trop personnelle, qui prédomina dans la décision de séparer nos carrières. Bien entendu il ne pouvait être question, pour nous, de jouer trop souvent ensemble. Déjà dans trois films sur les cinq que je venais de tourner, j'avais eu Henri comme partenaire.

Ce fut, au cours du tournage de « Madame X », une réflexion de Grémillon qui nous décida. Femme du monde, elle tombe amoureuse d'un ouvrier ébéniste, Henri Vidal, et pour qu'il n'éprouve aucun complexe d'infériorité vis-à-vis d'elle, se fait passer pour sa propre femme de chambre. Un mélo, les grands metteurs en scène peuvent aussi se tromper.

Grémillon, méticuleusement, règle la scène du banquet du mariage d'un copain de l'ébéniste :

– Toi, Henri, tu ne t'aperçois pas qu'elle est mal à l'aise, tu es gai, tu as un peu bu, et c'est au moment où tu te tournes légèrement sur ta chaise pour la regarder que tu vas t'en apercevoir. En la voyant si différente des autres, tu comprends tout ce qui vous sépare. Tu exploses : un mélange de désespoir et de colère. Vous, Michèle, vous suivez un chemin identique, vous vous sentez dépaysée, vous vous en voulez de vous trouver à cette table, la colère d'Henri va vous paraître injuste, déplacée, et vous le jugez...

On tourne. L'oreille attentive, l'œil critique, je m'étonne de tel ou tel geste d'Henri, d'une intonation qui me surprend, je ne l'ai pas « sentie » comme ça. Je me réjouis d'un moment heureux, de la justesse d'une expression. Tour à tour, intérieurement, j'approuve, je désapprouve. Bref, je m'occupe d'Henri, je deviens spectateur!

– Coupez! crie Grémillon. C'est bon pour Henri, mais vous, Michèle, vous jouez plusieurs tons en dessous, comme si vous pensiez à autre chose.

On recommence :

– Non, Henri, maintenant c'est toi qui n'es pas dans le coup.

Au bout de trois fois, Grémillon nous prend à part :

– Ecoutez, cessez de vous occuper l'un de l'autre, jouez chacun pour vous!

Sa réflexion agit sur moi comme un révélateur : dès qu'Henri entre en scène, je ne suis plus préoccupée que de lui, j'oublie mon propre rôle. Je ne réagis plus en comédienne, je suis une femme qui surveille son mari, parce qu'elle le veut le meilleur. Il est indéniable que cette attitude est également préjudiciable à Henri, qu'elle le gêne, lui enlève sa spontanéité. Son impulsivité est un de ses atouts, c'est un être d'instinct, un fonceur, il travaille à chaud et éprouve des difficultés à répéter vingt fois la même scène à froid, en conservant gestes et intonations. En voulant l'aider, je le gêne. Résultat, la scène sera longue à mettre au point et nous énervera tous.

Le soir, en parlant de cet incident de tournage, un peu hâtivement peut-être, nous prenons la décision de ne plus accepter de contrats qui nous réunissent.

J'ai l'impression que cette résolution satisfait Henri, le soulage. Pas plus l'un que l'autre, nous ne sommes dupes des manœuvres des producteurs qui vont trouver mon mari lui vantant un rôle exceptionnel, ajoutant négligemment : « Ce serait parfait si Michèle acceptait d'être votre partenaire. » A moi, on propose un film en précisant qu'Henri Vidal pourrait jouer tel ou tel personnage. Ces petites combinaisons enfantines et grossières m'amusent, Henri les ressent différemment : très pointilleux, ne tolérant pas l'idée d'être l'objet de marchandages ou de pressions et encore moins de jouer le Monsieur de Madame, elles l'irritent.

Bien que rien dans mon attitude – je l'aime trop pour n'être pas vigilante – n'ait jamais pu le mettre dans une situation fausse ou gênante, je n'ignore pas que pour un homme à la fois aussi viril qu'Henri et d'une affectivité aussi susceptible, être le mari de Michèle Morgan n'est pas facile. D'abord professionnellement : est-ce à lui ou au mari que l'on propose un rôle? Puis la crainte d'être une sorte de prince consort. Ce ne fut jamais moi qui la fis naître, mais ceux qui nous entouraient. Certains, par malignité, d'autres par inconscience. Parfois aussi seule sa sensibilité en est responsable : un jour que la sonnerie du téléphone avait retenti sans interruption, il m'a dit en fin de matinée, du ton dont on fait un bilan : « Il n'y a pas eu un seul appel pour moi! » Contre cela que pouvais-je faire?

Henri était un être très secret et c'est une des rares fois où j'ai mesuré sa déception. Replié sur lui-même, mon mari était un faux expansif dont très souvent les actes me surprenaient dans ce qu'ils pouvaient avoir d'excessif. Cet homme que j'ai aimé est resté, pour moi, en partie, une énigme. Je n'ai pas cessé de me poser des questions sur lui, comment peut-on être si proche et tellement éloigné?

Lorsque Henri m'avait fait la cour, l'enjeu en avait-il été l'artiste célèbre ou la femme? Plus tard, lorsque nous avons vécu ensemble, que nous nous sommes mariés, je suis sûre que tout est devenu différent et que c'est à ce moment-là qu'il a commencé à vraiment m'aimer, et c'est à ce moment-là qu'il en a souffert.

« Bill Marshall vient d'épouser Micheline Presle. » Sur l'instant la nouvelle qui n'avait rien d'étonnant m'a amusée et n'a retenu mon attention que le temps d'un bref flash-souvenir : la photo de Bill et d'elle sur le « Queen Mary », la voix de mon ex-mari m'assurant « qu'entre eux il n'y avait rien! »

Henri, lui, se réjouit :

– Eh bien, tu ne partiras plus en Californie.

– Pourquoi?

– Micheline n'ira certainement pas habiter à Hollywood. Alors, il va venir ici.

– Cela m'étonnerait, Bill n'acceptera jamais d'habiter la France. Je pense que rien ne sera changé.

J'avais raison dans l'immédiat. Toutefois je consulte Me Izard. Il pense qu'il y a là un élément nous permettant d'entamer les pourparlers : « Il est bien évident qu'il serait préférable que Mr Marshall vienne habiter votre ville, mais le fait de ce remariage peut nous permettre de tenter d'établir avec la partie adverse un protocole d'accord réglant la venue, le séjour de votre fils à Paris. »

Recommence alors une procédure qui me met les nerfs à vif. Par la voix de son avocat Bill accepte le principe, et un soir, dans le cabinet de Me Paul Weil, j'avais changé d'avocat espérant qu'il aurait sur cette affaire un point de vue neuf, je suis confrontée à un texte qu'aujourd'hui encore je trouve scandaleux. Le début en est prometteur : « Les parties soussignées entendent régler ainsi qu'il suit le mode de vie de l'enfant... » est-ce là une manière de parler du bonheur de son fils...? Ce qui suit équivaut pour moi, si je le signe, à reconnaître que « dans l'intérêt de l'enfant, celui-ci doit suivre la direction morale, intellectuelle et religieuse qui lui sera donnée par son père », « que l'enfant, d'une santé délicate, doit être entouré de soins attentifs, et que son père a toujours veillé à ce que ces soins lui soient prodigués ».

La suite est de la même encre, on y parle pompeusement de voyages risquant de compromettre les études de l'enfant; il a six ans et il ne s'agit que de grandes vacances!

Ce papier ne visant qu'à me faire accepter et reconnaître inconditionnellement les arguments de Bill, ne me proposant rien en échange, nous en restons là jusqu'au jour où il vient enfin habiter chez Micheline Presle. Me Weil cette fois me paraît plus confiant et estime qu'il y a là un fait nouveau que l'on peut exploiter.

– Voici, m'expose-t-il, en quels termes j'écris à la partie adverse : « Les deux époux et leur ménage étant installés maintenant en France depuis plus d'un an au minimum, il paraît vraiment absurde, et je dirais même inhumain, de laisser l'enfant continuer à vivre loin de ses parents. »

C'est la première fois que je vois apparaître le mot « inhumain », je trouve qu'il est grand temps!

Au bout de quelques semaines de pourparlers m'est soumis ce nouveau protocole qui a toujours pour but général de régler la vie de l'enfant et pour but particulier de rendre précaires les droits de visite qui m'ont été accordés.

« Pendant que l'enfant sera à Paris, Mme Morgan pourra le sortir avec elle deux ou trois fois par semaine, à condition de l'envoyer prendre, et de le ramener à son domicile. Les sorties de l'enfant ne devront pas dépasser l'après-midi, de 3 heures à 7 heures sauf le jeudi où Mme Morgan pourra le garder avec elle pour le déjeuner, en le faisant chercher à 11 heures trente. 2) Que l'enfant devra suivre son père, si celui-ci se rend à la mer ou à la montagne, dans l'endroit qu'il aura choisi. 3) Que, pendant quinze jours, Mme Morgan pourra garder l'enfant avec elle, en dehors de Paris, soit à la mer, soit à la montagne, mais après que le choix fait par elle du lieu de son séjour ait été soumis à l'approbation de M. Marshall. L'enfant sera accompagné de sa nurse, aux frais de Mme Morgan. Celle-ci devra assurer le retour de l'enfant et de la nurse auprès de son père, le seizième jour, au plus tard. En cas de maladie de l'enfant, le père devra être prévenu immédiatement, par télégramme. 4) A tout instant, si M. Marshall le décide, l'enfant pourra être repris par son père, pour être reconduit aux Etat-Unis, et ce, même pendant la période de quinze jours réservée à Mme Marshall. »

Je ne sais ce qui est le plus admirable dans ce texte, son inhumanité ou son hypocrisie? La conclusion est un chef-d'œuvre :

« Fait à Paris, en double exemplaire et établi sur la foi de l'honneur dans l'intérêt exclusif de l'enfant. Le... »

Est-ce ainsi que des adultes, parce qu'ils ne se sont pas entendus, qu'ils se sont séparés, conçoivent le bonheur de leur enfant?

Jamais le mariage ne m'a paru être une institution plus misogyne que ce soir-là dans le cabinet feutré de Me Weil. Je ne signerai rien, ce qui ne changera rien. Ce seront quand même ces modalités qui seront respectées.

En 1950 les lois qui régissaient le divorce étaient profondément injustes. On a attendu bien trop longtemps avant de les réformer et elles sont encore loin d'être parfaites. Lorsque je défends les droits de la mère vis-à-vis de l'enfant ce n'est pas en opposition à ceux du père. Ce qui nous a divisés Bill et moi, c'est que pendant très longtemps, 19 ans, il n'a pas voulu admettre que je ne demandais qu'à partager loyalement l'amour de notre fils et non à l'accaparer.

Enfin Me Weil m'annonce la venue de Mike, il habitera chez son père. Pleine de confiance, je ne sais dans quoi je la puisais! persuadée que Mike malgré l'horrible charte me sera confié pendant les week-ends et les vacances scolaires, j'ai déménagé et me suis installée rue Saint-Louis-en-l'Isle. Mike y a sa chambre, il sera chez lui. Comment ai-je pu me tromper à ce point, raisonner aussi faussement? Mon petit garçon ne m'est « confié » que les jeudis, et encore!

Bill abuse largement de son droit de veto, continue à s'ériger en moralisateur intransigeant, en père vigilant, qu'il est d'ailleurs, pour lequel tout est prétexte à dire non.

La présence d'Henri sous mon toit lui paraît inconvenante, propre à choquer ce petit garçon qui a maintenant neuf ans : « Il pourrait se poser des questions. » Et m'en poser sans doute? Mais je ne demande qu'à expliquer à Mike les raisons pour lesquelles il mène une vie différente de celle des garçons de son âge. Ainsi seulement il n'en ressentira aucun traumatisme.

Bill va même jusqu'à exiger que lorsqu'il m'accorde un week-end celui-ci se passe en dehors de chez moi. Vingt fois j'ai eu envie de lui dire : « En quoi la présence d'Henri est-elle scandaleuse? Mike vit bien chez ta femme. Après tout je puis considérer cela comme étant beaucoup plus grave; cette maison c'est son foyer puisque tu l'habites. Celle qui s'occupe de lui c'est ta femme! A la longue, au cours des années, cette situation ne risque-t-elle pas de m'enlever une partie de l'amour de mon fils? Que crains-tu? Chez moi il ne sera jamais qu'en visite. »

Commence alors une longue période, elle durera quelques années, pendant lesquelles je me répéterai que, Micheline habitant à proximité, Mike et moi ne sommes séparés que par quelques rues... Micheline vivait une situation embarrassante dans laquelle elle fit preuve de tact et de délicatesse.

C'est un métier cruel que le nôtre. La première fois que j'ai joué aux côtés de Gabin je n'étais qu'un espoir, il était la vedette, aujourd'hui la situation est différente. Nous tournons « La Minute de vérité » sous la direction de Jean Delannoy, mon troisième film avec lui, et Olga me dit : « J'ai demandé que ton nom soit en vedette avant celui de Gabin. » J'ai protesté :

— Mais il n'y a rien de changé.

— Si, depuis « Martin Roumagnac » il n'occupe plus la même place sur le marché!

Les termes employés par Olga étaient plus nuancés, mais la réalité était bien celle-là. De quoi vous rabattre sérieusement votre vanité. Cette injustice me révoltait, un seul film avait suffi, « Martin Roumagnac ». Il était très attendu pour différentes raisons : le premier de Jean Gabin après une longue absence, la guerre qu'il avait faite dans les F.F.I., suivie d'un séjour aux Etats-Unis, la présence de Marlène Dietrich aux côtés de Jean. Un couple dont les producteurs assuraient « qu'ils allaient faire de l'or » et que les critiques attendaient, persuadés que le choc de ces deux talents hors mesure serait un éblouissement. Ils furent déçus, ils se nuisaient l'un à l'autre, leur déception et celle des producteurs coûta cher à Jean. Il n'était pas vraiment au creux de la vague, mais il n'occupait plus le sommet, il avait perdu son titre de grande vedette. Il possédait heureusement le talent et la trempe nécessaires pour faire face et reprendre sa place, ce ne fut qu'une brève éclipse. Avec « Touchez pas au grisbi » qu'il tourna l'année suivante, il redevint une super-star et le resta jusqu'à la fin de sa vie. Je n'avais pas revu Jean depuis l'Amérique. De le retrouver sur un plateau avec son sourire, sa cigarette, sa gouaille et Micheline dans son ombre, me reportait plusieurs années en arrière, la même complicité amicale nous unissait. J'avais l'impression que nous nous étions quittés la veille, pourtant comme disait Jean, je n'avais pas chômé, deux mariages, un enfant, un divorce!...

Quand on rencontre un ami dont on a longtemps été séparé, qu'il vous demande « Ça va? » on répond « Oui », en bloc, j'ai fait la même chose, j'aimais Henri, il m'aimait, j'étais heureuse. Mais au fur et à mesure que l'on raconte, dans vos propres paroles et bientôt dans les yeux de l'autre on s'aperçoit que « Ça ne va pas si bien que ça! » Je n'avais pas besoin de cette rencontre pour le savoir mais j'avais besoin d'elle pour en parler. A vos amis proches vous racontez par le menu, au jour le jour, le détail nuit à l'ensemble, vous ne vous rendez pas compte qu'en les additionnant ces petits faits font une somme, que cette somme a une signification dont vous n'avez pas toujours voulu prendre conscience. Plus je bavardais avec Jean, mieux les choses se dessinaient. La fêlure que j'avais sentie à mon retour de Hollywood s'était aggravée; le garçon qui était auprès de moi n'était plus tout à fait celui que j'avais connu, puis épousé. La mariage en était-il responsable?

Cette fois-ci le changement coïncide également avec mon absence, et j'ai davantage tendance à incriminer le voyage que le mariage, bien que les deux semblent liés. Nous avions déjà été séparés et il l'avait bien supporté, il est vrai que nous nous retrouvions presque tous les week-ends. Pendant les années folles de notre passion ces séparations ne nous étaient pas préjudiciables, le plaisir de nous retrouver n'en était que plus intense. Cette sorte de tranquillité que le mariage avait apportée à Henri, dont il disait avoir tant besoin, ne lui avait-elle pas au contraire donné une sécurité qui l'autorisait à faire n'importe quoi? Il ne craignait plus rien, je serais toujours là...

Il ne se trompait pas.

A mon retour de Californie, Henri était venu me chercher au Havre. Dans la chambre de notre hôtel, le teint trop pâle, il m'avait semblé peu naturel; il en faisait trop comme un gosse qui a commis une bêtise. Mais laquelle?

En parlant avec Jean, j'essayais de la découvrir, de la cerner.

Je disais à Jean :

– Tu comprends, il ne peut pas résister au désir de plaire, de conquérir. Il lui faut toujours du nouveau. Comme s'il était à la recherche de quelque chose qu'il ne trouve jamais...

– Mais auprès de toi il l'a trouvé.

– Oui, quand je suis là. Il me dit que je suis la seule qui sache lui donner la tendresse qui lui a manqué... et je le crois, sur le moment.

– Comme toutes les femmes tu cherches des choses trop compliquées. Il n'a pas été heureux étant môme?

– Je crois qu'il a eu une enfance trop rigide pour lui. Certainement de bons parents mais sévères. Ne pouvant en venir à bout on l'a mis chez les Frères. Il était tellement turbulent que, pour l'obliger à rester en place, ceux-ci l'attachaient à son banc d'étude!

– Tu le dis toi-même, ce gars-là il a un trop-plein de vie, alors laisse-le le dépenser.

Ces raisonnnements très masculins, malgré la pensée d'être celle qu'il aimait, ne me consolaient pas autant que Jean semblait l'espérer.

Parfois la conversation s'arrêtait là, on nous appelait, mais persévérante, je la reprenais. J'expliquais :

– Davantage que pour moi c'est pour lui que j'ai peur. Il ignore la mesure.

– Qu'est-ce que tu crains?

Tout naturellement je redoutais, ce qui vient en premier à l'idée d'une jeune femme, une aventure. Je n'étais pas du tout inquiète par ce que Jean appelait « un coup de canif dans le contrat ». Très vite j'avais eu la chance de comprendre, d'admettre que physiologiquement les hommes ont des besoins plus impérieux que les nôtres.

Je n'ai pas ce genre de jalousie. Ce que je redoute c'est le mensonge, c'est lui qui donne de l'importance à un acte qui autrement n'en aurait pas. La vieille histoire du fruit défendu reste vraie. Plus particulièrement pour les êtres jeunes.

J'ai toujours préféré savoir : ce qui m'inquiétait c'était ce que dissimulait le silence d'Henri. Quelles étaient les causes de cette transformation qui s'amorçait en lui? Je pressentais qu'elle annonçait une longue période de difficultés.

J'expliquai à Jean : « Ce qui me tranquillise pour Henri ce sont ses origines : il est de souche paysanne. Tu l'as vu, c'est le type même de ces garçons solides qui ont un grand bon sens et beaucoup de logique. Il fait partie dans ses raisonnements, ses opinions, sa façon d'envisager la vie, de ces gens rassurants dont on dit qu'ils ont les pieds sur terre! Pourtant ce qui me fait peur c'est cet appétit forcené qu'il a des plaisirs, comme s'il ne voulait pas en laisser échapper un seul, en perdre la plus petite miette! A ces moments-là c'est Mr Hyde qui prend le dessus. Dans ce cerveau raisonnable, bien construit, passent de fulgurants éclairs de déraison. Sous leur effet il peut commettre les pires folies, parce qu'il veut faire rire, paraître le plus drôle, le plus brillant, être le garçon qui ose ce que personne n'oserait, passer pour celui qui tombe toutes les filles. Il faut qu'il soit « le plus » en tout. Pour y parvenir, il est prêt à n'importe quoi!

« Lorsque je suis près de lui tout est différent, ma présence l'équilibre, elle lui est salutaire. Malheureusement notre métier, trop souvent nous éloigne et je vais partir tourner au Mexique, lui commence un film en Italie, une séparation de deux mois, peut-être davantage... Tu comprends?... »

Jean comprenait. Je le savais dans son sourire, sa manière de détourner un peu la tête; fidèle à lui-même, à son personnage, à notre amitié, il plaisantait gentiment :

— L'important c'est qu'il t'aime...

Nous n'en étions qu'aux prémices de ce qui allait devenir un drame.

19

LE TUNNEL

Je n'ai rien oublié de ce parcours, ce tunnel qui devait durer neuf années pendant lesquelles j'allais me débattre contre l'impossible. J'étais vaincue d'avance et ne voulais pas le croire.

Comme il arrive souvent dans ces cas-là, mes conversations avec Jean ont un peu clarifié la situation, du moins je le croyais. Il est indéniable que pendant mon absence qui avait duré un mois et demi, quelque chose s'était passé. J'avais quitté un homme amoureux, débordant de vitalité, et je retrouvais un homme manquant de passion dans l'extériorisation de ses sentiments, amorphe qui manifestement avait la tête ailleurs. Sinon le cœur? C'est d'abord ce que j'ai cru, sans y attacher trop d'importance. Mais je ne pouvais plus considérer les choses aussi légèrement, il m'était impossible de me rassurer en me disant : « C'est un passage, cela ne va pas durer, il a commis une incartade qui le tracasse et il n'ose pas me l'avouer. » Comme toutes les femmes se trouvant dans une semblable situation, je faisais preuve, dans mes suppositions, d'une grande imagination, persuadée d'étudier toutes les possibilités, j'envisageais même celle d'un chantage dont il aurait pu être l'objet.

En réalité ce n'est pas tout à fait vrai. Je ne parvenais

pas à croire à quelque chose de sérieux, je me rassurais en pensant : « Il me l'aurait dit. » Mais alors? si ce n'était pas une histoire de femme, il était malade. Peut-être même gravement. Pourquoi me le cachait-il?

Ces dernières semaines son état visiblement s'aggrave. Ses périodes d'abattement, au début intermittentes et peu prononcées, deviennent constantes. Pendant mon séjour en Californie, Henri a fait une tournée théâtrale au Maroc. Il a beaucoup maigri, son teint est gris, il s'assoupit n'importe où. Hier soir, nous étions à une première, je voyais ses paupières se fermer. Lui, qui ne pouvait pas rester en place, demeure sans réaction à l'endroit où il s'est affalé.

Il vient de rentrer de son travail, il tourne « La Passante » avec Maria Mauban. Je regarde son grand corps avachi sur le canapé du salon, d'un œil vide il contemple vaguement le verre de scotch qu'il tient à la main, je pense à la boisson... S'il était alcoolique je le saurais.

— Henri, tu me caches quelque chose...

Il lève vers moi une paupière paresseuse :

— Rien je t'assure...

— Mais enfin, tu es malade, tu maigris de plus en plus, tu as peut-être attrapé une cochonnerie au Maroc.

— Certainement pas! On a fait les quatre cents coups avec Bob[1] et je n'ai même pas été malade. Non, un peu de surmenage — il bâille, incapable de s'en empêcher — je te demande pardon. C'est la fatigue, tu comprends, je me lève tous les matins à six heures pour partir en extérieurs, ce film me crève. Nous sortons le soir, alors je ne tiens pas le coup...

Ce n'était pas une raison, je l'avais vu passer des nuits blanches sans qu'elles lui laissent de trace.

— Regarde-toi, tu es blanc comme linge, ce n'est pas normal. Consulte un médecin...

— Mais non, je sais ce qu'il me dira...

1. Bob Dalban, son meilleur copain.

Il ne se trompait pas!

J'insiste : « Je suis inquiète, j'ai besoin d'être rassurée, si tu m'aimes tu dois... », enfin ce que nous disons toutes en pareil cas. Il s'énerve, m'envoie promener et nous en restons là.

Je ne cesse pas pour autant de me poser des questions, bien au contraire. Il faut que j'en parle avec quelqu'un. Un après-midi, je vais voir Olga et lui confesse mes craintes.

– Depuis mon retour d'Amérique, je ne le retrouve pas. Je vis avec un garçon complètement différent... Je me pose toutes sortes de questions, j'ai peur qu'il soit malade et qu'il me le cache...

Olga paraît contrariée mais non surprise. Elle m'écoute sans me poser de questions, puis lorsque je me tais elle me dit : « Voilà, je ne suis sûre de rien, mais ce que tu me dis me fait penser au bruit qui court dans Paris. Il est peut-être vrai... »

En un éclair, comme l'on reçoit une gifle, je pense : « Ça y est, ce que je redoutais est vrai! elle va m'apprendre qu'il a une liaison. » J'ai l'impression que mon sang s'arrête, que je passe par toutes les couleurs de l'arc-en-ciel. Il me semble qu'Olga me fait attendre sa révélation des éternités, alors qu'embarrassée elle n'a fait qu'une légère pause avant de poursuivre : « Enfin, c'est une rumeur dans la profession, les gens racontent qu'Henri se drogue! »

Le choc est moins brutal qu'Olga pouvait le craindre, et je crois avoir murmuré : « Ah! c'est cela! Je comprends! » Ce n'était pas pour moi la surprise qu'elle pouvait croire et je m'étonnais même de ne pas y avoir pensé plus tôt, il est vrai que l'histoire était ancienne. Elle remontait à ses dix-sept ans. Ses parents, de solides Auvergnats, réalistes, l'ont obligé à suivre des études commerciales, Henri ne rêve que littérature, poésie, art. En révolte complète avec son milieu, tolérant mal la sévérité dont ils font preuve à son égard, ne supportant plus les contraintes qui lui sont imposées « pour son bien », ni l'étroite dépendance financière dans laquelle il est tenu – Henri ne reçoit que très peu d'argent de poche – il décide de devenir comédien et, comme il ne manque pas de courage, le dit à son père. Loin de bénéficier comme moi de l'aide de sa famille, l'accueil est glacial, son père lui tient le discours classique : « Si, au lieu d'avoir un métier solide, tu veux devenir un saltimbanque, je ne t'en empêcherai pas. Tu peux partir, mais dès l'instant où tu auras franchi ce seuil, tu n'auras plus un sou de moi. » Il a tenu parole.

Henri m'a souvent parlé de ses débuts difficiles, une fois seulement, il y a trois ans de cela, il m'a raconté un passage de sa vie qui éclairait la situation présente : « Je me suis retrouvé à dix-sept ans à Paris sans un rond. Ce n'étaient pas les copains qui pouvaient m'aider beaucoup et je ne sais pas comment j'aurais pu me débrouiller si je n'avais pas rencontré une femme qui s'est intéressée à moi. Avec elle j'étais plutôt heureux, bien. C'est quand je la quittais que bizarrement les choses changeaient. Je n'avais pas complètement rompu avec mes parents, surtout maman. J'allais de temps à autre les voir à Lyon. A chaque fois que je couchais chez eux, je me sentais mal, malade même, des sueurs anormales. Je n'y comprenais rien. Dès que je revenais auprès de cette femme mes malaises cessaient. Et puis, un matin – ce que je vais te dire ne paraît pas vraisemblable et pourtant c'est vrai – elle croyait que j'étais endormi, j'étais à demi réveillé, j'ai senti qu'elle me faisait respirer quelque chose. J'ai saisi sa main. Entre ses doigts il y avait les traces d'une poudre blanche! Cette salope me droguait pour que je ne la quitte pas! Elle me l'a avoué, tu te rends compte? Alors bien sûr quand j'allais dans ma famille j'étais en manque... »

Il avait échappé à la drogue de la façon suivante : « Pendant mon service militaire j'ai rencontré un toubib qui est devenu un ami, il m'a fait entrer à l'infirmerie et m'a désintoxiqué. »

Ainsi je possédais tous les éléments nécessaires et je

n'y avais pas pensé. La drogue était trop loin de moi, cette histoire m'avait paru curieuse, intéressante psychologiquement : droguer un être que l'on aime pour le garder était une forme de crime passionnel qui avait retenu mon attention. Tout ceci était lointain dans ma mémoire et je n'avais fait aucun rapprochement.

J'avais tellement souffert de mon incertitude que j'étais presque soulagée. Tout s'éclairait! Tout commençait...

La drogue, je ne savais pas ce que c'était. Je connaissais des camarades qui, disait-on, usaient de stupéfiants. C'étaient des isolés, il y avait dans leur geste une certaine forme de snobisme. Je savais ces pratiques novices, dangereuses. Très vite j'allais me rendre compte que j'en ignorais tout.

Sur l'instant ma décision est prise : en parler, le soir même, à Henri et l'aider à s'en sortir. C'était des mots, de beaux mots auxquels on croit un certain temps...

Très simplement, c'est ma façon à moi de dédramatiser les situations, je dis à Henri : « Je sais. »

Et son visage s'éclaire, c'est la délivrance.

— Ma chérie, que je suis heureux! Je n'osais pas te le dire, mais puisque tu le sais, pour moi aussi le cauchemar est fini. Je vais pouvoir me désintoxiquer. Tant que tu l'ignorais, je ne pouvais pas le faire, cela rend très malade et tu n'aurais pas compris. Enfin, je vais m'en sortir, tu vas m'aider...

Il s'est mis alors à m'entrouvrir la porte des drogués et m'a parlé de l'état de manque, des souffrances de la désintoxication, de la prison dans laquelle la drogue vous enfermait. J'étais envahie par une grande vague de pitié, d'espérance aussi, cette catastrophe ne risquait pas de détruire notre couple.

— Voilà ce que je vais faire, dès que le film sera terminé, j'entre en clinique et on n'en parlera plus!

Je ne doutais pas de sa sincérité, j'avais raison, il y croyait autant que moi. Il est tellement heureux de pouvoir m'en parler qu'il me raconte sa rechute.

– Ce n'est pas encore très vieux, quelques mois : trois jours avant ton retour, je suis allé dans une boîte à Saint-Germain, j'ai rencontré des copains, ils m'ont dit : « Viens avec nous, on va se faire un « petit gala ». Je le leur avais refusé à plusieurs reprises. J'ai accepté, pour une fois! Et puis, pour venir te chercher, comme j'étais mal dans ma peau, pour que tu ne t'aperçoives de rien, j'ai continué, après je ne pouvais plus arrêter... »

J'entrevoyais le danger de ces fameux « petits galas » dont ils parlaient entre eux légèrement, comme d'une bonne cuite entre copains : répétés un certain nombre de fois ils faisaient de vous un intoxiqué.

Tout se passe comme il a été décidé, Henri entre en clinique, je l'accompagne, vais le voir.

A chaque séjour, je serai à ses côtés, perdant de plus en plus espoir de le tirer de là.

Il en sort en pensant que plus jamais il ne recommencera : « J'ai trop souffert, répéte-t-il, souffert... comme un damné... personne ne peut savoir. C'est trop bête de se laisser piéger par cette saloperie, c'est bien fini. »

Je ne doute pas de sa résolution, qui est réelle. Nous y croyons vraiment dur comme fer! Pour moi ce fut un mauvais moment de notre vie. Des rémissions de ce genre j'en connaitrai un certain nombre.

Toute à la joie de retrouver un Henri à nouveau, piaffant et exubérant, je ne m'aperçois pas tout de suite que ce trop plein de vie n'est pas non plus tout à fait naturel : un peu trop énervé, un peu trop de scotches... comme s'il lui fallait retrouver un autre doping, compenser une absence de quelque chose par autre chose. Il n'est pas vraiment détendu, il n'a pas retrouvé son équilibre; tous les drogués connaissent cet état, psychologiquement il est en « manque mental ». Pour pallier cette sensation, tromper ce besoin, oublier cette forme de déséquilibre, commencent les sorties : le soir, la nuit, les boîtes, on en quitte une pour entrer dans une autre, les verres, le dernier, qui n'en finit pas, les scotches, qui entraînent une attitude, une manière d'être qui dégénère, on rit trop, on en fait trop.

La nuit s'éternise, absurde, fatigante moralement, physiquement. Je laisse voir ma lassitude, une certaine désapprobation, puis je me lève : « Mon chéri, il est quatre heures, je tourne de bonne heure demain matin, alors je rentre... » Il me suit, excité par l'alcool il proteste. Enervée à mon tour, je lui réponds, nous nous disputons. Excédée, je vais me coucher au petit jour, me jurant de me reposer le lendemain.

Lorsque le soir arrive, comme si un signal s'allumait en lui, déclenchant le même processus, tout recommence, et comme j'ai peur de le laisser seul, peur des chuchotements dans l'ombre des vestiaires, dans les coins des toilettes, de la complicité des grooms, des portiers, des copains qui souvent ne le sont que de rencontre, de ce petit monde obscur, grouillant des pourvoyeurs de drogue, je le suis... et nous nous disputons, et... notre mariage se désagrège. Pas très vite. Il y a de magnifiques reprises, des retrouvailles qui me font tout pardonner, tout oublier, car je retrouve l'amour, la tendresse, la joie qui pendant deux ans ont été les nôtres.

Je les retrouve de plus en plus rarement.

A Olga et Tanine, mes seules confidentes, un jour j'annonce que ça va mieux. Il est plus calme. Hier soir nous avons eu une soirée très agréable, dans l'après-midi il est resté à la maison.

– Tu vois, me disent-elles, le mauvais moment est passé. En sortant de la clinique après la cure il y a toujours une période de réadaptation pénible.

J'approuve. Cette fois-ci, c'est bien fini, nous sommes repartis. J'étais dans le vrai, seul le chemin n'était pas celui que je croyais.

Le soir je m'aperçois qu'il transpire beaucoup et je remarque un phénomène curieux, ses yeux ne se mouillent plus, ils ne baignent plus dans l'eau. Je ne me trompe pas : depuis, m'a-t-on dit, on a découvert qu'il fallait donner du potassium aux drogués, car les échanges d'eau ne se font plus. Je m'aperçois que ses pupilles ont rapetissé, des têtes d'épingle! elles lui donnent un regard étrange, trop clair, un peu halluciné, et je comprends : il a encore recommencé!

Je m'assieds à côté de lui, nous nous regardons, sa détresse me pénètre, m'envahit! A nouveau il faut le sortir de là. Doucement, comme l'on questionne un enfant, je lui dis : « Chéri, je ne te ferai aucun reproche, mais dis-moi la vérité, tu as recommencé. » Il nie, s'entête, puis cède : « Oui, c'est vrai, mais ça ne vaut pas la peine d'en parler. J'ai rencontré mon copain un tel qui m'en a refilé un peu, mais c'est juste pour un « petit gala », je ne vais pas continuer... »

Serment de drogué...

Ma vie venait de subir une transformation profonde, pendant des années, autour de moi, plus rien ne serait semblable.

20

« LES ORGUEILLEUX »

Mon départ approchait. Cela faisait déjà quelques mois qu'Yves Allégret m'avais proposé de tourner un film, dont nous ne connaissions pas encore le titre, d'après une nouvelle de Jean-Paul Sartre, « Typhus ». L'adaptation devait en être faite par Aurenche et Bost qui avaient si heureusement réussi celle de « La Symphonie Pastorale ». Mon partenaire serait Gérard Philipe, en pleine montée de sa carrière. Je ne m'étais pas décidée sur l'instant. C'est à la suite de la visite d'Yves que nous avions longuement parlé de ce projet, Henri et moi, pendant une de nos soirées, trop rares, en tête à tête.

– Tu n'as pas l'air emballée, constate Henri après mon exposé.

– Si, beaucoup, au contraire.

Mais Henri me connaît bien, il insiste.

– Le rôle ne te plaît pas?

– Ce qu'Yves m'en a dit me paraît intéressant.

– Raconte.

– Je suis une jeune mariée, avec mon mari nous débarquons dans une petite ville asiatique, une sorte de bourg. Tu imagines l'atmosphère, la chaleur, le soleil, la poussière, les indigènes, pas beaucoup de Blancs. A peine arrivé mon mari tombe malade. Je me retrouve avec lui dans une chambre sordide et je m'aperçois qu'on lui a volé son portefeuille. Il est la première victime de l'épidémie qui va ravager le pays. Je reste seule, sans argent, face à face avec le médecin, Gérard Philipe, qui l'a soigné. C'est une sorte d'épave, un alcoolique. Nous allons nous braver, il m'aimera, je l'aimerai, mais ni l'un ni l'autre nous ne l'accepterons, moi par orgueil, lui parce qu'il refuse l'amour – il se croit responsable du décès de sa femme morte pendant qu'il l'accouchait. Un double affrontement : j'incarne les vertus bourgeoises, le respect de soi qu'il rejette. Je méprise son alcoolisme et mon amour a pitié de sa déchéance. Je vais lutter contre elle. Cela peut être un très beau rôle, très fort...

Henri sort de sa seconde cure de désintoxication, il est dans une bonne période, la similitude de situation, la fiction rejoignant la réalité, ne le gêne pas, au contraire elle l'intéresse :

– Et ça se termine comment, tu triomphes?

– Oui. L'amour est le plus puissant.

Cette victoire pourrait être la sienne, il me questionne :

– C'est long? Il rechute?

– Je ne le sais pas encore. Cette happy end, c'est une idée de Raoul Lévy, un garçon très entreprenant, il est coproducteur du film avec Raymond Borderie. Nellie est un personnage assez nouveau pour moi, ils me l'ont décrit comme étant une femme passionnée, capable de violences malgré sa maîtrise de soi, sa réserve.

– Et tu hésites?

– Non.

– Il y a un mais?

– Non, pas vraiment.

Henri ne se trompait pas, il y avait un « mais » et il le connaissait : lui. Le laisser à un moment où je le savais fragile, capable de succomber. Ce soir-là il a été plein de tendresse, d'amour :

– Tu peux partir tranquille. Je te jure que je ne toucherai plus à la drogue. Tu peux me croire... D'accord, j'ai eu une rechute, mais tous les médecins te diront que c'est inévitable... Cette fois-ci, j'en suis sûr, je le sens. C'est fini.

Et j'ai signé.

Les jours passent, ni la date du départ ni l'endroit ne sont encore fixés. D'Asie, l'action se déplace à Veracruz, Raoul Lévy a des cousins au Mexique, et par la grâce de financements assurés par eux sur place, le film devient une coproduction franco-mexicaine. Ce changement allait en entraîner d'autres.

Je me prépare à partir sans avoir eu entre les mains le script définitif. Ce sentiment d'inconnu m'est désagréable. « Aurenche et Bost travaillent à la fois comme des fous, pour la rapidité, et des anges pour le talent », m'assure Raoul Lévy. Mais je n'ai encore rien lu. J'aurais aimé me pénétrer de mon personnage pendant le voyage qui va être assez long. A la suite d'un incident de vol qui m'avait traumatisée, je ne supportais plus l'avion. Au grand scandale de tous, j'ai exigé le bateau pour la traversée jusqu'à New York, et ensuite le train.

On se moque de moi :

— Le train, le bateau, pourquoi pas un navire à trois ponts et la diligence?

Henri a protesté : « C'est idiot, tu vas mettre cinq jours pour arriver à New York, au lieu de quelques heures. Moi je ne tiendrais pas en place sur le bateau (ça je lui fais confiance). Qu'est-ce que tu peux y trouver d'agréable?

— De prendre le temps de quitter un continent pour arriver dans un autre, de savourer mon voyage...

— Mais voyons, me raisonne Raoul Lévy, vous ne vous rendez pas compte de ce qui vous attend, trois nuits, deux jours entiers dans un train, c'est mortel!

— Pour moi ce sera une détente, les trains américains sont très confortables, j'aurai un compartiment-salon, mon cabinet de toilette, une radio, un bar, un coiffeur à ma disposition. A toute heure du jour je pourrai me faire servir ce qu'il me plaira...

– Une affreuse cuisine de drugstore! Et puis, pensez à ce que représente la vitesse. Ce soir, vous partez de Paris, quelques heures plus tard vous êtes à New York... C'est magique, on perd le sens de la distance!

– Justement je ne veux pas le perdre! Cette rapidité que vous trouvez agréable, m'est désagréable.

Les nuages, je veux les regarder d'en bas. Les cartes géographiques vues d'avion ne me font pas rêver. Ce que j'aime c'est traverser des paysages inconnus, voir des architectures nouvelles, des gens qui s'habillent autrement que moi, vivent différemment...

C'est sans grand enthousiasme que j'apprends à Mike que je vais partir. Je n'ai plus besoin de lui expliquer que je vais travailler, à huit ans il sait. Parfois j'imagine qu'auprès de ses petits camarades il est fier de sa maman, qu'il leur dit : « Ma mère à moi, c'est Michèle Morgan! » J'imagine, mais je ne sais rien, jamais il ne m'a raconté une histoire avec des copains, dans laquelle il aurait parlé de moi, où j'aurais joué un rôle. A l'annonce de mon voyage il oppose le visage sérieux d'un « grand ».

Henri m'a accompagnée jusqu'au Havre. Je lui dis des choses banales que je pense : « Quand nous allons nous retrouver ce sera merveilleux! » Je ne lui demande pas de renouveler ses serments, à quoi cela servirait-il? Nous savons tous les deux que nous ne pensons qu'à ça. L'inquiétude qu'il a de sa solitude me fait mal. Il bougonne :

– Je ne suis pas comme toi, je n'ai pas de patience, rêver à ton retour ne me suffit pas.

– A moi non plus, tu le sais.

Il change d'inquiétude.

– Et si tu tombais amoureuse de Gérard Philipe?

Joue-t-il ou le croit-il? Un peu des deux.

– Ne dis pas de sottises. Il est marié. Et puis tu sais très bien que je te suis fidèle. Je n'en dirais pas autant de toi. A Rome, les Italiennes n'ont pas fini de te faire courir – ...je le taquine – surtout les grosses brunes...

Je suis prête à dire un peu n'importe quoi... pour que ce départ ressemble à n'importe quel autre, pour ne pas me laisser aller à prononcer ces mots qui me brûlent les lèvres : « Tu m'as promis! »...

– Deux mois, mon chéri, ce n'est pas très long...

A tous deux, à Mike et à lui, j'ai dit la même phrase que je ne pensais pas... déjà je les trouvais insupportables ces mois. Que n'aurais-je donné pour qu'ils puissent m'accompagner!

A New York, je prends mon train pour Mexico-City. Ce voyage m'enchante, quand j'habitais la Californie, avec Bill, nous allions à Tijuana, à la frontière, et à travers un folklore, une pacotille pour touristes, je devinais le Mexique fabuleux, celui des Aztèques et des conquistadores. L'approche en était déjà très belle. En avançant vers l'Ouest les paysages deviennent grandioses, les foules indiennes du Nouveau Mexique, que j'entrevois, sont étonnamment colorées, je rêve d'une palette, d'un pinceau, le rose mexicain – une variété de rose tyrien – domine, il est particulièrement beau sur les peaux brunes. Les gares sont des lieux très mouvementés, beaucoup de femmes indiennes avec leur gosse ficelé sur le dos. Les enfants ont de grands yeux de velours, des regards réfléchis et curieux, des cheveux soyeux, d'un noir bleu, aile-de-corbeau. Les hommes aux chapeaux de feutre sombre semblent sortis de westerns. Ils vous offrent noblement, comme un cadeau, des bijoux d'argent où sont serties des turquoises, qu'ils vous vendent pour quelques dollars. A chaque arrêt la vieille Europe, devenue grise, s'éloigne de plus en plus, au profit de ce kaléidoscope de couleurs, de formes.

Vers dix-huit heures j'arrive à Mexico. La gare est envahie par une foule multicolore, joyeuse, qui s'interpelle en espagnol, des fanfares, sortes d'orchestres mexicains en costumes jouent bruyamment. C'est très gai, très vivant...

A Rome j'avais cru avoir une réception de star, je ne savais pas ce que c'était. Je les vois tous là : l'équipe au grand complet, Mexicains et Français, arrivés depuis déjà quelques jours, la foule, les orchestres sont là pour moi, des « Viva » joyeux, des cris, les pétards indispensables partent, sans poudre pas de joie! Si l'on ne déroule pas le tapis rouge sous mes pieds, c'est vraiment que ça ne doit pas se faire ici. Foule, musique, radio, journalistes, dans un plaisant charivari m'escortent jusqu'à ma voiture.

Le soir même dans une lettre je raconte cette arrivée pleine de couleurs et de bruits à Henri et à Mike.

Le lendemain commence la période de préparation qui précède le tournage, elle me passionne.

Le couturier mexicain et moi – rien n'a été fait à Paris – nous nous penchons sur la composition du trousseau de Nellie qui voyage avec une seule valise – dans le film ce bagage est ce que nous appelons en terme de métier un accessoire jouant – c'est dire son importance: Elle contiendra de petites robes légères, des chemisiers, des jupes. Ce travail est un peu comparable à celui d'une esquisse : à grands traits on indique les lignes générales, le personnage n'est encore pour moi qu'une silhouette. Qui est cette Nellie? Quelles scènes vais-je avoir à jouer? Je me rends compte que j'ignore tout de mon rôle.

Il avait été convenu que le scénario du film me serait remis à mon arrivée. Je le demande à Yves Allégret, qu'Aurenche a accompagné. Tous deux me paraissent un peu réticents et, coup sur coup, j'apprends que le film s'appellera « Les Orgueilleux », et que l'action ayant été déplacée d'Asie au Mexique, Jean-Paul Sartre refuse l'adaptation qu'il estime par trop infidèle.

La nouvelle est du genre inquiétant, le nom de Sartre était aussi pour moi une garantie importante, elle avait influencé ma décision et je m'inquiète des répercussions sur le script.

– Alors, tu envisages des modifications?

– Non, tel qu'il est ce scénario plaît à Borderie, à

Raoul Lévy, à Aurenche et à moi. Je suis persuadé que lorsque tu l'auras lu tu penseras comme nous.

– Le nom de Sartre, si je comprends bien, ne figurera pas au générique, Gérard Philipe est au courant? Comment a-t-il pris cette nouvelle?

Allégret n'est pas dupe de ma réserve.

– Il est d'accord. Seulement tu ne le verras pas ce soir. Il est parti en excursion avec sa femme, ils rentreront tard. Demain vous pourrez en parler.

Je n'ai pas eu à lui en parler.

Vers minuit, j'ai terminé ma lecture du découpage[1] qui m'a enfin été remis. Découragée, je repose le texte sur mon couvre-pieds. Frileusement je m'enfonce dans mon lit pour réfléchir : à 2 000 mètres d'altitude, les nuits sont froides. Ma déception est profonde. Ce n'est pas la qualité qui me produit cet effet. Elle est excellente, une grande intensité dramatique, un climat impressionnant se dégage de l'ensemble. Le dialogue est sobre, naturel, c'est vraiment du beau travail. Il fait mieux encore ressentir, par opposition, la faiblesse de mon personnage pour ne pas dire sa nullité. Le film est entièrement construit autour du rôle du médecin, de très belles scènes d'ailleurs. Quel est le comédien qui n'aurait pas envie d'incarner ce personnage? Cet homme que la boisson n'aide même plus à supporter une existence que le remords et l'alcool dégradent. Mais moi, là-dedans, que suis-je? A peine le contrepoint féminin de ce film, un faire-valoir.

De plus en plus il en sera ainsi dans le cinéma français, mais à cette époque je pouvais m'en étonner, il existait encore quelques stars féminines.

Il est significatif de constater que depuis un certain temps on ne construit plus beaucoup de films autour d'un personnage de femme.

1. Terme technique désignant un scénario prêt à être tourné, comprenant plans techniques et dialogues.

Tout se passe comme si le cinéma était le dernier refuge de la misogynie. C'est d'autant plus frappant que notre époque veut être celle de la libération de la femme. Elle qui réclame l'égalité et devient plus indépendante n'a jamais occupé une place aussi réduite, aussi dépendante dans les films. Ils sont construits autour d'hommes comme Alain Delon, de Funès, Jean-Paul Belmondo, Philippe Noiret, Lino Ventura, Jean-Louis Trintignant, etc. C'est inévitable puisque le choix des sujets est masculin : films comiques, films engagés, d'action et de violence, toutes choses qui ne sont spécifiquement pas l'apanage de la femme.

Etre venue de si loin, m'être séparée de ceux que j'aimais pour un rôle aussi court et pâlichon, me paraît aberrant. Pas une seule fois on ne m'offre dans cette histoire l'occasion de défendre mon personnage, de jouer la comédie. Il y a également un aspect moral à cette frustration qui m'est très désagréables. Je décide d'appeler Olga. Nous nous entendons mal, la ligne est pleine de grésillements. Je lui explique mes craintes : « Cela me contrarie de réclamer, je ne voudrais pas avoir l'air d'un enquiquineuse, mais vraiment je n'ai rien à faire, je n'existe pas, on ne me demande que de pleurer du début à la fin! »

Le ton d'Olga est ferme, il me réconforte :

– Tu ne dois pas accepter. Il faut te défendre. Mais si tu veux je saute dans un avion et j'arrive.

Quelle tentation! dire oui et ne plus m'occuper de rien, je redoute ce genre de discussions pour lesquelles je ne suis pas armée, ma timidité, ma crainte d'être mal jugée me mettent toujours en position d'infériorité. Seulement avant d'être mon agent, Olga est mon amie, alors je l'assure que je me débrouillerai seule.

Les heures qui précèdent cette conversation me sont désagréables. Bien que défendre ses droits fasse partie du métier de comédien, ce genre de discussions revendicatrices m'est pénible. Sans doute, tout aussi conscients que moi, s'y attendaient-ils, car ma réaction ne semble pas les étonner! Ils protestent, pour la forme, mais sont d'accord avec le principe, et Aurenche m'assure « qu'il va arranger cela! » Après quelques conversations et mises au point, deux scènes sont ajoutées. Celle où, seule avec lui, je dois retourner le cadavre de mon mari, lui faire les poches pour m'apercevoir que, dans ce bout du monde, je suis sans ressources, sans un peso!

La seconde est d'un genre très différent pour moi, plus inattendu : une sorte de strip-tease. Dans une chambre sordide, épuisée, morte de chaleur, j'enlève ma combinaison en crêpe de Chine — la combinaison étant à cette époque le maximum du déshabillé — et, en slip et en soutien-gorge, à demi allongée sur mon lit, pour obtenir un léger bien-être, avoir un peu d'air, je me passe sur le corps un petit ventilateur électrique.

La scène fut à la projection qualifiée de « très sexy! vraiment à la limite de l'osé ». « Il ne leur fallait pas grand-chose en 1953! » diront ceux d'aujourd'hui que le nu intégral a déjà blasés.

Je n'ai pas, contrairement à ce que l'on semble penser, le respect des préjugés, des tabous sexuels et si, lorsque l'on a le « bon goût » de me poser la question : « Accepteriez-vous de tourner une scène d'érotisme? » je réponds : « Non! » Ce n'est pas ma notion de la pudeur qui est en cause. Simplement j'estime qu'il y a un emploi et un âge pour chaque chose. Ce n'est pas à mes yeux la nudité qui est en cause dans certains films, mais l'usage que l'on en fait.

Quinze jours plus tard, nous partons en voiture, pour Veracruz, qui se trouve à l'opposé de Mexico, sur la côte Atlantique. Je m'étais préparée à un Mexique classique : le désert, des cactées semblables à des candélabres, les grands chapeaux qui abritent le visage et les épaules, tout un folklore de carte postale! et je traverse la Suisse : montagnes vertes, prairies paisibles s'écoulant entre les sapins. Juste avant l'arrivée, j'ai quand même ma petite portion de désert brûlant derrière les vitres soigneusement closes de la voiture.

Tout de suite après nous arrivons à Veracruz. Devant l'hôtel, on m'ouvre la portière et je recule, suffoquée par la chaleur... dans notre auto, nous avions l'air conditionné.

Une ville moite, 90 d'humidité, et tandis que l'on transporte mes bagages, j'ai une pensée pour cette malheureuse Charlotte, impératrice du Mexique, devenue folle. Régner dans cette ville! J'abdiquerais tout de suite!

Je m'engouffre en vitesse dans le hall, sûre d'y trouver le réconfort de la climatisation. Erreur! Nous sommes dans une petite ville de province et, dans cet hôtel de vacances, ce luxe est ignoré. Les draps sont humides, ils ne sèchent jamais et sentent le moisi, toutes sortes de bestioles courent, rampent, volent. Aux fenêtres, il y a des barreaux de bois. Je pousse un volet et, dans la fente de lumière aveuglante, j'aperçois une ville immobile, aux persiennes, aux portes closes, qui sommeille dans un brouillard de chaleur. Vivement je le referme.

Le soir même je fais connaissance avec les cafards, énormes! Jamais je n'en avais imaginé d'aussi prospères, des bêtes dans une forme splendide qui courent allégrement à travers la chambre.

Pendant cinq mois je vais vivre dans ce hammam, ne supportant pas la nourriture à base de poivrons, alors que j'ai beaucoup aimé celle de Mexico. Je prendrai toutes sortes de précautions qui feront rire tout le monde : évitant fruits crus, salades, me lavant les dents à l'eau minérale, me nourrissant de quelques plats de riz épicés, de rhum et de coca-cola! Ce régime insolite me fera perdre plusieurs kilos – jamais je n'aurai une plus belle ligne – et conserver ma forme. Je serai d'ailleurs une des rares de la production à n'être pas malade.

J'étais très curieuse de Gérard Philipe. Il est entré dans le restaurant de l'hôtel, vêtu de blanc, impeccable, long, mince. Une sorte de Lorenzaccio au rire de boy-scout. C'est vrai qu'il inspirait aux femmes un sentiment maternel, si je ne l'ai pas ressenti je l'ai compris. Je le trouve sympathique, charmant, drôle. Et... nos relations s'arrêteront à une impression. Nos rapports n'iront pas plus avant, nos échanges resteront ceux d'une camaraderie aussi gentille que lointaine. Pourquoi?

Depuis, j'ai cherché à analyser ce qui n'était pas « passé » entre nous : il vivait dans un monde à lui, très particulier, que je ne connaissais pas. Peut-être, chacun de notre côté, nous sommes-nous fiés à l'apparence que nous offrions à l'autre. Il me semblait être un sectaire de gauche, et je croyais qu'il me prenait pour une bourgeoise.

Il est amusant de penser que ce sont les apparences de choix politiques qui nous ont empêchés de nous rapprocher au moment des « Orgueilleux ».

Le soir, dans la moiteur à peine moins lourde de la nuit, réfugiés dans le bar, assis autour d'un whisky, acteurs et techniciens entamaient de longues conversations. Rien ne m'empêchait d'être parmi eux, mais comme le climat était très fatigant, généralement je préférais monter dans ma chambre. Micheline, devenue mon habilleuse, m'y accompagnait, nous bavardions un petit moment et puis elle allait se coucher, la chaleur la fatiguait beaucoup, cela m'inquiétait.

Nous nous étions retrouvées, elle et moi, avec beaucoup de plaisir en tournant « La Minute de Vérité ». J'avais demandé à Jean : « Tu ne me « prêterais » pas Micheline en dehors de tes films? » Il avait ri : « Avec la Miche, comme vous devez avoir arrangé le coup ensemble, il est préférable que je dise oui! » Par la suite elle a continué à se partager entre « M'sieur Gabin » et « m'ame Morgan » pour le bonheur de chacun.

Ce n'est plus de « M'sieur Gabin » que je parle à

Micheline, mais d'Henri et de Mike. Patiente, fumant son inévitable cigarette, elle m'écoute, me répond avec mieux que du bon sens, une intelligence pratique, une philosophie de la vie solide et claire. Sa présence m'est précieuse. Sa compréhension aussi, elle a une façon, bien à elle, d'écraser son mégot dans le cendrier avant de répondre, qui se transforme en geste réconfortant. Et puis, elle me fait rire, son esprit de Parigote, frondeur et malicieux, s'exerce sur tout et tous. Le soir elle est ma seule compagnie.

Je me suis trouvé beaucoup d'affinités avec les acteurs mexicains, Carlos Lopez Moctezuma et Manuel Mendoza. Ils m'ont fait découvrir ce peuple qui réunit trois communautés : les Espagnols ombrageux, orgueilleux du sang des conquistadores qui coule dans leurs veines; les Mexicains aux origines mêlées dont l'abord rude, peu aimable, s'explique par la méfiance qu'ils ont des « peaux-roses », ces « gringos » qui les ont opprimés. Mais lorsqu'ils vous accordent leur confiance, quels amis incomparables! Et les Indiens : des gens d'une grande loyauté, taciturnes, distants, ignorant la facilité du sourire occidental; dans leur visage impassible, seuls les yeux, d'un noir liquide, livrent leurs sentiments.

Lorsque j'ai le courage de surmonter le climat, je me promène avec Carlos Lopez et Manuel, pour eux les portes et les visages s'ouvrent; ces balades sont, avec les heures où je travaille, mes meilleurs moments.

Je pense que le pays, l'isolement n'ont pas été étrangers à mes rapports distants. C'était un climat pénible à supporter et nous vivions vraiment les uns sur les autres sans grande possibilité d'évasion autre que de visiter le pays. Ce que font Anne et Gérard Philipe, les jours où lui ne tourne pas, ils louent de petits avions-taxis qui leur permettent d'aller assez loin sur les traces du « Serpent à plumes ». C'est une formule intelligente, tentante, mais il faut être deux, seule je n'en ai pas envie et puis il fait tellement chaud... A l'heure de midi, sur le rebord de la fenêtre, Gérard a fait cuire un œuf dans sa coque au soleil, trois minutes, juste à point...

Quarante-cinq degrés à l'ombre et nous tournons en plein soleil sur le port. Gérard et moi au bord du quai regardons le lent va-et-vient des barques de pêche, nous échangeons des phrases paresseuses. Carlos Lopez nous rejoint.

– Savez-vous qu'il y a des requins?

– Dans le port?

– Oui, ils restent en eau profonde guettant une saloperie quelconque : entrailles de poissons jetées par les pêcheurs, bêtes crevées, déchets de toutes sortes...

Non loin de nous, dans un bruit haletant, un car s'arrête, des touristes quittent ses tôles surchauffées, se répandent sur le quai, ils doivent venir de Mexico ou de Veracruz. Une nuée de gosses, surgie je ne sais d'où, les entoure implorant : « Pesos! pesos! señor... señora...! » Beaucoup sont beaux, mais les tout petits ont de gros ventres comme des abdomens d'insectes qu'ils portent en avant. Le groupe de touristes, escorté du troupeau implorant à voix aiguë : « Un peso! un peso! » se dirige, guide en tête, vers le bord du quai, bientôt dépassé par ces muchachos de sept à douze ans qui se bousculent. Le guide lance une pièce dans l'eau, plusieurs gamins plongent, ravis les touristes jettent des pièces, les gosses sautent dans l'eau couverte d'auréoles de mazout et de détritus. Ce n'est pas possible, j'interroge :

– Gérard, vous êtes sûr qu'il y a des requins?

– Oui.

– N'ayez pas peur, tente de me rassurer Carlos Lopez, ici nous avons l'habitude sur la plage de les voir de loin. Vous vous y ferez aussi.

Je m'emporte :

– Mais ici, ils sont dans le port! Et ces enfants qui plongent pour une aumône, c'est cruel. On devrait l'interdire.

– Ils sauteraient quand même, m'affirme Carlos Lopez.

Dans les yeux du Mexicain une profonde lassitude, une résignation fataliste. Dans ceux de Gérard une pitié impuissante, il hausse les épaules.

– Vous ne savez pas ce que peut faire faire la misère...

C'est probablement parce que je suis proche de ce Gérard entrevu, le temps d'un éclair, que nous aurons, deux ans plus tard, pendant « Les Grandes Manœuvres » des rapports très différents.

Tourner sous la direction de René Clair est un plaisir rare. Est-ce l'atmosphère légère, tout en nuances, des « Grandes Manœuvres », qui nous a convenu? Débarrassés de nos préjugés réciproques, nous nous abordons mieux et tout devient très différent. Gérard Philipe a même provoqué involontairement la vocation de Mike. Ce n'était pas moi ce jour-là qu'il venait voir tourner sur le plateau, mais Gérard Philipe dont l'allure, la désinvolture, le charme, l'éblouissaient. Coiffé du képi qu'il lui a emprunté, debout, bien droit, à mon grand étonnement, il a répondu, du haut de ses neuf ans, à Gérard Philipe qui lui a demandé ce qu'il voulait faire plus tard : « Artiste! Comme toi! »

Un assistant vient nous chercher sur le quai : « Madame Morgan, Gérard, si vous voulez bien. Tout est prêt. »

Posément, Yves nous explique la scène :

– Nous tournons votre première rencontre. Gérard, tu es complètement ivre, à peine si tu peux encore marcher. Toi, Michèle, tu cherches un médecin, ton mari est en train de mourir, tu marches aussi droit qu'il va de travers.

« Tu ne la vois pas, tu la heurtes, elle fait un pas en arrière, profondément dégoûtée. Tu as un sourire, d'une main tremblante, tu touches vaguement ton chapeau...

« Michèle, tu pars d'ici, avant lui, et toi, Gérard de là. Je te ferai signe...

Chapeau de paille effrangé, chemise indigène sale et trouée. Un homme me cogne, il lève vers moi un regard vague qui a perdu toute intelligence, la lèvre est humide, bafouillante... il bredouille une excuse.

Il y a quelques secondes dans le même costume, déguenillé, c'était un jeune lord. C'est une métamorphose en profondeur. Que ce soit l'étonnante et pénible scène où, ivre, Gérard danse pour une bouteille d'alcool, la sueur ruisselant de son front sur son visage, ou celle où il se souvient qu'il est médecin, sa composition atteint la perfection.

Cependant, bien qu'ayant grand plaisir à jouer avec lui, il me fait éprouver la sensation de me trouver devant un illusionniste. Gérard vous rendait spectateur de lui-même, à l'opposé de Jean Gabin qui vous rendait acteur... La scène terminée on continuait à se sentir cette femme avec laquelle il venait de vivre quelques minutes d'une histoire. Deux talents, deux formes d'art!

Malgré les conditions souvent pénibles des prises de vues, l'importance du rôle, qui en dépit des scènes ajoutées, reste en retrait par rapport à celui de Gérard Philipe, fait qu'il comptera parmi les plus marquants de ma carrière. Cependant le réalisme presque sordide, le vérisme de certaines scènes m'ont parfois mise mal à l'aise. Moi seule peux savoir qu'à Nellie trop souvent j'ai prêté mes propres sentiments : l'image cruelle, la composition trop parfaite que m'offrait Gérard de la déchéance par l'alcool, une autre forme d'intoxication, me bouleversait. Je ne pouvais m'empêcher de penser à Henri.

De cela je ne peux m'ouvrir à personne, pas même à Micheline. Le temps s'allonge, nous avons largement dépassé les deux mois prévus. Je ne peux détacher ma pensée de Mike et d'Henri. Tous deux me manquent, leurs nouvelles sont incertaines.

Dans l'humidité moite de cette chambre où, dans les coins d'ombre, je devine le grouillement d'insectes indéfinissables, avant de m'allonger sous la protection de ma moustiquaire, j'écris à Henri régulièrement, je lui envoie une lettre par jour; lorsque je la remets au concierge, il a un sourire pour m'assurer : « C'est pour le señor Morgan, tout de suite elle part. » Tout de suite c'est mañana... et mañana cela peut signifier plusieurs jours... Je ne sais comment elles lui parviennent, les siennes, également quotidiennes, m'arrivent irrégulièrement. Un lien fragile perpétuellement rompu. Le téléphone marche très mal entre Veracruz et Rome, le décalage horaire ne facilite pas les communications, quand il fait nuit ici, il fait jour en Italie et Henri est au studio. La transmission est difficile. J'ai encore dans les oreilles sa voix lointaine déformée, qui disparaît, comme on plonge, engloutie par des bruits de friture, couverte par des voix expagnoles, italiennes, anéantie par le silence.

Les lettres d'Henri sont remplies de petits mots d'amour qui relient de minimes faits quotidiens entre eux. A travers eux je cherche la vérité. Que fait-il? Qui voit-il et surtout, sans personne auprès de lui, est-il retombé? Cela ne transparaît pas dans ses lettres. Il peut si facilement tricher. Je scrute son écriture nerveuse, impulsive, apathique, molle? Il peut y avoir chacun de ces signes sans qu'ils constituent vraiment une indication. Parmi les gens dont il me parle nombreux sont ceux capables de le tenter, de lui procurer de la drogue... Mon impuissance est totale. Comment lui être utile? Lorsque je réponds à une de ses lettres, elle est devenue sans objet, je l'entretiens d'un état d'âme dépassé depuis longtemps, remplacé par d'autres. J'ai l'impression pénible d'être perpétuellement débordée par le temps, perpétuellement à contresens.

Ce soir Micheline comme d'habitude bavarde quelques instants avec moi. Je lui trouve les traits tirés, les yeux creux.

– Tu devrais aller te coucher, tu as besoin d'une bonne nuit.

– Oui, j'sais pas ce que j'ai : une douleur dans le dos qui m'pince et une autre sur le côté dans le ventre.

– Le foie?

– Non. Je ne crois pas. Mais ça augmente de minute en minute.

La violence des douleurs devient intolérable, elle passe une nuit abominable. Rien de ce que nous tentons ne la soulage. Elle trouve encore la force de plaisanter :

– Je joue le film au naturel!

Au matin le médecin diagnostique une crise de coliques néphrétiques, si violente que l'on est obligé de la faire partir. Je la conduis à l'aéroport. Pâle, fiévreuse, elle monte dans l'avion avec Aurenche et sa femme Lili, une Hongroise amusante, très sympathique. En revenant à l'hôtel je me sens vraiment seule.

Cet isolement durera plus de deux mois. Je n'ai plus que mes lettres à Tanine, Olga, maman, ma tante, Mike, Henri. Je leur écris comme on parle, de véritables journaux remplis de petits faits, de réflexions, de questions. Je meuble ainsi le vide du temps où je ne travaille pas.

Si Henri n'était pas comédien il pourrait être ici, m'accompagner comme le fait Anne avec Gérard. Nous aussi nous visiterions le pays, parfois tous quatre ensemble. Pourquoi pas? J'aurais davantage envie de m'ouvrir aux autres, de participer à leur vie, Henri m'y pousserait, il adore les sorties en copains, à plusieurs. Au lieu de cela, chacun de notre côté, Henri et moi nous poursuivons une vie que l'autre ignore, nous nous enrichissons de souvenirs que l'autre ne partagera pas.

Je m'endors, me réveille, vis avec cette pensée : comment vais-je le retrouver?

21

« LES OLIVIERS »

Mon retour n'a rien de triomphal, Henri est dans une de ses périodes où il a décidé de se désintoxiquer lui-même, le rêve de tous les drogués. Tous y croient, il leur semble que ce sera plus facile, qu'ils souffriront moins, et tous échouent. Bien entendu, novice en cette expérience, je m'étais laissé convaincre par Henri que ce serait mieux, pour lui, pour nous. Son ami médecin, bien que sceptique, nous avait indiqué les doses, le rythme de leur diminution. Les premiers jours tout se passe bien. C'est l'euphorie, je me reprends à espérer. Je devenais semblable à lui : c'était à chaque fois la bonne! Jusqu'à quel point étais-je ma propre dupe? Cela me permettait, nous permettait de vivre.

Très vite, je m'aperçois qu'il triche, alors commence la chasse aux « planques ». Les toilettes, la chasse d'eau, dans de petits sacs étanches, dans des tubes de pâte dentifrice, à ce jeu de cache-tampon je deviens vite rapidement experte, j'ai autant d'imagination que lui!

Nous nous disputons. Les scènes pénibles se succèdent : le manque se fait cruellement sentir. En le sevrant progressivement de drogue on le fait abominablement souffrir. Ce corps, dont la musculature a été si belle, se recroqueville sous l'effet des contractions, les muscles se mettent en boule. Il me supplie de faire cesser ce supplice. Quelle tentation que de lui laisser prendre la seringue, de voir son visage se détendre, un instant, à l'idée qu'il va pouvoir préparer, en tremblant, l'affreuse cuisine, la poudre que l'on dilue dans la cuiller que l'on chauffe. Je résiste. J'espère qu'après ce passage aigu un mieux va se produire, que nous serons sur l'autre versant.

Un mieux ne tarde pas en effet à se faire sentir : on lui a procuré de la drogue; tout est à recommencer! Au bout il y aura, inévitable, une nouvelle cure de désintoxication en clinique. C'est cela qui dans son cas est pathétique, il veut s'en débarrasser... vivre à nouveau normalement, être heureux comme du temps de Rome... cela le hantera jusqu'à la fin.

Bill n'a pas désarmé, de petites manœuvres souvent irritantes, moralement désagréables que je suis obligée de garder pour moi. Je ne veux rien dire qui puisse desservir son père dans l'esprit de mon enfant; ni envenimer une situation qui n'est que trop délicate. Ce qui importe pour moi c'est le bonheur de mon fils.

Beaucoup de femmes divorcées me comprendront.

Et, brutalement, j'apprends que Bill et Micheline se séparent, ils ont demandé le divorce. Olga m'affirme que Bill va repartir pour les Etats-Unis.

– En es-tu sûre?

– Il en aurait parlé à plusieurs personnes, donnant même la date de son départ. C'est assez normal, il a toujours été à cheval entre les deux pays, mais ses affaires sont plutôt là-bas.

Je ne demande pas lesquelles. Cela ne m'intéresse pas : que va devenir Mike? Je cours chez Me Weil qui reste dubitatif : « Il est difficile de savoir ce que votre ex-mari peut faire. »

– A-t-il le droit d'emmener mon fils?

– Je ne vois pas comment on pourrait l'en empêcher. Je ne saurais trop vous conseiller de vous préparer plutôt à cette éventualité.

Contre toute probabilité, Bill me confie Mike : « Ne vous faites pas trop d'illusions, ce n'est qu'à titre précaire », me précise mon avocat. Que m'importe! Je l'installe chez moi. Dans cette chambre, la sienne, que j'avais préparée il y a déjà plus de quatre ans. Je vivrai enfin tout ce que j'avais imaginé : je le verrai s'asseoir devant son petit bureau, je l'entendrai rire, jouer, j'irai le soir écouter la respiration régulière, douce, de son sommeil. C'est la première fois depuis sa naissance qu'il sera vraiment à moi.

Sorte de balance d'un destin à la face de Janus, Mike me revient quand Henri s'éloigne.

Il est 6 heures du soir, je rentre, Mike revenu de l'école de la rue des Francs-Bourgeois fait ses devoirs dans sa chambre située au-dessus de la mienne. Je traverse le salon. Je suis lasse, de nombreuses courses, un long entretien avec Olga; différentes propositions me sont faites, aucune ne me plaît. Tous mes contrats ne sont pas encore remplis, j'aimerais souffler un peu, prendre le temps de choisir. Je jette mon sac, mes gants sur mon lit, enlève mon chapeau.

– Michèle...

C'est la voix de mon mari, elle me paraît différente, détimbrée, je réponds : « Oui, chéri! » et me retourne. Je l'aperçois qui vient de s'écrouler dans un des fauteuils du salon, blême, les narines pincées, respirant difficilement. Je me précipite. Sa main est froide, à son poignet je cherche son pouls, ne le trouve pas. Je lui enlève sa cravate, cours vers le téléphone, appelle son médecin et reviens vers lui. Henri semble proche de la syncope, d'une blancheur affreuse, les yeux fermés il ne bouge pas. C'est dans cet état que le trouve le Dr X. Il hoche la tête : « Ce n'est pas très grave, pas encore, un avertissement, une petite histoire cardiaque : entre la drogue, les cures de désintoxication et « le reste » il surmène son cœur... Rassurez-vous il est encore solide. »

« Le reste!... » Actuellement nous en sommes à la phase active. La dernière cure de désintoxication semble avoir réussi, en tout cas elle lui a rendu sa vitalité. Il a vis-à-vis de cette « bonne santé » une attitude que maintenant je connais bien, elle entraîne toutes les réactions masculines nécessaires à l'affirmation de cette « bonne santé ». Il a grossi, c'est la période « sans » c'est-à-dire avec scotches, lesquels entraînent une foire qu'il qualifie lui-même « à tout casser », assortie de tout ce que cela comporte!

J'en arrive à me dire qu'au moins il aura eu ça! Mes possibilités d'illusions sont réduites, et je sais qu'à cette période succède celle « avec » qui égale un être amorphe, sans désir, ayant perdu toutes ses forces viriles.

Je vis maintenant une alternance éprouvante : ou je suis avec un être déchaîné, incapable de se contrôler, dont on croit qu'il est alcoolique, ce qu'il ne fut jamais, ou je vis avec un zombie.

Parallèlement je mène une autre lutte pour sauver les apparences. Tout aussi épuisante, elle réclame une vigilance de tous les instants. Personne ne doit savoir. Mike ne s'est jamais aperçu de rien. Henri a toujours été pour lui un grand copain, lorsqu'il était « malade » Henri restait dans sa chambre. Jamais il n'a eu devant mon fils un geste, une parole qui aurait pu lui sembler bizarre. Mais je tremblais que Bill apprenne quelque chose, le milieu professionnel était le seul que je ne pouvais tout à fait duper, trop de complices des « petits galas » en faisaient partie. Le prosélytisme des drogués est connu, mais Henri, malgré son état, méprisait ceux qui s'y livraient.

Ceux que je redoutais le plus, que je fuyais, dont j'avais vraiment peur étaient les journalistes, plus particulièrement les photographes, il ne fallait pas qu'ils voient Henri dans cet état, surtout lorsqu'ils travaillaient dans certains journaux, qui, tout en me plaignant, risquaient de faire des titres à « la une » du genre : « Le calvaire de Michèle Morgan : l'homme qu'elle aime victime de la drogue! » « Sa vie un enfer », etc. Il s'en passait déjà assez à l'extérieur que je ne pouvais pas contrôler. Plus tard, je me suis rendu compte combien la presse avait été compréhensive avec moi en gardant le silence. Cependant, en accréditant mes pieux mensonges, ils m'ont rendu service. D'autant plus qu'à cette époque on n'avait pas la même liberté de propos que maintenant; l'emploi des stupéfiants restait réservé à certains milieux littéraires, artistiques, la drogue n'était pas descendue dans la rue, et le commissaire de la Brigade Mondaine, car j'ai eu aussi la visite de la police, se glorifiait d'un très petit nombre de drogués. Le mot et la chose faisaient scandale. On ne cherchait pas à comprendre, à guérir.

Cette vie totalement déséquilibrée aura obligatoirement des incidences sur mon métier : si de 1953 à 1955 je tourne encore huit films, en 1955 je n'en tourne plus que trois : « Marie-Antoinette », « Si Paris m'était conté » et « Oasis », une coproduction franco-allemande. Les deux années suivantes ce ne sera plus qu'un par an!

Ces extérieurs d'« Oasis » au Maroc ont duré deux mois vécus aux confins du Sahara. Les nuits bleues du désert, la Croix du Sud ne m'ont pas fait oublier mes ennuis, au contraire. J'ai eu tout le temps de m'en repaître. Je rentre fatiguée, j'ai mal supporté la chaleur, le cheval et la compagnie des scorpions! Dès que je suis loin d'Henri j'ai peur, pour lui, pour nous : une imprudence de sa part et la façade que je maintiens si péniblement debout s'écroulera... Pendant combien de temps cette vie va-t-elle durer? J'aime encore Henri mais je le quitterai. Il faut qu'il en prenne conscience, qu'il le sache, peut-être alors résistera-t-il à la tentation?

C'est dans cet état d'esprit que j'arrive à Paris pour

apprendre que papa était très malade. Je me précipite, maman me dit qu'il y a eu une erreur de diagnostic : pendant des années on a soigné mon père pour son cœur et il vient d'entrer dans le coma urémique.

Papa, terrassé par le mal... A cette vision succède maintenant toute une suite d'images : il souffre abominablement, une dernière fois il se lève et me parle du prophète Ezéchiel. Dans son délire il se croit entouré d'une foule de gens : « Ma petite fille, pourquoi tout ce monde autour de moi? » Rien, je ne peux rien pour lui. Mais pour qui peut-on quelque chose? pour Henri non plus, peut-être pour Mike?... C'est l'instant où l'on se pose toujours des questions qui resteront sans réponses.

Je m'inquiète, si j'étais rentrée plus tôt? « Non, me répond un ami médecin, il était déjà trop tard, c'était irréversible! » Quelques heures plus tard maman pleure dans mes bras et moi dans les siens. Papa est mort, il n'avait que 69 ans.

Les semaines, les mois, les années n'amènent aucun changement; épuisée, à bout, parfaitement consciente de mon impuissance à aider Henri, à le sortir de là, je décide de le quitter. Il sait trop que je suis à ses côtés. De ce geste j'attends qu'il l'oblige à faire l'effort nécessaire pour aller enfin jusqu'au bout d'une ultime désintoxication. Son ami médecin le lui a dit : « La seule chose qui pourrait te sauver : partir. Si tu veux vraiment en finir le moyen est simple : à ta sortie de cure, tu vas dans le Grand Nord, dans une forêt du Canada, tout seul, tu abats des arbres, au milieu de gens qui ignorent la drogue. Si tu restes ici, tu ne t'en sortiras pas. »

Rien n'est plus vrai, combien de fois l'ai-je vu, résolu, céder à nouveau, parce qu'autour de lui la franc-maçonnerie de la drogue ne lui permettait pas cette désertion. Les marchands ne lâchent pas leur proie, les pourvoyeurs sont là, ils veillent. Nous n'étions pas dans un restaurant, une boîte depuis cinq minutes qu'Henri se levait, il allait au téléphone, des hommes furtivement lui glissaient des messages. Ces chuchotements dans les coins, cette fausse désinvolture « un copain qui me demandait un renseignement », je feignais d'en être dupe mais rien ne m'échappait et je savais qu'à plus ou moins brève échéance Henri chuterait à nouveau.

C'est fait, il est parti. Quelques jours d'une paix relative. Comment m'empêcher de penser à lui? De ne pas avoir des souvenirs qui m'envahissent par bouffées, de m'inquiéter encore de le savoir livré à lui-même, et Olga vient me voir : « J'ai reçu sa visite, il a pleuré, il sanglotait dans mon bureau comme un enfant. Je lui ai promis de te parler. On ne peut pas le laisser comme ça. Il dit que cette fois-ci... » Tous les arguments déjà cent fois ressassés y passent.. je cède. Huit jours plus tard, Henri m'offre l'image même de la déchéance : une loque. Tout a recommencé mais cette fois-ci je sais que quelque chose est terminé : un petit ressort indispensable, celui qui sert à remonter inlassablement le mouvement, a claqué. Plus jamais ce ne sera tout à fait pareil.

Henri tourne à Nice « Mademoiselle Ange », avec Romy Schneider. La troupe est descendue au Negresco, moi je me suis réfugiée à l'hôtel du Cap à Antibes. Je n'ai aucune envie d'être près de lui, j'ai besoin de reprendre des forces. Je n'en peux plus. Que reste-t-il de notre ménage? Deux ans de souvenirs merveilleux, deux ans de passion. Nous n'avons plus de vie de couple, l'héroïne en est responsable. Que suis-je devenue pour lui? J'ai souvent l'impression qu'il me craint, me redoute. Cette transformation du rôle d'amante en celui de mère d'un enfant coupable, ou d'infirmière, a transformé nos rapports. Je le gronde, me fâche, ma surveillance lui est insupportable, il se dresse contre moi, la scène éclate, il me demande pardon... Il m'aime, dit-il. La peur de me perdre n'est-elle pas plus forte que l'amour? Je suis la dernière chose solide de sa vie qui se désagrège.

J'en suis là de mes raisonnements lorsque l'on m'apporte mon café sur la grande terrasse d'Eden-Roc, un lieu pour rêver, pour aimer, pour être heureuse...

– Madame, on vous demande au téléphone.

C'est André Cayatte.

– Chère Michèle, j'ai un rôle à vous proposer, celui d'une femme laide, très laide...

C'est assez inattendu. On m'avait proposé le mutisme, la cécité, mais pas la laideur! Heureux de son effet, Cayatte éclate de rire, un rire où déjà on entend rouler les *r* de son Carcassonne natal.

– Je crois que vous connaissez Gérard Oury?

– Oui, nous avons tourné ensemble dans « La Belle que voilà ».

– Nous sommes à Saint-Paul-de-Vence, chez moi en train d'écrire un scénario, « Le Miroir à deux faces », nous aimerions vous en raconter l'histoire. Gérard a eu une idée très amusante dont je vous laisse la surprise. Trois rôles : vous, Bourvil qui serait votre époux et Gérard le chirurgien; un chirurgien très spécial, je ne vous en dis pas plus. Voulez-vous demain soir? Nous dînerons chez « Les Corses » un restaurant en haut de la Grande Corniche...

Gérard Oury, il y a des mois que je ne l'ai revu. La dernière fois, ce devait être avec Jacqueline, sa femme, à l'Elysée-Club, au hasard d'une première, Henri et moi nous avions dîné avec eux. J'avais conservé de Gérard un souvenir amusant, enfoui dans ma mémoire :

« La Belle que voilà » c'était en 49, six ans déjà, juste après Rome. Lydia et Joseph Bercholz avaient eu l'idée de reformer le couple de « Fabiola »! On a cherché un scénario, puis on s'est mis d'accord sur un livre de Vicki Baum « La carrière de Doris Hart », que Françoise Giroud – elle fut notre script dans « La Loi du Nord » – a transformé immédiatement en « La Belle que voilà ». C'est elle qui fit adaptation et dialogues et Paul Le Chanois qui le réalisa. C'est un homme jeune auquel une calvitie précoce donne de faux airs d'Armand Salacrou. A la lecture qu'il nous a faite du scénario, j'ai quelques doutes. Passé l'emballement collectif, je m'étais interrogée sur notre choix : quel talent il allait falloir à Françoise Giroud et à Le Chanois pour donner un peu de vérité à ce sombre drame!

Le rôle de Bruno dit la Brute, un imprésario qui abuse de son pouvoir, n'avait pas encore été distribué, et, lors d'un dîner, Le Chanois nous parle chaleureusement d'un jeune comédien, Gérard Oury, qu'il vient de voir au théâtre. Une présence, du talent, du charme, et puis il est si sympathique! Nous avons éclaté de rire : « Ce n'est vraiment pas la qualité du rôle! » lui a fait remarquer Lydia. Un peu vexé, Le Chanois a défendu son poulain : « Il a le sens de la composition. » « Bon, eh bien, on lui fera tourner un bout d'essai! » conclut Le Chanois.

J'ai oublié cet incident quand Le Chanois insiste pour que je vienne voir le décor de Max Douy et, entre deux essayages, accompagnée d'Olga, je passe. « Venez voir Gérard Oury, il fait ses essais. » Je retrouve l'ambiance de mes débuts, je me souviens avoir pensé : « Pauvre garçon, quel trac il doit avoir! » Mince, le cheveu noir et l'œil vert, il répète sa scène, ma doublure lui donne la réplique. La voix est belle, grave, bien placée. Personne ne nous a vues entrer, nous avançons et tout s'arrête. Brouhaha de « bonjours ». Présentations. Il m'a rappelé que nous nous étions déjà vus au cours Simon, il y avait une dizaine d'années, il a précisé : « Vous reveniez au cours juste après " Gribouille "... »

On tourne : à la fin du plan, Gérard Oury saisit ma doublure dans ses bras et violemment l'embrasse sur la bouche. Ce réalisme dans l'action suffoque sa partenaire : « Ah! vous alors, vous!... — Pardonnez-moi, mais c'est le personnage, on l'appelle la Brute... »

Huit jours se sont écoulés, Gérard, qui plus tard me

racontera ses affres, a téléphoné à Le Chanois qui lui a répondu : « Pour ton engagement, l'accord de Michèle Morgan est nécessaire. »

Les rushes sont excellents, vigueur, autorité, tout y est. Je donne mon accord et Gérard Oury signe son contrat avec Joseph Bercholz. Nous commençons à tourner et arrive la scène du baiser. Nous sommes à l'étroit dans un ascenseur et après quelques répliques échangées rapidement entre lui et moi, la Brute doit me saisir, et me donner sur la bouche ce baiser sensuel et violent qui avait fait merveille aux essais.

– Moteur! commande Le Chanois...

Les répliques fusent. Qu'est-ce qu'il attend? Il m'attire contre lui, mais sans l'autorité que j'avais appréciée à la projection. En plus, il tremble. J'ai triché. Pour l'aider, je lui tends ma bouche, ferme à demi les yeux... Gérard Oury me prend délicatement par la taille et pose sur mes lèvres le plus tendre, le plus délicat baiser du monde!

– Non! crie Le Chanois. Ce n'est pas ça du tout! C'est un baiser romantique! Recommence-moi ça... vas-y carrément!

Je regarde Gérard. Ce n'est pourtant pas le genre d'homme que les femmes doivent intimider.

– Voyons, n'hésitez pas... Qu'est-ce qui se passe, vous avez le trac, peur de moi?

Très pâle il proteste :

– Non, pas du tout...

On recommence, il me reprend dans ses bras et me donne un très joli baiser cinéma. Pour la brute c'est fichu, il n'en sera jamais une!

Le 13 juin 1957 – Gérard a la mémoire des dates! – devant un énorme steak grillé au feu de bois, j'écoute Cayatte, profil d'aigle, œil flamboyant, et Gérard bronzé, souriant, me raconter leur scénario :

– Ce qui est drôle, me précise Cayatte, c'est qu'Oury et moi avons eu, chacun de notre côté, en même temps, la même idée : trouver une histoire concernant le rôle social de la chirurgie esthétique dans le monde d'aujourd'hui. Il ne nous restait qu'à l'écrire ensemble. C'est également ensemble qu'ils me la racontent, l'un reprenant la parole à l'autre au bon moment. On ne m'a jamais aussi bien « joué à deux voix » un scénario.

Cayatte met en place les personnages : « Marie-José, jeune femme terne, laide, un véritable laissé-pour-compte, est persuadée qu'aucun homme ne voudra d'elle. Lorsque Bourvil, petit instituteur, lui demande sa main, elle fond de reconnaissance et confond ce sentiment avec l'amour. Le voyage de noces, à Venise, fait à l'économie, est un désastre, l'homme se révèle médiocre en tout, d'une mesquinerie qui touche au sordide. Résignée, persuadée qu'avec son physique c'est pour elle une grande chance d'avoir trouvé un mari, elle se tait et subit en plus de Bourvil, sa belle-mère, redoutablement méchante. Sa vie va se dérouler sur un canevas de petits malheurs avec quelques mièvres bonheurs. »

Oury intervient, le chirurgien c'est son rôle :

– Bourvil a un accident d'auto, le responsable c'est moi, le Dr Bosc, je le fais transporter dans ma clinique, on te prévient. Dans mon bureau, je te dévisage, tu m'intéresses. Je te dis « Voulez-vous devenir belle? » La question te bouscule. Tu rougis. Tu te demandes si je me moque de toi, mais tout de même tu es troublée.

Cayatte reprend la parole :

– Il sait ce qu'il dit, et ce qu'il peut faire, Bosc est un des plus célèbres chirurgiens esthétiques européens, et le cas de Marie-José – c'est votre nom – lui plaît. Il est sûr de pouvoir la transformer. Naturellement, après avoir hésité, elle accepte.

L'instituteur rentré chez lui, la vie reprend son cours. Non sans difficulté Marie-José réussit à quitter la maison sous le prétexte de passer un mois auprès d'une tante. En réalité, elle entre dans la clinique privée du chirurgien. Et, ce sera le miracle. Un matin, lorsque les derniers pansements sont ôtés, qu'elle se contemple dans un miroir, elle ne se reconnaît plus. La femme qui est devant elle, qui scrute son visage d'un regard étonné, au bord de l'affolement, est-ce bien elle?

– Michèle, tu imagines la scène? D'abord tu t'étonnes. Ce n'est pas possible, toi le laideron, tu es devenue radieusement belle! Enfin, telle que tu es! Puis tu t'inquiètes : que va dire ton mari?

Cayatte enchaîne :

– Votre retour? une catastrophe! Votre beauté sera le cancer qui va ronger ce couple soudain déséquilibré. Vous imaginez la suite : stupéfait, incrédule, furieux, Bourvil dévisage Marie-José. Elle n'est plus la femme qu'il a épousée, qu'il a soigneusement choisie disgracieuse, pour régner sur elle, la dominer, l'écraser, pour s'assurer de n'être jamais trompé. La laideur, ce gage de fidélité vient de lui être enlevé, il enrage. Alors il va se retourner contre le chirurgien.

C'est Gérard qui termine :

– Je vais payer très cher mon erreur : avoir introduit la beauté dans un ménage qui ne pouvait la supporter. Dans une crise de jalousie folle, persuadé que je n'ai fait cela que pour en profiter, ce qui est faux, Bourvil va me tuer... un chargeur de revolver!... pan, pan.

Et d'un grand geste Gérard renverse son verre de beaujolais sur ma robe.

En surimpression, dans ma mémoire, à Rome, un geste identique et... le verre de porto d'Henri se répand sur ma robe!...

Lorsque nous quittons « Les Corses » il pleut, une pluie torrentielle semblable à celle qui nous avait obligés, Henri et moi, à nous réfugier dans sa voiture.

Méfions-nous des analogies.

– Je te raccompagne à ton hôtel, Michèle?

– Non, je vais au Negresco.

Les premiers virages sont pris rapidement en silence, Gérard conduit bien, et je me sens en sécurité, la pluie flagelle les vitres de sa Lancia, – lui aussi a une passion pour les voitures italiennes –, les phares la transforment en rideau d'argent que la voiture écarte. Je le regarde ce profil dont hier encore je ne me préoccupais pas. Tout à l'heure en me rendant à ce dîner je n'avais pas cette curiosité de lui, m'est-elle venue en l'entendant défendre son scénario avec une force, une autorité qui m'ont plu? Probablement. Je suis trop timide pour aimer les hommes timides. Et moi qui avais gardé le souvenir d'un jeune homme au baiser incertain! Nous bavardons, nous nous amusons de nos rencontres d'opinions, de sentiments, nous parlons métier aussi, un peu de tout... et devant le Negresco, Gérard arrête sa voiture, la pluie claque toujours aussi fort, rebondit sur la carrosserie, sur la Promenade des Anglais déserte.

– Bonsoir...

– Bonsoir...

J'entrouvre la portière. Le chasseur avec son parapluie attend. Gérard me retient un instant :

– Je repars dans trois jours pour Paris. Serais-tu libre, un soir, pour dîner?

– Oui, peut-être...

J'hésite :

– Je serai de retour demain à Cap-d'Antibes, téléphone-moi, nous verrons...

– A quelle heure?

– Je prends ma leçon de tennis entre onze et douze. A part cela, je suis tout le temps à l'hôtel...

Un petit geste de la main, je rentre dans le hall. Le concierge du Negresco me tend la clef.

– Bonne nuit, madame Morgan...

Je m'étonne :

– Monsieur Vidal n'est pas rentré?

– Non, madame, pas encore.

Pourquoi suis-je venue? Il savait que je serais là tout de suite après le dîner. Il est une heure, s'il avait tourné de nuit il m'aurait laissé un message. S'il n'était pas si tard, je partirais. Depuis longtemps j'ai cessé d'imaginer ce qu'il peut faire, de chercher où il peut être, et je m'endors dans un des lits jumeaux.

Le bruit de la porte qui s'ouvre me réveille. A travers les stores le soleil me paraît déjà haut. Henri marche lourdement. J'ai fermé les yeux, je l'entends se déshabiller, se glisser dans l'autre lit. Pesamment il sombre dans le sommeil. Sa respiration est forte, tant de fois j'ai vécu ce genre de retour... La résignation, le découragement ne sont venus qu'au bout de plus de six ans d'un combat que ce matin je n'ai plus du tout envie de soutenir... D'ailleurs en aurais-je encore la force?

Pourquoi rester au Negresco? A Cap-d'Antibes, au moins je serai seule.

Il est midi passé, le lendemain, quand je quitte le court de tennis de mon hôtel.

— Un message pour vous, madame Morgan.

Sur un papier rose en forme de télégramme : « Monsieur Gérard Oury a téléphoné à onze heures et demie. »

Je croyais lui avoir précisé que je jouais au tennis entre onze heures et midi? Sans doute a-t-il fait une confusion? Je vais l'appeler à la Colombe d'Or à Saint-Paul. Mais pourquoi téléphoner? Quelle raison ai-je de dîner avec lui? Raisonnablement aucune. Nous reparlerons travail à Paris. Les choses sont bien ainsi.

J'accompagne mon frère Paul à Nice où il doit prendre le bateau pour la Corse. Je conduis assez lentement et, prise dans un bouchon, ralentis encore à la hauteur de Cros-de-Cagnes : « On doit tourner, me dit mon frère, j'aperçois des camions de la Victorine. »

— Oui, « Tamango », une sombre histoire de négrier, avec Curd Jurgens. Tu dois apercevoir la frégate, elle est à quelques mètres de la plage.

La file repart, j'accélère.

— Michèle, Michèle!

Jurgens, gentleman 1830, redingote, bottes à revers et chapeau de paille, me fait de grands signes.

— Vous avez bien deux minutes, montez à bord.

Nous grimpons par l'échelle de coupée sur le « plateau », cela m'amuse toujours de voir tourner les autres.

– C'est à moi dans combien de temps? demande Jurgens, je n'ai plus de cigarettes.

– Tu peux aller en chercher, lui répond le metteur en scène, mais fais vite, dix minutes...

Elles se sont à peine écoulées quand Jurgens revient avec Gérard Oury.

– Vous vous connaissez? nous demande-t-il.

– Mais oui, répondons-nous.

– Décidément, j'arrête tout le monde aujourd'hui, Gérard passait, j'ai levé le bras, et voilà!

– Je rentre à Paris après-demain, j'allais chercher mon billet à Nice...

– Et moi y conduire mon frère... d'ailleurs je m'en vais...

– Eh bien, on prend la même route – un temps – séparément... Un nouveau silence, puis Gérard poursuit :

– On t'a fait mon message à ton hôtel?

– Oui.

Son regard revient vers moi :

– J'ai téléphoné à l'heure où je savais que tu étais sur le court.

Ses yeux verts ne quittent pas les miens, il précise :

– Exprès...

Je ris. Elles sont grosses les ruses masculines! En est-ce une? Il est bon comédien mais il y a quelque chose dans son ton qui m'alerte, une sincérité difficile à imiter.

– Ainsi c'était volontaire?

– Oui... j'ai téléphoné en souhaitant que tu ne sois pas là...

– Eh bien, tu es satisfait.

Il ne doit pas l'être. Rapidement il me propose dans le style affirmatif :

– Dînons ensemble demain soir. J'ai beaucoup de choses à te dire.

— A quel propos?

Quand il sourit tout son visage se plisse.

— A propos du travail.

Il a prononcé ce mot avec une tendresse peu en rapport avec le sujet.

— Rendez-vous à Saint-Paul-de-Vence. Veux-tu? (Il ne me laisse pas le temps de dire oui.) Dans un restaurant qui s'appelle « Les Oliviers » à neuf heures.

Le coup de pouce du destin est donné, sec comme le starter d'une course, l'arrivée en sera lointaine. Un circuit difficile...

Le soir tombe sur cette campagne provençale aussi tendre que la Toscane. Elle lui ressemble par les flammes sombres des cyprès, ses chapelles, ses vallons, la douceur de ses fins de jour. Le soleil fait durer son coucher, une lumière orangée éclaire la terrasse du restaurant et le feuillage gris des oliviers que la lumière divise en petites touches vibrantes : celles de Van Gogh.

— Tu vois, me dit Gérard me parlant travail, pour t'enlaidir, il faut rapetisser tes yeux, supprimer leur forme étirée vers les tempes qui est si belle! et puis surtout déformer ton nez. Il est petit, ravissant, ton nez! On devra l'allonger, transformer la courbe de tes narines trop parfaites, et ta bouche, et tes dents... Il faut détruire tout cela...

Comment n'être pas flattée d'être ainsi « enlaidie »...?

Il se tait puis reprend avec une sorte de ferveur :

— Seulement on ne changera que des apparences, ta beauté intérieure demeurera, c'est elle qui compte, n'importe quel homme pourrait t'aimer laide, puisque tu resterais belle!

Il me parle de moi et je l'écoute, il me parle de lui et je l'écoute. Il me dit la tendresse qu'il porte à sa femme, et curieusement elle me devient un gage de sa sincérité, de sa loyauté. Il s'avance davantage :

— Quelquefois, au cours des années passées, je plaisantais, je lui disais : « Vois-tu, à part toi il n'y a qu'une femme au monde que je pourrais aimer, Michèle Morgan. »

C'est à cet instant précis que je devrais l'arrêter, il poursuit et, autour de nous, l'air me semble plus dense :

– C'est certainement à cause de cette phrase qu'hier avant de repartir pour Paris, elle m'a demandé, oh! très gentiment : « Promets-moi de ne pas dîner avec Michèle... en dehors du travail! » J'ai promis. Et tu vois, j'ai été honnête.

Une honnêteté de joueur : un coup de roulette russe. Il a téléphoné à l'heure où il pensait que je ne serais pas là, mais j'aurais pu aussi y être! Le destin a parfois de ces complaisances!

Un sourire, une volte-face, l'atmosphère se détend, nous parlons théâtre, cinéma, peinture, musique. Je ris, depuis ma rencontre avec Henri c'est le premier homme qui m'amuse. Je sens aussi à quel point je lui plais et cette sensation m'est agréable. On est facilement séduit par qui l'on séduit. Il parle comme un homme qui a beaucoup à dire et il le dit bien : il a le don de mettre en images la vie; une soirée avec lui devient un spectacle. Nous parlons du film, de ses ambitions, il me dit quelle importance il attache à la réussite de son premier scénario, me confie que le métier de comédien qu'il aime ne satisfait pas complètement son goût de l'action, son besoin de créer. Je l'écoute, quand un homme vous raconte sa vie, c'est qu'il a envie d'entrer dans la vôtre!

Cela ne me heurte ni ne me déplaît. Je me sens à la fois disponible et incapable de m'engager.

Le dîner s'achève.

La tasse de café, que je ne bois pas, se prolonge. La nuit est légère. Du pied de la terrasse de l'hôtel la colline dévale doucement dans les oliviers et les vignes, bruissantes des premières cigales.

Il y a longtemps, bien longtemps, que je ne me suis pas sentie aussi bien. Alors, insensiblement, moi aussi je me mets à parler. Gérard m'écoute comme toute femme à envie d'être écoutée : attentif, compréhensif, silencieux. J'ai commencé par lui dire mes soucis avec Mike, rapidement ce que fut mon mariage avec Bill, et je me laisse glisser dans le présent, mon obsession. Ce n'est pas facile d'avouer que l'on n'est pas heureuse, moins encore de le dire sans toucher à l'autre, l'abîmer serait pour moi une trahison impardonnable, plus grave qu'une tromperie. Je me réfugie dans les blancs des phrases inachevées. Gérard n'en est pas dupe et c'est notre première complicité.

On approche de la Saint-Jean d'été, la nuit est douce et claire, Gérard me propose :

— Allons nous promener, viens...

Nous marchons à pas réfléchis dans les petites rues tortueuses de Saint-Paul, qui aboutissent au cimetière, proue de ce navire, puis sur la route que nous quittons pour un chemin qui s'en va à travers vignes. Et, sous les oliviers tout argentés de lune, doucement, presque avec ferveur, Gérard m'embrasse. A cet instant, je veux croire qu'il s'agit d'un flirt, d'un moment délicieux mais dont j'avais grand besoin, sans importance véritable, sans suite.

Le lendemain, je me complais dans cette idée : un joli souvenir, une halte sous les oliviers...

22

LA SÉPARATION

Etre laide, ce fut une véritable épreuve qui exigea des jours de recherches, mais se sentir laide, le savoir, ne me prit que quelques secondes, l'instant d'une réflexion dans la rue.

C'est par petites touches que Charly Parker, un maquilleur réputé que l'on a fait venir de Hollywood, casse ce qui fut mon visage. Je ne dois pas être « à faire peur » mais chacun de mes traits doit être « un peu trop ou un peu moins ».

« La beauté c'est une question d'harmonie », commente André Cayatte venu assister à cette importante entreprise de démolition. Cette harmonie, Charly Parker doit l'attaquer sans faiblesse tandis que le metteur en scène poursuit dans l'enthousiasme l'exposé de ses conceptions.

– La différence entre la beauté et la laideur n'est souvent qu'une question de millimètres. Beaucoup de femmes belles ont manqué être laides pour très peu de chose, l'inverse est encore plus vrai. Combien de laiderons pourraient être ravissants! Pour vous nous devons travailler par petites touches. Il ne s'agit pas de vous rendre grotesque, non, simplement disgracieuse, terne. Tout ce que l'on va vous ajouter doit pouvoir être enlevé ou amélioré grâce à un acte chirurgical simple. Vous voyez...

Pendant un certain temps je ne verrai pas grand-chose. Charly Parker s'active : une prothèse, dont la mise au point demande des jours, rend ma mâchoire prognate. A l'aide d'une mince pellicule de plastique mes yeux sont rapetissés. Des sourcils épais à la courbe tombante me « ferment » l'œil. Un faux nez, légèrement trop long, est posé sur le mien. Pour transformer l'ovale du visage, l'alourdir vers le bas, de grosses boules de coton sont glissées dans mes joues, elles modifient également mon élocution, m'obligeant à avoir recours à une diction plus lente, plus appliquée.

Deux heures, chaque matin, sont nécessaires à la mise en place de ce dispositif laideur. La première fois que Charly Parker me dit : « Regardez-vous!... » je suis stupéfaite. Il n'est pas possible que je sois cette femme qui me dévisage avec une expression de stupeur, qui ouvre la bouche quand je parle! De quoi rabattre votre vanité et méditer sur la fragilité de la beauté!

Derrière moi, dans le miroir, sévères, professionnels, les yeux de Cayatte et de Gérard Oury m'examinent.

– Suis-je assez vilaine?

Ils hésitent à répondre.

– Trop, peut-être?

– Non, physiquement c'est bon, me répond Cayatte, mais mentalement...

Gérard achève et précise leur pensée :

– Tes yeux te trahissent, ils ont l'assurance de ceux d'une femme sur laquelle les hommes se retournent, que les femmes envient. Qui s'intéresse à Marie-José? Personne! Tu dois apprendre l'humilité des gens que personne ne regarde.

Cela va se faire très vite, sans effort de ma part, tout naturellement : ne pouvant me démaquiller avant le soir je promène en extérieur le visage de Marie-José, c'est avec lui que j'entre dans un restaurant et c'est elle que les gens croisent dans la rue, sans la voir. La sensation est nouvelle pour moi. Le problème est résolu, on ne se retourne pas sur Marie-José! ou alors c'est pour faire des réflexions du genre : « Tiens, ils tournent un film avec celle-là! Ce qu'elle est moche! »

Cet anonymat que m'impose mon nouveau visage ne me déplaît pas : on regarde mieux le monde lorsqu'il ne vous voit pas et je découvre que la laideur comme la vieillesse rendent invisible! Jamais je n'ai mieux compris à quel point les miroirs magiques de la femme étaient les yeux des autres! Cette épreuve est très profitable à mon personnage; elle m'aide à le jouer de l'intérieur.

Cette actrice inconnue que, dans sa logique, le public de la rue s'étonne de voir tourner, c'est moi, et cette expérience me convient : elle va me permettre de donner vie à un personnage sans qu'on en puisse attribuer un quelconque mérite à la forme de mes yeux, à la photogénie de mon visage. Etre libérée de lui me plaît, je n'irai pas jusqu'à dire que j'en étais encombrée, ou qu'il me desservait, mais pour une fois cette métamorphose va me permettre de jouer la comédie sans le secours de ce physique qui m'a valu de tourner mon premier film.

Le grimage est tellement réussi que cet après-midi Henri, venu sur les lieux du tournage, passe indifférent à côté de moi. Son regard me cherche, il demande à Micheline : « Où est Michèle? »

— Je suis là, derrière toi!

Il se retourne, incrédule, puis éclate de rire : « C'est formidable, mais n'oublie pas de te démaquiller pour rentrer à la maison. »

Pourtant un étrange phénomène se passe le soir lorsque j'abandonne mon faux nez, il me manque presque! Ce visage, le mien, je ne le reconnais plus. Je passe mon doigt sur le bout de mon nez redevenu incroyablement petit. Ce long nez triste de Marie-José j'ai fini par m'y habituer. Je m'interroge sur ma véritable figure : est-elle si harmonieuse? Cette réaction m'apparaît extrêmement consolante, toutes les idées que je me suis faites sur la laideur, les questions que je me suis posées sur les conditions de vie, les pensées de celles qui en sont affligées s'écroulent, elle me paraît réconfortante la grâce qui vous est accordée de vous habituer à vous-même, d'admettre votre visage, mieux, d'y trouver certaines satisfactions. D'autant plus que rares sont les femmes qui ont une réelle conscience de leur physique. Plus tard, lorsque je m'occuperai de mode, cela se confirmera. Les femmes ont toutes quelque chose qui les satisfait, et bizarrement c'est généralement ce qu'elles ont de moins bien qui les contente : celle-ci critiquera un nez quelconque et louera une bouche sans grâce, s'attristera de seins fort agréables et s'enchantera de jambes filiformes...

La laideur comme la beauté sont ainsi très subjectives : laide je l'ai été pendant quelques semaines. Belle? On le dit, et le mot m'a un jour bouleversée surtout à cause de celui qui le prononçait. C'était à Rome, au moment de « Fabiola ». Henri m'attendait, nous devions dîner ensemble. Je traverse le hall de l'hôtel pour le rejoindre, il parlait avec Michel Simon, tous deux me regardent venir; stupéfaite, je vois de grosses larmes couler sur les joues de Michel. Inquiète, je lui demande :

— Qu'est-ce que tu as?

Et il me répond cette chose extraordinaire :

— Je pleure parce que tu es belle!

Dit par lui c'était bouleversant.

Le tournage du « Miroir à deux faces » aura été à la fois, une parenthèse entre deux phases de ma vie, un trait d'union entre elles et un alibi.

Je suis revenue à Paris assez perplexe, ne pouvant plus me leurrer sur mes sentiments à l'égard de Gérard, les redoutant et les désirant tout à la fois. Déjà la pensée de ne plus le voir m'était insupportable, c'était presque égoïste de ma part, j'avais besoin de sa force, de son équilibre, de son intérêt, de son amour.

Physiquement j'étais très dégagée vis-à-vis d'Henri, mais sentimentalement je souffrais de le voir se détruire, et je ne parvenais ni à lui en vouloir ni à le mépriser. Je détestais le rôle d'infirmière qu'il m'obligeait à jouer, mais rien ne pourrait m'y faire renoncer.

Je revoyais également Gérard et chaque seconde passée avec lui me donnait le courage d'affronter les heures pénibles où je guettais le monstre qui lui-même guettait Henri : la drogue. Je luttais avec mes seules armes : amour, tendresse, vigilance, mais le temps où j'étais avec Gérard tissait des liens indissolubles. Le feu de sa passion soufflait sur la mienne, me plaçant inéluctablement devant une décision à prendre : lequel de ces deux hommes choisirai-je? En amour, on veut l'être qu'on aime. Gérard me voulait et je remuais sans cesse dans ma tête un jeu cruel où les dés roulaient sans jamais s'arrêter car je ne pouvais ni perdre l'un ni abandonner l'autre.

En même temps, Gérard me disait combien je lui étais indispensable. Sa vie professionnelle était en pleine mutation. Jouant la comédie mais écrivant aussi ses propres histoires, il me les racontait, les imaginant avec cette force, ce dynamisme qui n'allaient pas tarder à lui faire tourner « Le Corniaud », « La Grande Vadrouille » et autres grands succès. Comme dans toutes les rencontres de l'amour, tout a compté pour nous. Je n'oublierai pas nos entrevues clandestines qu'abritait, le plus souvent, la voiture de Gérard ou la mienne. Je crois que mieux que personne nous avons appris à connaître ces petites rues oubliées de la capitale dans lesquelles nous nous arrêtions, un temps toujours trop court, avec la sensation d'être devenus un îlot minuscule au milieu de la ville. Notre couple y naissait, fragile et déjà si fort...

C'est aussi pendant le tournage du « Miroir à deux faces » que nous connaissons notre première séparation. Je dois partir pour Venise où vont se tourner les extérieurs du voyage de noces de Bourvil et Marie-José. Gérard ne peut venir. J'insiste :

– Tu ne peux vraiment pas partir avec nous?

– Non, Michèle, l'opération de chirurgie esthétique à laquelle je dois assister et qui nous sert de modèle pour le film aura lieu à la fin de la semaine. Je vous rejoindrai dès que ce sera possible.

– Tu viendras vite?

– Très vite.

Nous en sommes au dernier jour de tournage. Bourvil va interpréter sa grande scène d'ivresse. Cayatte vient de lui indiquer « ses places », elles sont compliquées : l'instituteur rentre chez lui, soûl de chagrin et d'alcool, la beauté de sa femme a brisé leur couple. Il lui en veut, la hait et l'aime. Bourvil doit se cogner contre les meubles, un circuit précis et complexe, insulter Marie-José, pleurer et faire rire à la fois. L'extraordinaire clavier dont dispose cet exceptionnel comédien lui permet tout, mais pour nous qui connaissons les difficultés mécaniques du cinéma, ce genre de scène est un exploit.

Sur le plateau, fait qui ne se produit que rarement, règne un silence presque religieux, l'équivalent des roulements de tambour dans un cirque, du machino au producteur tous sont conscients de la difficulté, de la concentration qu'exige ce plan.

– Moteur!

Une seule prise. La scène se déroule.

– Coupez, ordonne Cayatte.

Alors, fait exceptionnel, du haut des passerelles, du fin fond du plateau, des applaudissements jaillissent, crépitants, chaleureux.

Bourvil rit, salue, puis pirouettant, d'une voix de fausset, entonne la naïve chanson qu'il adore : « C'est nous qui sommes les abeilles.Bzzzz, Bzzzz... » C'est irrésistible et surréaliste comme la danse dans laquelle il m'entraîne, mi-valse, mi-bourrée...

Irrésistible et émouvant. Mon regard cherche celui de Gérard, notre complicité est sans faille. Nous savons de quelle façon nous venons d'être touchés par la réaction de Bourvil aux applaudissements, nous mesurons ce qu'elle représente de pudeur, de véritable modestie, comme elle caractérise cet homme bon, sensible, vrai.

La fin du « Miroir à deux faces » nous laisse un peu désemparés. Gérard et moi étions bien dans cette ambiance de travail. Il y avait une certaine connivence dans l'œil gentiment ironique de Cayatte lorsqu'il nous dirigeait. Nous n'en étions pas dupes et notre sentiment était double : contents de cette approbation et inquiets d'avoir été devinés malgré les soins que nous prenions à jouer la comédie de la camaraderie. C'est perspicace une équipe de cinéma, difficile à tromper, ils ont des antennes et, entre les prises de vues, tout le temps nécessaire pour vous observer, ce que l'habilleuse n'a pas vu, le maquilleur l'a aperçu; et ce rendez-vous chuchoté rapidement au passage est-il vraiment passé inaperçu?

Sans ces rencontres à la sauvette qui sont nos bouffées d'oxygène comment allons-nous vivre?

Gérard va commencer « Le Dos au mur » le premier film d'un jeune metteur en scène, Edouard Molinaro, il y sera le partenaire de Jeanne Moreau, et moi je prépare « Maxime » avec Charles Boyer. Pour nous ces films vont signifier des jours et des jours sans nous voir.

L'impasse dans laquelle je m'étais engagée faisait partie de ces situations qui ne peuvent arriver qu'aux autres. Aimer deux hommes à la fois je n'aurais jamais cru cela possible, et pourtant c'était devenu une réalité, la mienne!

Lorsque je nous vois, comme ce soir, Henri devant son bureau, dans le salon, calme, presque trop, écrivant un poème, puis se levant, s'allongeant sur le canapé, fumant cigarette sur cigarette, tandis que je lis un texte au coin du feu, je pense que nous offrons encore l'image d'un couple heureux. Nous ne sommes plus heureux et nous ne sommes plus un couple. Henri sait que d'une certaine manière il m'a perdue, que chaque jour rend cette perte un peu plus inéluctable. Je ne lui ai pas menti, il n'ignore pas qu'un autre homme est dans ma vie, je ne lui ai caché que son nom. Il ne tient pas à le connaître et ne pose pas de questions, il n'en est plus là, ce qu'il veut de moi, c'est ma tendresse, mes soins, mon affection, mon amour, même si celui-ci n'a plus le même sens.

Sauf de courts moments, plus jamais je ne suis entièrement bien avec l'un ou l'autre. Nous dînons aux chandelles avec Gérard dans un de ces restaurants où il m'emmène aux environs de Paris. Je m'excuse, je me lève et vais téléphoner. Ce n'est que lorsque je suis rassurée sur l'état d'Henri que je peux profiter de notre dîner. Et Gérard accepte avec infiniment de gentillesse et de bonté cette situation bloquée. Pourrai-je cependant exiger longtemps de lui cette forme de sacrifice? Accepter d'un homme tant d'amour et en retour ne lui donner sa présence qu'au compte-gouttes? jusqu'à quand cela durera-t-il? Et si Gérard se lassait, retomberais-je dans la monotonie d'une existence qui n'est plus, en aucun cas, celle d'une femme?

Lorsque je suis avec Henri, je me tourmente en pensant à la totale liberté que notre liaison confère à Gérard. Je ne suis avec lui ni le jour ni la nuit. Depuis qu'il a divorcé de sa femme, il vit en m'attendant dans un milieu – le nôtre – qui ne manque ni de femmes séduisantes, ni de copains pour vous les présenter. Toujours le même et éternel problème! En attendant, Gérard rase les murs, me téléphone sous de faux noms, évite les questions des journalistes et surtout me rassure : une heure avec moi lui donne le courage de travailler, la volonté d'entreprendre. Que ces mots-là sonnent doux à mon oreille...

Un autre sujet d'inquiétude m'occupe : Mike. Depuis un an il est à l'école des Roches. Nous passions, lui et moi, des vacances idylliques. Seulement je n'étais pas seule à le voir. Bill ayant pris goût à la France, y faisait des séjours assez fréquents et prolongés pendant lesquels il voyait beaucoup notre fils. A la suite de ces visites je devais, pendant des journées entières, entendre Mike bavarder interminablement des mérites de son père. A 14 ans, il était à l'âge où l'on a besoin que le père soit un archétype de l'homme, et Bill faisait tout ce qu'il pouvait pour lui en donner l'image. Héros de la guerre, grand producteur style Darryl Zanuc, il y ajoutait, pour faire bon poids, un petit côté James Bond des plus réussis.

De ces histoires imaginées, émanait un pouvoir de séduction qui me paraissait redoutable.

Je ne sais où cela va nous mener mais je suis persuadée que j'en ferai les frais. A nouveau je suis impuissante. Bill a conservé la garde de son fils, le fait qu'il me l'ait laissé n'a modifié en rien les conditions légales. Je sentais le danger mais ignorais comment il se manifesterait.

Il est venu beaucoup plus vite que je ne pouvais le prévoir et plus dramatiquement : je m'apprête à sortir quand sonne le téléphone, Rolande, ma fidèle Rolande, qui, avec son mari Etienne, m'avait témoigné tant de gentillesse au moment de mes épreuves, me dit : « Madame, c'est le directeur de l'école. »

— ...je dois vous prévenir que votre mari vient d'emmener votre fils.

J'ai compris mais je veux me leurrer.

— Nous sommes en semaine, comment cela se fait-il?

— Il l'a retiré de notre école.

— Mais, pour aller où?

— Ils partaient pour la Californie. J'ai cru comprendre qu'ils allaient directement à l'aéroport.

Le directeur continue à parler. Que m'importe ce qu'il dit et l'apparente légalité de ce rapt! Pour moi c'en est un, il en a la brutalité irrémédiable. C'est aussi et surtout un écroulement.

Beaucoup plus tard, j'apprendrai que Bill a fait miroiter aux yeux de Mike toutes sortes d'attraits, lui affirmant qu'il était propriétaire d'un ranch. Quel garçon aurait résisté aux mirages de l'Ouest? La possession d'un cheval, les chevauchées dans la prairie, les feux de camp, la carabine à l'arçon de la selle, il mettait toute la panoplie d'un Far-West hollywoodien à sa disposition. Quel garçon aurait refusé le plaisir de découvrir l'Amérique en compagnie de son père?

J'étais battue.

Les lettres que je recevrai seront gentilles et un peu lointaines : « Je me porte bien, je m'amuse bien, l'Amérique c'est formidable! »

Il ne me restait plus qu'à reprendre mes voyages en Californie, ce que je fis; à intenter une nouvelle action en justice, qui me causa beaucoup de démarches, un peu d'espoir, une déception sans appel : le jugement fut maintenu, Mike appartenait à son père, jusqu'à sa majorité.

Les semaines, les mois passent, je ne me sens pas « installée » dans cette nouvelle vie, j'ai l'impression d'y être assise sur un strapontin dont, je ne sais pourquoi, je pourrais être chassée d'un instant à l'autre, c'est un peu une image de rêve, mais je crois qu'elle définit bien la sensation d'incertitude ressentie.

Je reviens de tourner en Italie « Vacances d'hiver » et j'éprouve l'envie de dire : un de plus! La période professionnelle que je vis ne me satisfait plus : trop de films, et de ma part une sélection insuffisamment rigoureuse.

C'est dans cet état d'esprit que je rentre. Henri n'est pas venu me chercher à la gare. Son aspect physique m'épouvante. Il est là devant moi, incertain, ailleurs, comme flottant entre deux mondes : pâle, l'œil éteint, il me regarde comme on appelle au secours... Brutalement, sous mes yeux, il s'effondre, c'est la syncope. Avec Tanine, venue me voir, je lui donne hâtivement quelques soins. Assez rapidement il reprend connaissance.

J'ai eu très peur, assise devant lui, la gorge nouée, avec l'envie de pleurer, je le contemple, je scrute sur son visage amaigri les progrès de la destruction. Au bord des lèvres me viennent les phrases cent fois dites, une fois encore j'ai l'impression épuisante de me battre à mains nues... je renonce et me tais.

Il parle :

– J'ai décidé d'entrer en clinique. Ce sera ma dernière cure de désintoxication, cette fois j'aurai le courage, j'irai jusqu'au bout...

Courageux il l'est, il en faut beaucoup pour affronter les douleurs, les souffrances qui l'attendent et qu'il connaît.

– J'ai rendez-vous, ils me prennent dans trois jours.

– Veux-tu que nous allions à Montigny? L'air te fera du bien.

Il accepte et nous passons dans cette maison, qui lui appartient, trois jours tranquilles... Au matin du dernier – je le verrai toujours, passant de la salle à manger dans le jardin; il fait une belle matinée d'hiver, un peu fraîche, la lumière le découpe sur un fond de brume légère – il se tourne vers moi et me dit :

– Je ne sais pas ce que j'ai... comme un drôle de pressentiment...

– En ce cas n'y va pas. Nous n'en sommes plus à quelques jours près.

Ce jour-là ou un autre... je n'y croyais plus, j'avais depuis longtemps abandonné cette espérance.

Henri s'est retourné, m'a fait face, d'une voix ferme, avec une énergie retrouvée, presque violemment il m'a répondu :

– Non cette fois, c'est fini, j'ai quarante ans, les conneries c'est terminé!

Le jour même, le 9 décembre, il entre en clinique, refusant que je l'accompagne. « Tu verras, ma chérie, cette fois-ci je m'en sortirai. »

Cette séparation est d'une tristesse épouvantable.

Il y a vingt-quatre heures qu'Henri a quitté la maison. Je viens de me réveiller comme sollicitée par quelque chose. Je ferme les yeux, une sorte de refus d'entrer dans cette journée que je pressens lourde. Et, derrière mes paupières closes se forment des images. Pourtant je ne dors pas : je me vois, suivant un enterrement, dans un cimetière qui m'est inconnu. A côté de moi, Olga et Bob Dalban, Bob est le meilleur, le grand ami d'Henri. Il a lui aussi lutté de toutes ses forces contre la drogue. Il sanglote désespérément. Je sais que cet enterrement est celui d'Henri.

Je rouvre les yeux sur le décor familier de ma petite chambre vert amande. Derrière la vitre, une minuscule terrasse qui donne sur la Seine. Une péniche passe, tout est paisible. Qu'est-ce qui vient de m'arriver? Pourquoi cette vision? En est-ce une? Je me secoue, il faut que j'oublie cette horreur très vite. Je téléphone à la clinique. « Tout va bien, me répond l'infirmière, il est calme. » Je l'assure que je passerai dans la journée. Alors?

La journée est pesante comme je le pressentais; fatiguée, en proie à un cafard fou, je rentre chez moi de bonne heure et parviens à m'endormir. C'est la sonnerie du téléphone, impérative, harcelante, qui me réveille. A cette heure de la nuit, un mauvais plaisant qui se croit drôle? un ami? une erreur? En décrochant, je regarde la pendule : deux heures.

La voix impersonnelle est officielle :

– Madame Morgan, je vous passe le docteur.

Dans une atmosphère cotonneuse me parviennent des phrases incroyables : « Soyez courageuse... mari décédé... crise cardiaque... constitution robuste, mais il n'a pas résisté à sa dixième cure de désintoxication... »

Quarante-huit heures plus tard, en Auvergne, dans le petit cimetière de Pontgibaud qui m'était inconnu, il fait froid et beau. Une lumière de décembre qui découpe les images avec précision. A côté de moi, Olga et Bob Dalban qui sanglote sans retenue. Je suis entrée dans ma vision.

A l'église, à l'instant où le cercueil a été béni, le coq a chanté. Ici l'on dit que c'est un « signe ». Pour moi c'est celui de la douleur, d'une déchirure profonde.

J'ai longtemps hésité à rapporter ce long et pénible épisode de ma vie privée. Si je m'y suis finalement résolu, c'est en pensant aux jeunes, si nombreux, attirés aujourd'hui par la drogue et qui, comme Henri Vidal, se croient capables de la dominer. Si certains d'entre eux lisent ces lignes, je serais satisfaite que mon témoignage puisse les aider à comprendre tout ce qu'ils risquent s'ils cèdent à leur tour à la terrible tentation.

23

LA FIN DU TUNNEL

La mort d'Henri me laissait désemparée. Pendant onze ans il avait été à mes côtés, nous avions connu deux ans d'amour exceptionnel, durant neuf ans j'avais combattu la drogue, lutté, pour en arriver là!

Je n'ignorais pas que c'était la seule issue, cependant elle me surprenait. Henri n'était plus, ces derniers mois, que le semblant de lui-même, mais je lui restais profondément attachée. Chaque jour je m'inquiétais de ce qu'il pouvait avoir fait, je redoutais son apparition dans l'embrasure de la porte où d'un coup d'œil je jugerais son état... Tout cela était vrai, terrible, insupportable, mais il vivait. Je pouvais m'indigner, le plaindre, lui faire la morale ou me lasser de la lui faire, discuter, me disputer, claquer la porte, partir, revenir, tout restait possible. Aujourd'hui plus rien ne l'était.

La litanie des questions commençait. Je m'interrogeais sur lui, et je m'apercevais qu'il demeurait pour moi une énigme : il appartenait à ce genre d'êtres qui détruisent tout autour d'eux, qui font du mal à tort et à travers sans même s'épargner.

Olga à qui je confiais une partie de mes doutes, de mes interrogations, de ma peine, me disait sagement : « Laisse faire le temps. » Que pouvais-je faire d'autre?

Elle et Tanine comprenaient mon besoin, presque

farouche, de solitude, et leur amitié vigilante s'en inquiétait : « Tu n'as rien à te reprocher », m'affirmaient-elles, je protestais : « Je ne me reproche rien, je voudrais seulement comprendre. »

Je me gardais de penser aux courtes périodes de ce bonheur volé que j'avais connues avec Gérard, il me semblait que la mort d'Henri avait tout rendu impossible.

Olga m'affirmait : « Tu te punis d'avoir été heureuse! » Avait-elle raison? « Seulement, m'avertissait-elle, prends garde, tu punis aussi Gérard, crois-tu qu'il le mérite? »

Non, c'était évident, il le méritait encore moins que moi, ce n'était pas lui non plus le responsable, mais qui l'était? Je me refusais à rejeter tous les torts sur un mort.

Il est certain qu'avec le recul je vois les choses différemment, et comme elles doivent l'être. Mais j'avais été trop secouée par ce drame, par sa brutalité, pour pouvoir en juger raisonnablement.

J'avais voulu être seule, je l'étais. Moralement, sentimentalement je me sentais dépouillée. L'absence de Mike m'était cruelle. J'allai le voir en Californie et je trouvai un parfait petit boy américain. Il m'offrait de lui l'image que son père voulait que je reçoive. Et Bill ne comprenait ni n'admettait qu'il ne pouvait y avoir entre nous aucune rivalité nationale. Je ne cherchais pas à lui opposer un petit Français. Que mon fils soit né de deux mondes ne m'était en rien offensant ou désagréable. Je n'y voyais au contraire que des avantages : Mike posséderait deux cultures, serait bilingue, ainsi la vie lui serait-elle plus largement ouverte.

Pour moi une seule chose comptait, qu'il soit heureux.

L'était-il? A quinze ans, la Californie ne peut apparaître à un garçon que comme un paradis, soleil, piscine, cheval, de vastes étendues à votre disposition, des dimensions que ne peut offrir la France. J'espérais que dans l'immédiat cela lui suffisait. Il était gentil avec moi, il me parlait de l'Amérique comme si jamais je ne l'avais habitée. Sans vraiment me rejeter, on sentait qu'en tout il se voulait un homme : le fils de son père.

A peine rentrée deux films m'absorbent, rien ne vous est plus secourable que le travail : un remake de « Grand Hôtel » où je reprenais le rôle de Greta Garbo, le rêve de la petite fille que j'avais été, et « Les Scélérats » avec Robert Hossein. Ils ne sont pas terminés que déjà Olga me parle de « Fortunat » avec Bourvil. Elle sait qu'à ce nom je donne une double résonance; lorsqu'il est prononcé, il n'évoque pas seulement l'amitié profonde que j'ai pour Bourvil, mais aussi Gérard. Pour moi ils sont inséparables et le resteront.

Gérard... Olga dont l'amitié est clairvoyante n'a cessé de m'en entretenir à coups de petites phrases glissées dans la conversation presque par hasard, du style : « A propos... au fait... » C'est ainsi que j'avais appris son divorce. Le suivre de loin m'est une satisfaction douce-amère à laquelle je ne résiste pas. Et lorsque Olga m'affirme qu'il ne cesse de penser à moi, d'en parler... qu'il est malheureux, je ne la fais pas taire. Simplement je ne réponds pas, je laisse ces redoutables petites phrases flotter dans l'air, entre nous deux...

Cela fait six mois que je n'ai pas revu Gérard. Je dîne avec Olga chez elle, c'est la fin du repas. Pour la première fois depuis longtemps je me sens détendue, différente, disponible...

– Sais-tu que Gérard vient de terminer « La main chaude », son premier film comme réalisateur?

Je m'entends répondre :

– J'en suis très heureuse pour lui, cela me fait plaisir!

– Je peux le lui dire?

– Non, Olga.

Le ton que j'ai employé est-il moins ferme qu'à l'habitude? A-t-elle senti une faille dont je ne suis pas encore consciente?

– Ecoute, Michèle, j'ai très bien compris ton attitude : sur le moment elle pouvait paraître légitime, mais maintenant... Tu devrais le revoir. Une telle patience, une telle fidélité, une passion aussi sincère... Qui te demande de faire ton malheur et le sien?

– N'insiste pas... pas encore.

– Donne-lui un rendez-vous, le rencontrer te permettra de voir clair en toi, de te rendre compte de tes sentiments réels...

Cette fois-ci je ne lui réponds pas, je lui parle de Mike, de nos projets, d'elle, de tout, sauf de Gérard dont le nom n'est plus prononcé.

En la quittant, je décide de marcher un peu. Je me dirige vers le Trocadéro. Cette nuit de juin est douce, une légère brise anime les arbres de l'avenue du Président-Wilson. Je descends vers l'Alma. Il y a deux ans j'étais à Saint-Paul-de-Vence, je dînais sur la terrasse des « Oliviers » avec Gérard...

Pourquoi tout à l'heure avoir répondu non à Olga? « Il est malheureux, accorde-lui un rendez-vous, cette obstination n'a plus de sens! »

C'était vrai, ce soir elle vient de perdre brusquement tout sens, me semble-t-il, alors qu'un lent cheminement a été nécessaire.

Gérard m'a donné beaucoup de joie, pourquoi lui avoir, nous avoir, imposé cette épreuve?

J'arrête un taxi, il faut que j'appelle Olga, je n'ai plus une minute à perdre, le bonheur, elle a raison, il ne faut plus le faire attendre!

J'avais retrouvé l'amour. Je n'avais pas retrouvé mon fils. Il me semblait que les lettres de Mike, bien que peu fréquentes, étaient moins distantes. J'y voyais apparaître, en filigrane, un besoin de se rapprocher de moi. Bill avait mis son fils dans une université proche de Los Angeles, Mike, m'en parlait peu et assez évasivement. Quant à sa nouvelle belle-mère Ginger Rogers — Bill venait de se marier avec elle — il n'y faisait aucune allusion...

Nous en sommes là, lorsque Gérard part pour les Etats-Unis où il doit tourner un film. Naturellement, connaissant mes soucis, il se propose de voir Mike. Peu de jours après son arrivée, au cours d'une conversation téléphonique, il me dit assez succinctement : « J'ai vu Mike, il est splendide! il t'embrasse. » Les jours suivants, il m'écrit qu'il le rencontre à Beverly Hills de plus en plus souvent, qu'ils sortent ensemble : « Nous parlons beaucoup de toi. » Incidemment Gérard précise : « J'ai redressé dans l'esprit de Mike quelques idées fausses! Mais, tu sais, c'est un homme maintenant, personne ne peut plus lui dicter ce qu'il doit penser. » La phrase est ambiguë, Gérard la rectifie : « Il faut lui laisser prendre ses décisions seul, c'est à lui de savoir quel choix il doit faire... je crois que ce sera important, dans l'avenir, pour vos relations. J'apprends aussi que ses études ne lui plaisent pas. Son père lui a imposé le droit et il n'est attiré que par les techniques du cinéma ou les lettres. »

C'est ainsi que, chaque jour, j'en savais un peu plus sur mon fils. Quand Gérard est rentré il m'a redit les mêmes choses, plus une : « Je pense qu'il a maintenant très envie de revenir ici : Pour voir, m'a-t-il précisé. Ce « pour voir » c'est une précaution que Mike prend avec lui-même, avec la vie. Il faut attendre. »

Le garçon que je suis allée accueillir à Orly en 1961 me dépassait d'une tête, un grand gaillard blond, aux yeux bleus, à la joue juvénile, à la voix d'homme.

Cette fois-ci il me revenait vraiment de son libre choix. J'étais heureuse mais je savais que pour nous rejoindre nous avions encore un long chemin à parcourir. Mike n'a jamais eu son père et sa mère ensemble, équilibre indispensable à celui de l'enfant; j'imagine que c'est à cause de cela que très tôt il a désiré fonder un foyer, celui qui lui avait manqué. Il a eu une petite fille, Samantha, puis peu de temps après, d'un commun accord avec sa femme Catherine, ils ont divorcé. C'est en voyant, par lui-même, comment ces choses-là peuvent arriver qu'il a mieux compris le divorce de ses parents, et sans doute fait, vers moi, le pas qui lui restait à faire!

De 1960 à 1965 je tourne beaucoup, trop, quinze films en cinq ans... Cette réflexion ce n'est pas la première fois que je la fais, mais cette fois je m'y attarde. Je prends le temps d'y réfléchir, l'ensemble de cette production est peu satisfaisant, comment pourrait-il en être autrement? Je ne suis pas dupe de l'engrenage dans lequel je suis prise depuis plusieurs années. On s'y engage le jour où on accepte un scénario qui ne vous convient pas vraiment, pour payer ses impôts. Cela se fait insidieusement, presque à votre insu, le mécanisme en est simple : vous devenez, au box-office, ce que l'on appelle une vedette. Vous touchez des cachets importants, l'année suivante vous payez des impôts en conséquence. Rien que de très normal. Votre nom, alors est censé représenter pour les producteurs l'assurance d'une certaine rentabilité, ce qui n'est pas toujours exact. A partir de ce postulat, le déroulement invariable va être le suivant : un producteur vous propose un film pour lequel il s'est assuré, vous affirme-t-il, comme réalisateur X, obligatoirement un nom prestigieux, et coté. Vous lisez un scénario qui vous paraît assez quelconque, seulement comme bien souvent le sujet n'est rien, que l'argument des plus grands chefs-d'œuvre peut tenir en trois lignes banales, vous vous rassurez en pensant que le talent change le plomb en or, que lui seul compte et que si X l'accepte, il sait où il va.

C'est à cet endroit précis que débute le malentendu, car trop souvent X est dans votre cas et sa raison primordiale est, pour lui aussi, le règlement de ses impôts. Le nom de X mis en avant étant pour vous une garantie vous ne refusez pas d'emblée la proposition qui vous est faite. Le producteur, fort de ce qu'il considère comme une acceptation de principe, affirme au metteur en scène dont le nom a été avancé, mais qui bien souvent n'a même pas été pressenti : Michèle Morgan, ou Jean Gabin, accepte de tourner ce sujet. X le dit et fait à peu près le même raisonnement que vous. « Si Michèle, ou Jean, accepte... » si bien que dupés l'un et l'autre, ayant besoin d'argent, on se retrouve tous ensemble en train de tourner un film dont il eût mieux valu pour chacun s'abstenir, car le talent ne se force pas.

Après cette première phase, la deuxième aggrave irrémédiablement votre situation. Le cachet de ce film ayant augmenté vos revenus, vos impôts vont s'en trouver alourdis. L'année suivante, pour les régler, il vous faudra accepter un sujet qui ne vous conviendra pas tout à fait et... ainsi se boucle la boucle.

Il est évident que je schématise un peu et qu'à notre époque les processus sont parfois plus complexes, mais la démarche en reste identique et bon nombre de films médiocres, malgré de belles distributions, des équipes techniques remarquables, n'ont pas d'autres origines.

C'est un système dangereux. Mais pour y mettre fin, Olga me fait remarquer que cela va nécessiter de ma part des sacrifices financiers importants, je ne l'ignore pas et les accepte. Ma lucidité face à cette situation est totale, je sais parfaitement que cette décision va transformer mon existence, non seulement je l'accepte mais je le désire. Je tournerai moins, mais j'aurai davantage de temps pour vivre.

Dès le lendemain, je commence par éliminer les films, les dramatiques pour la télévision, s'il s'agit d'une histoire à laquelle je ne crois pas, d'un rôle qui n'est pas intéressant, qui ne correspond pas à mon personnage, ou auquel interprété par moi le public ne ferait pas crédit. La seule fois, dans « Retour de manivelle », que j'ai accepté d'être une garce, personne n'y a cru!

Il n'y a pas que les producteurs qui vous enferment

dans un genre déterminé, le public également : il y a un physique pour jouer les anges et un pour jouer les salauds. On m'a attribué celui des femmes-victimes, celles au destin malheureux, qui pleurent et meurent! Alors que j'aime la joie, le rire, que dans ma famille on a toujours eu la vocation du bonheur!

Aucun réalisateur n'a osé s'écarter du modèle dans lequel j'avais été moulée de 16 à 40 ans. Pendant une très longue époque on ne pouvait envisager de faire une carrière sans avoir le physique « cinéma ». Je n'irai pas jusqu'à dire : « Ah! si seulement j'en avais eu un autre! » mais il a fallu que vienne « Benjamin » pour que me soit proposé un personnage qui, sans être tout à fait moi, n'était plus conforme au stéréotype Michèle Morgan. J'ai eu grand plaisir à interprété ce rôle et m'y suis sentie à l'aise. Ensuite j'ai attendu, de confiance, d'autres propositions semblables, le succès remporté par « Benjamin » m'y autorisait.

Ce fut la zone de silence.

Certes les sollicitations ne manquaient pas, elles arrivaient et elles arrivent encore par dizaines, mais aucune ne possédait les qualités que je recherchais.

Etais-je devenue trop difficile? Je ne le pense pas mais j'avais l'âge où l'on doit prendre un tournant. Il est plaisant que les articles de journaux célèbrent « la toujours belle Michèle Morgan », très agréable que les sondages vous proclament « l'artiste la plus populaire » mais cela n'influence en rien la réalité. Il me fallait un choix différent, et on ne me l'offrait pas. La nouvelle vague montait, ces jeunes metteurs en scène ne manquaient pas de talent, seulement d'argent. Ils n'avaient pas les moyens de se payer des vedettes, ce qui allait contribuer à faire naître une autre génération de comédiens, d'ailleurs remarquables. Ils n'avaient pas non plus l'âge de s'intéresser aux problèmes des personnages appartenant à d'autres générations que la leur. Ils durent eux-mêmes vieillir et c'est ainsi que huit ans plus tard Claude Lelouch me proposa le rôle du « Chat et la Souris ». Ce film occupe une grande place dans ma vie professionnelle, sans lui j'aurais pu succomber à l'usure de trente années de vedettariat.

Il fut pour moi une révélation. Après trente-cinq ans de carrière, un metteur en scène m'utilisait telle que j'étais : vraie, un personnage de la vie. Ce nouveau cinéma, moins statique, en contact direct, m'a enchantée.

Plus de dialogues appris par cœur, plus de marques qui jalonnent votre parcours. C'est un cinéma libre. Les répliques sont en situation, l'acteur peut les modifier dans le sentiment du moment, la caméra sur l'épaule permet une liberté exceptionnelle de mouvement dans laquelle je me suis tout de suite sentie à l'aise. A cinquante ans passés, je découvrais la liberté!

Celle-là n'était que professionnelle.

Avant elle j'avais connu une autre liberté, celle qui vous permet de prendre des vacances. Soudain le temps avait changé de dimensions, il me semblait que j'allais pouvoir tout mettre dedans, lectures, expositions, voyages, peinture. Depuis ma première leçon avec Kisling, je n'avais cessé de peindre; chaque fois que cela m'avait été possible, j'avais pris mes pinceaux pour une esquisse de visage, une pochade de paysage. C'était comme une soif, elle devenait presque vitale au fur et à mesure qu'en moi s'accumulaient les images. J'avais franchi le stade de l'ébauche dont le résultat vous contente, je voulais autre chose. Je cherchais un moyen de m'exprimer, de réaliser ce besoin de formes, de couleurs qui était en moi.

C'est en faisant des exercices de lignes pures que j'ai commencé à réaliser des compositions abstraites qui firent l'objet d'une exposition. Par elles, c'est une démarche généralement contraire qui se produit, j'en suis venue au figuratif, sous l'aspect de découpages — eux aussi furent exposés — maintenant je vais vers autre chose : de grands profils, surtout ceux de Samantha, mon modèle favori, plus grands que nature, où le trait, et la couleur en à-plat, occupent une place prépondérante, à la limite du décoratif.

Peindre c'est pour moi une manière de communiquer avec les autres, avec la vie...

Cependant rien n'aurait été semblable si, avec moi, je n'avais eu Gérard.

Lorsque nous nous sommes retrouvés nous avons su, l'un et l'autre, que c'était définitif. Délibérément, pour sauvegarder notre amour nous avons choisi de rester des amants. Nous ne nous sommes pas épousés et pourquoi le ferions-nous? Mariée je n'ai jamais connu – sans doute mon métier en fut-il en partie responsable – ce que pouvait être la vie d'un couple. Aujourd'hui, paradoxalement, je mène réellement l'existence d'une épouse : celle de Gérard Oury. Qu'il s'agisse de sorties ou de son travail, nous ne nous quittons pas. C'est pour moi une autre manière de vivre ce métier que je n'ai jamais cessé d'aimer. Projets de films, scénarios, idées, nous en discutons ensemble; ses gags, il me les lit; je suis son banc d'essai, mon rire spontané fait de moi, d'après lui, sa meilleure cliente!

Avec « La Folie des Grandeurs », nous sommes allés ensemble en Espagne. « Le Corniaud » nous a emmenés en Italie. Pour « Rabbi Jacob », je suis retournée aux Etats-Unis. J'avais habité six ans dans ce pays, j'y avais fait de nombreux voyages et certains aspects m'en étaient restés déplaisants ou étrangers. Gérard a complètement modifié ma façon de voir. Il a une manière différente d'ouvrir les yeux sur le monde, large, compréhensive, qui vous entraîne vers de nouveaux horizons.

La seule chose que nous n'ayons jamais réalisée ensemble, c'est un film, mais Gérard est avant tout un auteur, un réalisateur de films comiques! Si depuis des années je suis tellement difficile lorsque l'on me propose un film, c'est que je n'ai pas envie de me séparer de lui et je refuse très souvent de tourner pour rester en sa compagnie. Avec Gérard j'ai trouvé le bonheur.

On ne raconte pas une histoire que l'on est en train de vivre, même si elle dure depuis déjà vingt ans.

Les Oliviers, 1977.

TABLE DES MATIÈRES